国家出版基金项目
NATIONAL PUBLICATION FOUNDATION

《三联经典文库》

第二辑

2012年国家出版基金项目

三联经典文库

162

中国哲学史纲要

向林冰　著

生活·讀書·新知 三联书店

图书在版编目(CIP)数据

中国哲学史纲要 / 向林冰著. -- 北京 : 生活·读书·新知三联书店, 2014.1
（三联经典文库第二辑）
ISBN 978-7-108-04674-1

Ⅰ. ①中… Ⅱ. ①向… Ⅲ. ①哲学史－中国 Ⅳ. ①B2

中国版本图书馆CIP数据核字(2013)第252723号

162 中国哲学史纲要

责任编辑 龚黔兰
封扉设计 蔡立国
责任印制 郝德华
出版发行 生活·讀書·新知 三联书店
(北京市东城区美术馆东街22号)
邮 编 100010
经 销 新华书店
印 刷 北京鹏润伟业印刷有限公司
版 次 2014年1月北京第1版 2014年1月北京第1次印刷
开 本 787毫米×1092毫米 1/32 印张 19.875
字 数 283千字
定 价 72.00元

《三联经典文库》出版缘起

适逢生活·读书·新知三联书店八十华诞，为弘扬传统，接续文脉，回报读者，服务社会，我们决定策划出版《三联经典文库》。

1932年7月，生活书店在上海创办，此后，读书出版社和新知书店相继成立。本文库第一辑、第二辑所选图书，来自于这三家出版单位及其分支机构，以及1948年生活·读书·新知三联书店成立后的出版物，始于1932年，截至1951年，两辑各一百种。此为第二辑，涉及政治、经济、社会、军事、思想文化诸领域，涵盖专著、文集、散文、小说、诗歌、传记、报道等体裁，既有直面现实、追求真理、讴歌真善美、抨击假恶丑的原创作品，又有引介世界各国先进文化、传播新知、开启民智的迻译之作，真实记录了那一代知识分子的思考与探索、理想与愿景和对中华民族文化传承与创新所做出的努力与贡献。

本文库所辑入各书，多为名家名作，在版本方面，以初版一印本或经著译编者审定、修订、增订过的版本为首选，因此本文库又具有较为珍贵的版本价值和收藏价值。

本文库还将编选续辑，使之成为恢弘文化工程。诚挚希望读者给予批评和指正，帮助我们完善编选工作，再现三联经典作品之风采。殊为遗憾的是，由于年代久远，一些原著译编者及其后人未能取得联系并奉付稿酬，诚盼版权所有者与我们联系。祈愿三联前辈所创造的精神财富能薪火相传，为中华文化的伟大复兴增光添彩。

《三联经典文库》编辑委员会

2013 年 8 月

凡　例

一、本文库为重排本，由繁体字竖排版改为简体字横排版。

一、以忠实于原作、整旧如旧为编辑原则，对当时使用的专有名词、外文译名，以及民国时期的语言和特色予以保留。

一、原书注释如旧，编者所出的注释，均以“编者注”标明，以示与原书注释的区别。

一、对原书残缺或字迹漫漶之处，以□示代。

一、对繁简文本转换时的“如右”、“见左”一类，对应改为“如上（前）”、“见下（后）”。

一、对原书中各种错讹脱衍之处，直接订正，不再以其他符号标示。

一、对数字、标点符号的用法，在不损害原文语义的情况下，做必要的规范。

一、本文库各书均前插原书书影、原书版权页和文库版“本书出版说明”。

一、本书出版说明的撰写，以客观中立为原则，扼要介绍本书的内容、版本流转、著译编者的情况。

本书出版说明

本书以唯物论史的创作为初衷，由序论：一般的哲学发展法则与中国哲学的特质、中国的社会与科学及哲学的发展阶段、诸子时代的哲学、经学时代的哲学、经学发展的新阶段——宋明时代的新儒教哲学、作为经学最高发展阶段的清代哲学六部分组成，全书语言通俗易懂，可作为哲学初学者的一部入门书。

本书由生活书店初版于 1939 年 9 月，此次出版即以此为底本。

向林冰（1905-1982），原名化南，字象离，笔名向林冰、纪玄冰。河南省内黄县人，曾任复旦大学、东北大学、东吴大学、山东大学教授。1926 年加入中国共产党，历任山东大学校务委员会副主任兼文学院院长、平原师范学院院长、河南第二师范学院院长、开封师范学院院长、中国科学院河南分院副院长、河南历史研究所所长、中共中央党校哲学教研室顾问、中国社会科学院历史研究所兼任研究员等职务。其主要著作有:《中国哲学史纲要》、《中国知行学说简史》、《中国哲学思想》、《哲学要论》、《古代儒家哲学批判》、《困知录》、《论语新探》等，并与侯外庐、杜国庠等合作撰写多卷本《中国思想通史》。《论语新探》曾由美国的 M. 罗伯茨翻译成英文。

生活·读书·新知三联书店

2013 年 8 月

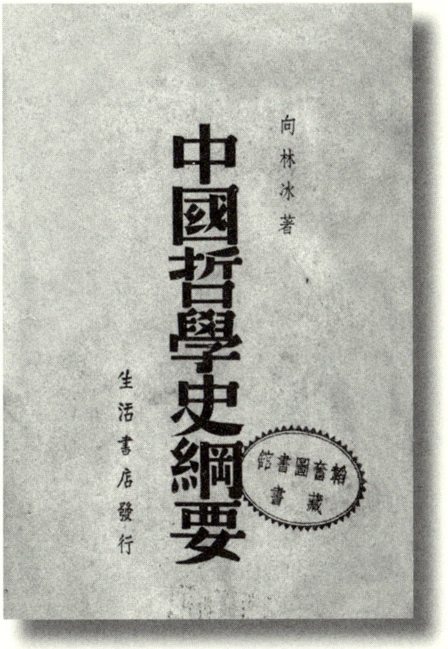

生活书店 1939 年 9 月初版书影

中國哲學史綱要

每冊實價壹元捌角
外埠酌加寄費

著者 向林冰

發行者 生活書店

重慶：武庫街二十一號
香港：大道中一七五號
星洲：大坡大馬路186號
西安：馬坊門二十五號
桂林：中南路一〇一號

長沙 成都 梧州 貴陽
昆明 蘭州 宜昌 萬縣
衡陽 吉安 天水 南鄭
南昌 上海 金華 麗水
常德 沅陵 柳州 南寧
臨川 南平 福州 桂平
梅縣 曲江 巴東 嘉定

印刷者 生活印刷所

中華民國二十八年九月初版

PA 0575-1-2000

原书版权页

目次

序

中国唯物论史的写作，以本书为第一次。正因为是第一次，所以在各方面都特别不敢自信。在写作中，所感到的困难，计有下列各点：第一，唯物论史的建立，应以社会发展史及自然科学史的建立为前提，而这两种科学，在中国则十分幼稚，前者至今无统一的结论，后者则完全没有体系化的著作；在万不得已之中，乃将日本唯物论者秋泽修二氏关于这两方面的意见，加以归纳，以成本书第一篇的一二两章。第二，本书想作为初学者的一种入门书，所以在数量上不宜过长，在行文上应求通俗；然而，这在中国哲学史的写作上，几乎都是很难实现的要求。因为中国的古书，并非初学的青年所可顺利的理解，不引征，似嫌武断，单单引征，又无济于青年的理解，引征后再加以注释，则不免要拉长篇幅；

而且目前关于中国哲学及古书真伪的争辩，尚无结论，每步的论断，都可引起反对论者的攻击，倘稍加说明，又必增长篇幅。所以本书虽处处不敢展开，而结果则既不简短又不通俗，这是我所十分不安的一点。但是，我同时自信，耐心的青年读者，倘能以战斗的精神阅读本书，是决不会无所收获的。

本书因上述的困难，不得不将原定的数量扩大，分上、中、下三卷出版。上卷的内容“序论”，是中国唯物论史的方法论的阐明；第一篇“中国的社会与科学及哲学的发展阶段”，是中国唯物论史建立的前提条件的奠定。至于第二篇“诸子时代的哲学”，则由老子至荀子，在社会发展上相当于奴隶制的全形成过程，在哲学上，也正是中国唯物论发展中复归于原来出发点的辩证法运动的一个“环”——即中国哲学发展的第一个阶段的完结。中卷和下卷的内容，由秦汉至目前的抗战建国运动，决于最近完成，与青年读者相见。

在参考书方面，所赖于秋泽修二氏《东洋哲学史》及郭鼎堂先生《先秦天道观念之发展》二书的地方独多；但本书的一般论断，却又和他们的见解不尽相同，肯比较阅读的青年，定可体会此中的区别所在。

我写作本书，得胡绳兄多方帮忙，每章的草稿，都经他在百忙中细心校阅，提供许多宝贵的意见；林舒君始终担任本书的校阅工作，修正了许多字句及内容上的错误，特志于此，借示谢意。我在写作本书中所最觉痛心的，即我十五年来的学习上的至友李可敏君，已赍志没世，未及听取他对于本书的卓见。但在某种意味上，本书乃是我二人共同自学的成果，故本书同时又是我对亡友的纪念。

我本拟写一部《大中国哲学史》，本书乃是其节缩本，所以特名为《中国哲学史纲要》。因此，我盼望中国哲学史的研究专家，多所指正，不要以为这是一本专供初学者的“小册子”便存轻蔑的观感，而放弃对于学术研究的批判的义务。

著者识

一九三八，七，七，于武昌。

序论　一般的哲学发展法则与中国哲学的特质

一、关于中国哲学的偏见及其批判

我们的研究课题，是发现中国哲学中辩证法、唯物论要素的发展法则；但却有两种偏见，阻拦着我们的去路。第一种偏见，是中国哲学否定论。其中心论点，是说西洋所谓哲学，乃纯粹思维的科学，其存在与发展，是以思维的自由为基础的，而中国没有自由；所以西洋自柏拉图、亚里斯多德，经过斯宾诺莎、莱布尼兹，以至康德、叔本华等所研究的哲学根本问题，如像思维与存在的关系，宇宙的本质，认识的特性，方法与限界等问题，在中国几乎没有发生；中国人历来所研究的范围，不出乎人生，如伦理问题及日常生活上常识的说教。所以中国本没有哲学，现在所有的哲学，都是由外国——欧美、日本及印度翻译而来，中国本身，决没有自力发生哲学的可能。第二种偏见，是中国哲学特殊论。其意思为中国本有其自己的哲学，但中国的哲学，既不是唯物论，又不是唯心论，而为中国所独有的一种特殊哲学。这两种偏见，前者以黑格尔、哈克曼为代表，后者以郎格为代表，而在中国现在，似乎也颇有附和者。这两种偏见，虽然出发点不同，结论互异，而却有一个共同的根本态度，这就是否认中国有辩证法、唯物论要素的存在，因而也否认建立中国唯物论史的可能。

但是我们却有充分的根据，不能同意中国哲学否定论与特殊化论的命题及其态度。第一，所谓哲学，并不是纯粹思维的科学，而是对于客观存在全体——自然、社会及思维——的综合的科学的理论的认识，也就是关于客观存在全体的普遍法则的科学。哲学所以成为关于思维法则的科学——论理学，正因为其为存在全体的普遍法则的科学；如果哲学不是存在的论理学，便不能是思维的论理学。第二，哲学并不是某特定民族或国家的独得秘义，而是人类社会进化过程中必然阶段上，氏族的宗教神话观念，必然随着生产力与生产关系的提高——农业生产样式的支配，商业交换范围的扩大及人类对自然认识的加深，氏族血统纽带的弛废等等而发生动摇，这时期哲学便脱离了宗教神话，而成立为一种独立的意识形态，且其思想的基本内容，也必然是宗教神话观念的正反对物，而多少是无神论——唯物论性质的体系；又因为客观存在的发展法则，本质上是辩证法的，是与唯物论不可分离的，所以奴隶制社会初期所发生的哲学的最初形态，经常是原始的辩证法、唯物论。第三，只要承认中国人也有其认识客观存在法则的方法与成果，便不能不承认中国有哲学的存在；只要承认中国社会的发展并未曾停滞在奴隶社会以前的野蛮阶段，也不得不承认中国有其自己的哲学发展史。第四，历史上的哲学，外表上尽管有五光十色的名目，而实质上只有唯物论与唯心论。因为哲学的根本问题，就是决定思维与存在的真实关系或客观存在的本质。是思维决定存在呢？还是存在决定思维呢？客观存在的本质是精神呢？还是物质呢？一种哲学，对于这个问题，只能作一个答案。肯定了前者，便是唯心论；肯定了后者，便是唯物论。此外对于这个根本问题，回避不谈或保持调和折衷态度的，本质上都是此二者的不鲜明形态或不彻底形态，绝不是第三种的中性哲学或超然哲学。第五，从宗教神话到哲学的发展，是一个到对立物转化的辩证法过程，宗教是颠倒的世界认识，哲学是真实的世界认识；而世界——客观存在的本质，为物质的辩证法的范畴，所以一切的哲学，哪怕是最接近宗教的主观唯心论或唯我论，也或多或少的或明或暗的包含着辩证法、唯物论的要素。这种要素的获得，是哲学所以成为哲学的前提条件，如果完全缺乏了这种反映客观存在本质的要素，如果与客观存在的真实性完全没有合致的侧面或部分，便根本上不是哲学。因此，哲学发展的过程，就是辩证法、唯物论要素的发展过程。第六，哲学是意识形态的特定形态之一种，规定其发展样式的根本条件，计有三个：首先是生产诸力与生产诸关系的构造特征；其次是社会的政治机构——阶级关系的性质与形态；最后是实证科学——尤其自然科学的发达水准。此三者相互结合而规定哲学的发展，并因其结合的样式不同，使同一发展阶段的哲学互异其相貌；但相貌上虽有其特殊的个性，而实质上则仍与一般的哲学同其范畴。第七，所以谓中国没有哲学或中国只有特殊哲学，或否认中国有辩证法、唯物论要素的存在与发展，都是毫无根据的偏见。

这两种偏见的逻辑根源，在于不理解哲学的一般形态与个别形态的辩证法。伊里奇说：“首先，对立物（个别形态与一般形态中的对立）就是同一物。个别形态不导入于与一般形态的关联中，便不存在；一般形态，只有在个别形态中，通过个别形态而存在。一切的个别形态（在某一方面）都是一般形态，一切的一般形态，都仅只近似的把握着个别形态。一切的个别形态都不能完全纳入一般形态之中等等。”中国哲学否定论，显然是以一般抹杀了个别，根本上是抽象化的唯心论；中国哲学特殊论，则是以个别抹杀了一般，根本上是只见树木而不见森林的机械论；所以都是以偏概全的一孔之见，毫无是处。如果从实践上加以分析，则可知前者是世界帝国思想蔑视殖民地文化的反映，后者是东方神秘主义的民族自大或盲目精神的表现。而其所以能在哲学的研究中，引起相当严重的偏向，则由于中国的哲学发达水准落后，一般人对于哲学的本质及其发展法则，缺乏科学的理解。

二、哲学的发展法则——唯物论与唯心论的斗争

人类的历史，是一部阶级斗争史；哲学发生于人类历史的奴隶制社会的阶段，即阶级社会的最初阶段，其本身是阶级斗争在意识形态中的综合的反映，或阶级斗争的一种形态。变革的阶级，其主观的要求，与客观存在的发展法则相合致，故有认识现实的必要与可能。因此，常以合致于客观真理的辩证法、唯物论为斗争的武器。而保守的阶级，因其没落的历史地位制限，所有的要求，与客观存在的发展法则相背反，遂丧失其认识现实的必要与可能，故常以歪曲现实的唯心论为斗争的工具。我们根据着唯物论为变革阶级的哲学与唯心论为保守阶级的哲学这种历史的事实，便可以知道唯物论与唯心论的斗争，就是哲学的发展法则；而真理的客观性与认识的党派性的辩证法的统一，也可由此而获得充分的

证据。

但是在唯物论与唯心论的阶级性问题上，我们又遇见了怀疑论者，他们说十七世纪的英国贵族——王政复古的拥护者，爱好着唯物论，而反对旧制度的变革阶级，则是宗教的狂信者——新宗教的信徒；在十八世纪的法国，却又恰巧相反，即贵族支持着加特力教，变革的布尔乔亚，则主张了唯物论。而且赛理斯、德谟颉利图与苏格拉底、柏拉图等四人，都是古代希腊奴隶所有者阶级的哲学者，然而前两人的哲学是唯物论，后两人的哲学则是唯心论。所以哲学的阶级性，是无法肯定其存在的。不过由我们看来，上述的例证，却与怀疑论者没有半点利益。第一，十七世纪英国贵族所以特别爱好唯物论，是因为非唯物论的无神论思想，不足击破清教徒的新宗教，而巩固王政复古的政治制度及建立于其上的贵族阶级的利益；其所以能够支持唯物论的物质基础，则在于王政复古时代的英国贵族，已经变成了布尔乔亚化的贵族，其本身已经不是纯封建保守阶级，而是在温和形态下的英国变革阶级或改良的推动者。至于法国的布尔乔亚，乃是彻底的布尔乔亚的变革阶级，一方面为要粉碎贵族的加特力教，固然不得不揭举唯物论的旗帜，另方面在其反封建的彻底性上，也没有再利用新宗教的必要。法国唯物论所以比英国唯物论更为彻底，就是因为法国十八世纪的变革过程，是一个彻底的布尔乔亚大革命，而英国十七世纪的王政复古，则是一个温和的布尔乔亚化贵族的改良。英法两国宗教与唯物论对立形势的相反，更明证了阶级斗争在意识形态发展中的决定意义。第二，古代希腊奴隶所有者阶级由唯物论到唯心论的转化，经过了约三百年的时期（纪元前六四二至纪元前三四七年）。前半段奴隶所有者阶级在其与氏族制社会残余斗争中，是变革的阶级，所以是唯物论者；后半段又在与奴隶大众斗争中，变成了保守的阶级，所以是唯心论者。综上二例，都是哲学党派性的适切证据，而与怀疑论者的理解，恰相反对。

然而，我们说唯心论是保守阶级的反动哲学，这并不是说唯心论是单纯愚妄命题的堆积。保守阶级为要维持其支配者的地位，固然不得不与宗教神话观念相结合以掩蔽真实，但另方面却不得不部分的吸收辩证法、唯物论的内容，而完成宗教神话学术化的形态。唯物论是与宗教神话观念不相容的，因此唯心论又不得不对于辩证法、唯物论的要素加以必要的歪曲或强奸。于是在唯心论的内部，便不可避免的发生了矛盾——即宗教性的体系与唯物论的要素之间的不可调和的矛盾。这种矛盾是唯心论所不能自力克服的，即是说：如果从右面来克服，就要变成露骨的宗教神话，如果从左面来克服，又要变成唯物论，结果都不是自己的发展，而是自己的灭亡。像这种进退维谷的穷境，正是唯心论的宿命的地盘，其保守性的逻辑根源，实在于此。亡友李可敏君曾云“中途半端的不彻底性、失急忙慌的穷迫性，就是唯心论的本质，历史上只有彻底的唯物论，而无彻底的唯心论”。可谓一语破的！但唯心论因其阶级地位的制限，也不得不和唯物论相斗争，而斗争又不得不吸收辩证法、唯物论的内容以武装自己。所以在唯心论与唯物论斗争的场合，如果唯心论犹得了胜利，这胜利本质上也不是唯心论本身的胜利，而是唯心论内部所包含的辩证法、唯物论要素的胜利，即辩证法、唯物论内容的增加。如像古代希腊哲学中亚里斯多德体系的胜利，就是例证。在唯物论方面，当其与唯心论斗争的场合，一方面是要粉碎唯心论的反动体系，另方面又是批判的吸取内部的辩证法、唯物论的要素，以丰富自己。所以唯物论与唯心论的斗争史，在这里又表现为唯物论的自己完成史。但这种自己完成，不是一个和平的直线的过程，而是在不断与自己的对立物斗争中的一个矛盾的螺旋的过程。

因为只有辩证法、唯物论是反映客观真理的科学的哲学，所以唯心论的运命，常常是成立于辩证法、唯物论要素的吸收，灭亡于辩证法、唯物论要素的丧失，而再兴于辩证法、唯物论要素的恢复。历史昭示我们，哲学的本质就是辩证法、唯物论，如果没有了辩证法、唯物论，便没有哲学。又因为客观存在全体，就是物质的辩证法的范畴，所以完成的唯物论，就是辩证法的唯物论，合理的辩证法，就是唯物论的辩证法。因而唯心论内部的辩证法、唯物论要素，乃是被歪曲被强奸了的倒立形态，乃是被唯心论所利用违反着自己的本性而与唯物论相斗争的反动武装的基础。据此可知，唯物论与唯心论的斗争，就是一个双重性的斗争，即一面是唯物论与唯心论之间的外部矛盾，一面是倒立的辩证法、唯物论要素与唯物论的斗争，即唯物论自身的内部矛盾。我们根据着内部矛盾决定外部矛盾的原理，可知唯心论与唯物论的外部斗争，是被唯物论自身的内部斗争所决定的；这就是说，唯物论能否批判的改造唯心论内部所包含的辩证法、唯物论要素，能否彻底解放唯心论内部所歪曲所强奸所利用的辩证法、唯物论要素，是唯物论与唯心论斗争中的决定的范畴，是唯物论能否胜利的先决的前提，费尔巴哈与黑格尔的斗争及马克斯与黑格尔的斗争，其结果及意义的不同，便在于此。这里有一个适切的例证，即目前抗战建国的斗争，其最高形态，固然是中日两国间的外部矛盾——即和平与侵略的斗争，但是和平自身的内部矛盾（为建立抗日的民族统一战线、为联合日本国内人民大众及其殖民地的弱小民族解放、为唤醒日本法西斯军阀麻醉强迫下的日伪士兵大众等等）的存在与发展，则是决定和平与侵略间外部矛盾的范畴。所以，我们认唯物论与唯心论的斗争，本质上包含着唯物论自身的内部斗争，不但没有降低哲学的党派性，不但没有将唯心论武装化，反而剔抉出唯心论的非哲学的本质及其作为哲学的残缺性；另方面也证明了唯物论最后胜利的必然根据，以及唯物论的胜利，哲学认识的发展，人类自己的解放之三位一体的合致关系。

三、哲学与哲学史

哲学不仅是社会经济构造上所形成的阶级斗争的一种意识形态，而且又是客观存在的反映或模写；意识形态论与反映或模写说，本质上是一个对立物的统一。这就是说，哲学一方面是社会诸关系的产物，是一定的阶级的主观意识形态，而同时在另一方面则又是客观真理的认识。人类只有以社会的实践为媒介，才能认识客观存在的发展法则，这是毫无怀疑余地的；而社会诸关系的发展，本质上是辩证法的，具有着内在的合法则性的关联；因而一时代的哲学，便是整个哲学发展史中的一环，哲学与哲学史，根本上是统一的范畴。黑格尔在唯心论的形态下面，已经说明了这种道理。他说：“我们根本要懂得：历史上哲学的多样性，不仅无损于哲学本身——哲学的可能性——而且此种多样性，对于哲学的科学的存在，乃是绝对必然的，归根结底，乃是哲学的本质的要素。”“一切的哲学，是其时代的哲学，是精神发展全连锁中的一环。”“哲学因为是发展中的体系，而哲学史也是同样。”“在从来各种哲学体系中，都指示出每种哲学均出现于种种的形成阶段上，而各体系中根本的特殊诸原理，完全不过是同一全体的分歧。时间上后出的哲学，乃是先行的一切哲学的成果，因而便必然包含着一切的原理。所以后出的哲学，只要它是哲学，便是最发达，最丰富而且最具体的体系。”“哲学史的全体，其自身是理性的，是被自己的理念所先天规定着自身必然的首尾一贯的发展。”所以“各种哲学已给必然的存在过并且必然的存在着，因此任何哲学，均不曾灭亡，一切都作为唯一全体的要素，而肯定的包含于哲学之中”。“历史上哲学体系的继起顺序，和理念在概念诸规定的论理根据中的继起顺序，是一致的。”

上面所引证的黑格尔的话，如果剥去了其唯心论的神秘外衣，实不难发现其合理的核心。这就是说，哲学史不是偶然的谬误与偶然的真理之平面性的列举或编排，而是要在各时代哲学体系的发展过程中，发现其必然性的内在关联，发现其阶级的与逻辑的规定下的对立物统一的发展法则，使哲学史本身成为一个合法则性的完整的有机体系。这样的哲学史，其叙述的顺序，同时也就是辩证法、唯物论要素的发展过程。于是哲学史本身，是历史又是哲学；而辩证法、唯物论的发展史与其根本法则的阐明，也于此获得了辩证法的统一形态。

四、中国哲学的特质与中国哲学史的把握方法

前述一般的哲学发展法则及哲学与哲学史的辩证法关联等命题，在中国哲学史上，是同样可以适用的。不过中国哲学，究竟是中国的哲学；这就是说，它与欧美及印度诸国家的哲学不同，而有其独自的特质。因为对于这种特质的忽视，便产生了中国哲学否定论；因为对于这种特质的夸大，又产生了中国哲学特殊论；所以指出中国哲学的特质所在，乃是正确的把握中国哲学的前提条件。

中国哲学的第一种特质，就是辩证法、唯物论发展的不充分。“易”之原理中的自然发生的辩证法及“五行说”中的原始的唯物论，在儒教思想之下，则与宗教

的唯心论相结合，而被其所歪曲。中国的唯物论，本属于老子思想的系统，老子的“道”的哲学，虽曾被庄子所唯心论化，然而杨朱则清楚的表示了唯物论、无神论的思想，但其最大的缺陷，即在幸福哲学的快乐主义；这种唯物论、无神论，又由荀子更加以发展。荀子更在其唯物论的立场上，确立了感觉与悟性，个别与一般的辩证法的统一。但是，荀子并未能充分的完成这种统一，这是因为他受了儒教思想——“礼”的制限，而未能贯彻模写说的唯物论的必致结果。这种不充分的唯物论，至后代也全然趋于衰灭，仅在后汉时代被王充所复活。王充的唯物论，确乎具备了战斗的性质，在其中已无唯心论的存在余地。然而另方面，王充的唯物论，也决非理论的完成的体系，它根本未脱出自然主义的见地，而具有了运命论的倾向。

一般的说来，杨朱、荀子与王充，虽已依“自己原因”确立了物质的实体，但却未能清楚的认识到物质的“自己运动”。中国唯物论，一般均未能到达于德谟颉利图的原子论的唯物论。惠施所确立的对于“大一”的“小一”这种极微概念，不但未到达于德谟颉利图的原子论的唯物论，反而陷于唯心论的诡辩主义。中国哲学的这种特质，与中国物理学、化学等自然科学的不发达，有直接的关联。而且正因为唯物论的不发达，所以辩证法的发达，也极不充分。

中国哲学的第二种特质，是人生哲学的支配，中国历史上的哲学者，大概都具备着处世哲学者（贤人）的性格。老子哲学，本以唯物论的世界观为出发点，后被庄子所唯心论化，至汉代以后，竟完全隳落成了人生哲学，即所谓“老庄思想”。然而人生哲学的特质，并不限于“老庄思想”，在一般的中国哲学体系中，大体均为支配的形态。墨子思想既已如此，至于孔孟思想的哲学，几乎完全被其道德政治的思想所埋没。所以中国哲学，与其说是客观的存在全体的科学，不如说是道德论、政治论。宋学的“格物致知”的科学，结局也从属于“诚意”“修身”的道德目的及“齐家”“治国”的政治目的；考证学的根本思想，也是“经世致用”。在我们看来，中国哲学中人生哲学的支配——老庄思想、佛教思想的“放心”“解脱”，儒教的“忠”“孝”“仁”“爱”“信”“义”“礼”“廉”、君臣之道、君子之道等——便是中国哲学发展不充分性的明证，这是被中国社会的特殊构造所规定的。儒教思想，至子思孟子而体系化，后由董仲舒作成了固定的形式，根本上是唯心论，尤其是中央集权的官僚支配的意识形态。所以我们和东洋哲学的讴歌者的要求相反，在中国儒教思想中，和印度的佛教思想同样，几乎完全没有积极科学的内容，想要中国哲学向更高阶段发展，只有扬弃了儒教思想，始有可能。

最后，中国哲学史上的一大特质，即其发展的停滞性。中国哲学，由秦汉以降，即一般的表现着发展的停滞，至六朝时代，更显示出全盘的退步，宋代虽有新兴哲学思维抬头，然而一到明代，便出现了阳明学——主观的唯心论。清代的考证学，其哲学的方法虽为实证主义，但也未能完成其哲学的体系。这就是说，在中国汉代以后的哲学发展史中，几乎看不见积极的哲学体系之一贯向上的发展，大体上是停滞或退步。在这里，后起的哲学，和先行的哲学比较起来，并不是向更高理论的发展，向更高认识阶段的发展，更进一步的展开，而是以特征的方法一贯的表现着继续性的中断，发展的停滞。在欧洲哲学史上，固然也有哲学发展的停滞，退步的事实，然全体看来，由赛理斯至德谟颉利图及亚里斯多德古代哲学的发展，由繁琐哲学的崩坏经过文艺复兴哲学至近代哲学（法国唯物论、黑格尔、费尔巴哈、马克斯）的发展，确乎是一贯向上发展、向更高阶段发展的展开，决不像中国哲学全体上表现为发展的中断或退步。这种发展的停滞性，实为中国哲学的一特征。而且纵令有所发展，一般的也是将自己的主张，伪托先圣之言，在宗教的态度中，保持着传统主义，以致造成了解释学（注疏古籍）的支配形态。

关于上述中国哲学的特质的起源，有种种说法。哈克曼以汉语汉字不适于哲学思想过程的叙述及文语与口语的分离，为造成中国哲学特质的原因；黑格尔认为是由于中国专制主义的支配消灭了“自由的土壤”。这些见解，当然无可采择的理由。

在我们看来，中国哲学的特质，应该由中国社会的特殊构造来说明。中国自汉代以后，社会的构造，即以小农生产与家内手工业“直接的结合”为基础，形成了自然经济的支配，又由于商业、手工业及都市的发展，使自然经济趋于崩坏，接着又后归于自然经济；这种社会运动反复中所表现的社会发展的停滞性，便是造成中国哲学特质的物质基础。中国社会这种特殊的构造，也限制了中国自然科学的发达。中国天文学及数学，虽有相当的发展，而物理学及化学等自然科学部门，则极不发达。明代尚信仰着地平说，后因欧洲科学的输入，始知地圆说——地球说，其自然科学的不发达情形，于此可见一斑。中国的特殊社会构造、自然认识的不足，与其特殊政治关系相结合，遂规定了中国哲学发展的特质。

然而，中国的哲学，究竟是哲学；它虽然有其独自的特质，而同时却又有其一般哲学的通性。所以，建立以发现中国哲学发展法则为任务的中国哲学史，依然是历史所赋予我们的重要课题。那么，我们怎样来建立中国的哲学史呢？第一，我们虽然以探讨中国哲学史中辩证法、唯物论要素的发展为目的，但是我们的研究范围，却不能局限于各时代唯物论的分析，而是要在中国哲学史的全部发展中，在唯物论与唯心论的斗争中，来把握其发展法则；而且只有如此，才能建立起中国的辩证法、唯物论史。第二，哲学一方面是社会诸关系规定下的意识形态，另方面又是以社会实践为媒介对于客观存在本质的真理的认识；所以我们的研究方法，要对于各时代的哲学，依唯物史观的考察，即一方面由社会诸关系的特征上，确定其阶级的背景；而另一方面也由模写论上批判其逻辑的命题，并把握哲学史发展的内在关联。第三，中国的哲学，大体上均在人生哲学——伦理学、政治学的掩蔽之下，因而我们除了构引其显明章句以外，尚须在其人生哲学的背后，探求其哲学的出发点——方法论，从其对于日常生活问题的见解与态度中，确定其哲学上的性格。第四，中国哲学自孙文学说开始，经过五四运动及一九二五至一九二七年的大革命，直到辩证法、唯物论的输入，已经形成了世界哲学史的一个有机部分；差不多两洋所有的哲学派别，都曾出现于中国哲学界。我们对于这种新气象——中国唯物论与唯心论斗争的新形势，一方面要批判其逻辑的命题，另方面也要指出其阶级背景，发现其与中国全部社会构造的有机的接种关系。

第一篇

中国的社会与科学及哲学的发展阶段

第一章　中国社会的发展

第一节　中国社会史的发展阶段

哲学是意识形态之一种。然因不是人类的意识决定社会的存在，而是社会的存在决定人类的意识；所以，我们研究中国哲学——唯物论历史的发展法则，不得不由中国社会史的科学的分析开始。关于中国社会史的发展阶段问题，由于确定中国革命性质的实践需要，在一九二七年以后，曾经引起国内及国际上的剧烈论争，而且至今尚在论争的过程中。然而，我们由各方面考察起来，则可将中国社会史的发展，大体区分为下列五个阶段：周以前，即所谓“商殷”时代（由纪元前十八世纪至纪元前十三世纪），大体是氏族制社会；而所谓“周”（经过所谓春秋战国时代而至于秦以前）代，则是奴隶制社会；由秦汉时代至隋唐的长久期间（由纪元前二、三世纪至七世纪），封建制虽已部分的确立，但就全体言之，则为由奴隶制向封建制的转化时期；由隋唐以后至纪元十九世纪中叶（清代后期），则为明确形态的封建制社会；自此以后，即由清代后期至今，乃是半殖民地化的末期封建制社会。但是中国社会史的发展阶段，一般虽是如此，而其在中国史上，则为一个特别充满着矛盾的复杂过程。所以将此种时代划分方法，全然图式的固定化，自然是不能允许的。

第二节　奴隶制社会时代

一般在东洋史上，尤其关于中国史，否认奴隶制社会存在的见解，向来颇为流行。然而，我们认为，这种见解，无论在方法上或在资料上，都是不能成立的。详细的分析这个问题，非本书的专责。我们只拟将中国的氏族制社会转化成奴隶制社会的事实，予以确认，以证明中国社会的历史，决未形成社会发展的一般法则的例外形态。然而，这并不是抹杀了中国社会史发展上的特殊性。问题的中心乃是什么时代并以何种形式中国奴隶制社会成立起来？以及这样的奴隶制社会的发展过程究竟如何？

奴隶的发生，远在殷代末期，已见端倪。考殷代末期，就是父家长制的氏族制社会的末期，这个时期的特征就是牧畜方盛，农业出现，由于征服邻近的氏族而发生了奴隶。从来氏族制诸关系已有某种程度的崩坏，原始共产制正渐次向私有财产制移行，社会的阶级分化与国家的萌芽形态开始形成。然而另一方面，此时期石器尚作为劳动工具而具有着重要的任务，铜器及青铜器，虽经使用，却尚未使用到直接生产上。并且，主要的生产还是牧畜，农耕尚未充分独立的发展，而是由石锹石犁所进行的原始的小规模生产。在这样的生产状态之下，奴隶所有，便不能充分的发展，所以奴隶在生产上的地位，尚不十分重要，同时在殷人自身的内部，尚保持着氏族共同体的组织。结局，殷代末期，乃是由氏族制向阶级社会及国家成立的过渡时代。

奴隶制，至周人征服了殷种族之后，始作为决定的形态而出现。周初主要的生产工具为铜器，但在春秋时代，便已出现了铁制的耕作器具。因此，周代农业的急激的发展，已有可能，并以此为基础而创造出一种新的社会，即奴隶制社会。周室使用着多数的奴隶，大兴土木，开拓土地，并将奴隶供应战争之用；此在《书经》《诗经》之中，均有记载。

在殷代末期所发生的奴隶制，入周代而急速的发展起来。首先，将捕虏过来的殷人，分配于征服者的周人之间，作为奴隶而主要的驱使于农业劳动，此时所谓“蠢殷”（愚蠢的殷）、“戎殷”（野蛮的殷）、“殷庶”（下层民的殷）等称呼都是指奴隶化的殷人而言。《左传》曾载：为周所征服的殷人十三族，夷为奴隶，其中六族赐给周公，七族赐给康叔。由此点观之，被征服的殷人，依氏族族别分配于周种族的族长们之间，想系此时的奴隶所有，最初采取了征服种族各共同体集团的所有形态；其后随着征服种族共同体内部的阶级分化的进展，乃又变成了贵族的个人所有。这样，奴隶所有的增大，瓦解了氏族共同体，而使土地私有发展起来。及至手工业一经脱离农业而成为独立的生产部门，奴隶劳动遂大量的使用于一切生产部门，而奴隶制乃成了社会制度本质的构成部分。此时代之所谓“农夫”，即为作为生产手段被奴隶所有者使用的农业奴隶。生产奴隶制，在手工业的生产中，亦可看到，周代的手工业生产，计有青铜制及铁制农具、铜制或青铜制武器、铜制或青铜制的家具、饮食器、祭器等器具，或乐器衣类以及舟车、战车等种类。在此等手工业的生产中，均使用了多数的奴隶。当时手工业奴隶的存在，由《左传》谓各赐以工人、裁缝、女工及纺织工人等各百人的记载中，亦可想象。因为想要赠赐工人，必以对他们人格的所有为前提，且不得不以所有他们的人格为目的之故。所以手工业奴隶的生产，在周代尤其在春秋时代，已有了相当的发展。

此种生产的发达，当然也使商业发展起来。随着商业的发展，货币的流通，亦趋盛行，在春秋时代末期，已经出现了铸货。商人资本的任务也成了颇可注目的现象。

在这样的状态之下，不但奴隶买卖，一般的进行，而且奴隶也被用于债务的抵当。要之，所谓“春秋时代”（纪元前八世纪至纪元前五世纪），是奴隶制已经发达至相当高度的时期，而春秋战国的时代，则可认为是奴隶制已形成了社会之支配的生产样式。然而，奴隶的生产样式本身，原来具有着内部的矛盾。这种矛盾，至春秋时代以后，已特别强烈。周末所谓“战国时代”（纪元前五世纪至纪元前三世纪）即已经强烈的感觉到奴隶制的矛盾。

西周原始国家的治者阶级，主要的是由征服种族的族长而成的贵族层。在周代初期的著作《易经》中，所谓王，就是酋长（部长同盟之长）；所谓侯，乃战争之际所立的军长；君子大人，是一般氏族的贵族；小人是一般氏族共同体员或奴隶地位的共同体员；邑人，恐即纯然的奴隶。但是在西周末期至春秋初期的著作——《诗经》中，则已歌咏着旧氏族贵族的破产、没落以及代之而起的新兴的有产者（富者贵族）之抬头。这样，本非贵族的“小人”出身的富者（奴隶所有者），遂至参与了政权。这种现象是说明着种族奴隶制向生产奴隶制的发展，征服种族及被征服种族中共同体的诸关系之崩坏与社会的阶级分化更进一步的进展；同时也说明着种族奴隶制国家形态的解体，以及在新兴的奴隶制诸关系上的政治形态之成立。于是，周王之统治，变成了诸侯的独立，而出现了春秋时代的诸国家间的对立。在春秋时代，因征服的共同体与被征服的共同体内部的阶级分化，新贵族层的活动日趋积极，成立在生产奴隶制上面的国家，为要获得奴隶与土地，乃发动了不绝的相互攻伐，终于形成了所谓“战国时代”的争乱。战国的争乱，是为奴隶获得而起的战争。这战争同时又是奴隶制的矛盾之表现。

所谓战国时代各国间的战争，起因于奴隶获得，由《左传》的记载中观之，便可明白。但奴隶供给，决非永无限制，而且，在当时一般尚残存着氏族共同体的诸关系，在某种程度上制约着奴隶制的发展。于是，在战国时代，以农业共同体的诸关系为基础的农奴制已有部分的实现；然由全体观之，则当时尚未能使周时代支配的奴隶制崩坏，尚未能使封建的农奴制以纯粹的形态而充分的发展，因而封建的社会经济构成也不曾成立起来。

第三节　由奴隶制向封建制转化的过渡时代

由秦汉至隋唐这一悠长的期间（由纪元前二、三世纪到纪元七世纪），是奴隶制社会全然崩坏，而封建制社会成立的时期。此时期奴隶制让席于农奴制，社会发展之基本的方向，就是走向封建的土地所有制之发展。然此种发展初非依着一条直线而进行。这就是说，中国奴隶制社会的矛盾，乃采取了与希腊罗马多少不同的形态；在中国的奴隶制之傍，又成立了农奴制，农奴制的发展，使奴隶制衰退下来，然而，农奴制的发展一经达到某一程度，便又表现出逆转的运动方向，奴隶制复活起来。于是由秦汉至唐之中国社会，奴隶制与农奴制，以相互制约的特征的方法，相互关联的结合起来。这种奴隶制与农奴制的特殊关系，就是中国社会的特性。这就是中国史上特殊的官僚组织的同一形态之王朝支配的起伏交替事实中，所表现的中国社会亚细亚的停滞性的根源。

诚然，秦汉时代以来农业中技术进步的结果，集约农业经营发展起来，以奴隶的强制劳动为基础的农业经营，渐次的成了不经济的方法。开始在土地所有者利己心的刺激之下，显示出农奴制的生产关系发展的倾向。但是，由秦汉至隋唐，封建的农奴制，尚未能全面贯彻。

奴隶制依然作为社会之重要的生产部门而存续着，官奴婢与私奴婢的数目，亦相当繁多。汉代发达起来的大土地所有（庄园），佃农之外，尚有着多数的奴隶，并且在国都长安，也有奴隶市场。在贵族或皇室的大土地中，农业劳动所使用者，主要的是奴隶，在贵族的家内工业或宫廷工业等手工业中，也使用了奴隶劳动。

在南北朝时代，奴隶在生产上，也具有了主要的任务。当时谚语有云："耕问奴，织问婢。"奴隶制，由地域上言之，则在北朝更为显著的盛行。这一点，我们不得不同时考虑到五胡的侵入、伴此战乱而来的生产力的破坏，土地的荒废与农民的逃亡等之事实。这就是说，北朝的奴隶制，和生产力的停滞与退步，有着密接的关联。在北方农民开始大举移动到南方的时候，南朝正完成着庄园组织，此等农民或作为佃户或作为奴隶，而被庄园所吸收。因而在南朝，农奴制与奴隶制，也建立了相互制约关系。

经过南北朝而至隋唐，奴隶制已趋衰微，而封建的农奴榨取，则作为社会之支配的生产样式，清楚的表现出来。这就是说，奴隶的农业劳动方面，被农奴所代替，而客户、庄户、佃户等，则在封建的土地所有者之下，从事于农业劳动。

第四节　均田制的意义

为要阐明中国社会史的发展问题，应先确定均田制的意义。所谓均田制，乃是由奴隶制向封建制的移行过程中所施行的土地制度。这是榨取者群——特别是王朝的国家为了维持其权利之物质的基础，依照身份而限制土地所有，将社会秩序保持在一定的轨道上的制度。所以均田制，在许多场合，表现为限田法，一方面限制豪贵的土地兼并，另方面将农民（特别是流亡的农民）紧缚于土地，而课以租、庸、调，由此以确立国家财政的基础。

历代王朝（特别是秦汉以后）的物质基础，与豪贵（权门势家）同样都是大土地所有，因而其阶级的利害，常和豪贵相一致。但是，此种豪贵具有着广大的私有地与多数的奴婢及佃户，动辄凭其权势，不纳付租税于王朝的国家，所以又与王朝之间出现了彼此利害之对立。

于是大土地所有者的豪贵之强大化，便破坏着王朝的财政基础与统制权力。所以历代王朝均不断的为抑止此种豪贵的大土地所有之发展而努力。

一般言之，中国历史上，商人资本与土地贵族的对立、矛盾，并不明显。汉代以后，虽已出现了拥有巨富的商人，而商人资本与土地资本，则未曾分离。商人与权门势家同样，都是大土地所有者。所以，汉王朝便对于商人，极力加以身份的统制，而课他们以重税。这一点，为了要维持王朝的支配之经济的基础，当然是必要的政策。总之王朝一方面要保证豪贵、富者的地位，而另方面则又要抑止他们的强大化。

随着大土地所有的发展，在奴隶制之傍，农奴制也平行的发生而发展起来。以前土地兼并，虽已将农民从土地中逐放了出来，而现在却又将农民吸收到土地中来。封建的土地所有发展，王朝自身，也随着自己所有土地的扩大，成为封建的农奴所有者，而开始进行了公民（良民）的农奴化。于是，封建的地租，乃成了“国家租税之主要要素”。其结果，便是穷乏化了的农民之叛乱、流亡、生产力的破坏，而奴隶制于以复活。王朝的倒坏、交替这个过程，便反复起来。而均田制，也便在这个过程中，作为必然的范畴建立了起来。

均田制虽开始于北魏，然在西晋的占田制中，则已经发现其端倪。北魏的均田制，是对于五胡以来的丧乱与长年的饥馑频发，人口的流散、农民（良民）的奴婢化、及豪贵的土地兼并等事态的对策，为要使生产手段与劳动力相配合，使破坏了的农业生产力趋于恢复，并尽可能的吸取农民的剩余劳动，方才施行了均田制；此由李安世关于均田制施行的奏议及北魏高祖孝文帝的诏书（九）上，均可明白。这种均田制，对奴婢与良民，给以同额的田地，每一头耕牛（以四年为限）给田卅亩，且对官吏，赐以广大的职分田。由此点考察起来，这种均田制，是保证奴隶所有者的贵族、富者的大土地所有，已甚为明显。

北齐的均田制，是使前代土地兼并成为合法，在这里，奴婢获得了与良民同额的田地。因为在南朝，封建的农奴制，则已相当的发达。所以在东晋以降的南方诸王朝，将佃户作为赏赐而赐给功臣之事颇多。隋之均田制，主要的虽由北齐的制度而来，而其施行范围则以中国的北部为限。在炀帝（纪元六〇五至六一六年）时，并废止妇人及奴婢的受田，而免除其租赋。在唐代的均田制中，也废止了对奴婢授田的制度，此种奴隶所有的授田之废止，是应该注意的一点。这一点，便表明了隋唐时代封建的生产样式已成了支配的形态。在唐朝，土地兼并继续前代发展，自高宗武后时代（纪元七世纪后半）至玄宗时代（纪元八世纪前半），商人资本与高利贷资本的发展益趋激剧。唐的均田制，不能认为是完全抄袭的实施，而不过是单纯的土地所有的制限政策。

第五节　封建制社会的发展及其矛盾

随着均田制的崩坏，庄园制便显著的发展起来。庄园制，自唐之中顷，特别盛行，至宋代而继续其发展。所谓庄园，先是主要的由奴婢，其后是由被称为庄客、庄户、佃客、佃户、客户等佃农（隶农）所耕作的贵族富者的大私有地。但是，此等佃农，均由庄园所有者供给种子、农具、耕畜、粮食、客坊（住宅）等，而另方面，则似又不得不纳付地租及客坊与其他等赁银。所以，在此等隶农之中，也可看出奴隶的性质，尚相当浓重。

具有此种封建土地所有制内容的庄园制，由唐代中期至宋代，急速的发展。唐室自身亦有其庄园，而成了封建的大土地所有者。由唐至宋的时代，封建制作为社会中支配的生产方式，相当清楚的出现于历史的前面。然而同时，我们关于此时代商人资本的发展，手工业（工场制）的发展，也有注意的必要。

唐代社会，根本上是封建制社会，是具有了特殊的中国的——官僚的中央集权的——支配体制的封建社会。此时代随着农业技术的进步（桔槔、汲机、碾硙的使用普及），表现了农业生产力之显著的发展，同时，手工业及商业的发展，亦达于显著的阶段。在唐代的官营工场中，使用了一万九千人的多数之手工业劳动者。此等手工业者之大多数，虽是名为蕃匠的，即在官营工场执行徭役的手工业者，而此外则似乎尚使用着少数的赁银劳动者。私营工场的发达，亦颇显著，在唐代的定州，便有商业资本家所开设的手工业工场。据云定州的何明远“资财巨万，家有绫机五百架”。长安及洛阳两处均为商业的中心地。在各地方，如造船业、丝织业、皮革业、铜铁业，及制纸、漆器制造等各种工业，亦均甚形发达。在各都市中，并且组织了商业及手工业的“行会”。一般手工业的发达，生出来商业的发达，并且相反的，商业的发达，也促进了手工业的发达。手工业的生产物，不仅开拓了国内市场，也曾向国外输出。而且此时代，称为“飞钱”的一种汇兑制度，已经开始。此时代，国内商业及对外贸易的进步，是值得注目的现象。这种商业发展的结果，当然促进商人资本的蓄积。然而，在唐代，中央集权的官僚的政府之统制，颇为强烈，遂使商业及手工业之自由的发展陷于无望。反而商人资本，在多数的场合，依据着亚细亚的封建制，而保持了与封建的官僚共存共荣的关系。所以封建的官僚（官吏）同时又发挥了商人及高利贷的机能。

但是，一入宋代，商业成为相当的自由，自治的行会制度，战胜了从来官府的取缔，而表现了急速的发展。并且，此时代，从来的徭役制度，亦趋于崩坏，而变成了雇募，这是说明着一般的商业的交换，货币经济的发展。

手工业的工场，至宋代完成了更进一步的发展。据说当时的官营工场中，使用着一千余人、五千余人、四万余人。且其劳动者的大部分为被雇佣的手工业者，用钱与米支付其工资，这就是说，唐代官营工场的劳动者，主要的为赋有徭役的工人，而宋代则以支付工资的工人为主要形态。同时，宋代奴婢的役使，亦逐渐减少。

唐代的“行会”为同一的手工业在某一定区域所组织，而在宋代，手工业者的区域制，趋于崩坏，所谓“行”变成了同业店铺的组织。并且，在宋代，匠人集合起来，建立了“当行”，即同职业的组织。从来手工业者的组织，多为官府由赋役之便宜上所成立，而至于宋代，则创作了自治的同业组合组织。这是值得注目的一点。

与此等手工业的发展相并行，宋代的商业（国内商业及对外贸易），也显著的发展起来。在贩运茶、盐、米的商人中，即不乏豪商。据云，当时京师的米商百余家，其交易额达一千数百万贯；江西路的某商人，造大船，携钱三百万，将运往淮东路的盐，尽行购入，而从事于贩卖。至南宋绍兴末年（纪元一一六二年顷）以后，纸币亦为一般所通用。

手工业及商业（商人资本）这样的发展，在清代也可以看得见。在清代——由纪元十八世纪末至十九世纪初期之顷——掌理盐商及对外贸易的公行等，持有数千万资财的富豪，为数亦相当之多，但是，他们却都是与官府相结托的御用商人。此处应注意之点，即此等巨大商人资本，其自身并未具备直接发展成产业资本的条件，这就是说，商人资本，在中国社会自身的发展中，没有外部的作用，便不能发展成为资本主义的资本。中国的近代工业（资本主义的产业）虽发轫于纪元十九世纪，而此几乎完全是由于外国资本主义侵入而生的中国封建社会崩坏的结果。此种崩坏，也不过是极其徐缓的进行，所以，中国的商人资本，根本上并不是反封建的，反而可以说，它在封建制本身之中，有着根本的依据。

并且在中国，手工业工场的协业，虽由很早（由汉时代）即开始，在唐宋元时代，已表示了相当的发展，然其主要者，皆出现于官营工场中，完全未曾由此而产生出来资本制生产。一般的说来，中国社会，并未以自己自身之力，产生出来具有资本主义性质的手工业工场，并且未将商人资本转化成产业资本。我们在这件事实的背后，便可看见中国社会亚细亚的构造及建立于其上的亚细亚专制主义的政治机构的特质。

所以在中国社会中，手工业的生产与商人资本的发展，仅只使中国封建制社会趋于腐败。它们加强了中国封建制的矛盾。然而，却不能扬弃并解决这种矛盾。我们认为在由隋唐至清的中国社会的历史发展中，虽画有甚为起伏的线，而手工业与商业的渐次发展过程，亦历然可见。但是，此种过程，实际上仍是中国封建制社会本身的矛盾发展的过程。穷乏化的农民大规模的叛乱（隋末、唐末、宋末、元末、明末等）作为其结果的王朝之倒坏、交替，此种过程的反复，至清代后期遭受了帝国主义的压迫，于是一变而走向半殖民地化。由太平天国至今的政治革命运动，一贯的为反封建反帝合一的民族解放、民权自由、民生改造。这种历史任务，至今日更加迫切严重。

第六节　中国社会的特质

中国社会的第一特质，正和我们在印度所看到的同样，可以发现农村共同体的续存。然而，这种续存的程度，两国却不相同。社会之亚细亚的停滞性，在印度比在中国所表现的更强。一般讲来，在中国与印度，均可看出生产方式之广大的基础，为由小农与家庭工业的合一所形成。而在印度，则添加了以土地共有为基础的村落共同体的形态。即在印度与中国社会经济构造的根底上，均为农业与手工业之直接的结合，而农村共同体的崩坏的程度，在中印两国，却不相同。

在中国社会史上向上发展的过程，较诸印度社会，有更清楚的痕迹；反之，在印度社会的场合，以土地共有为基础的农村共同体，直至最后尚保持其存在，这是特征的所在。由此便可认识到中国与印度思想性格的一致和同时有某种程度的不同的根源。在这里，我们应该特别注意中国的社会经济发展中地区上的不均衡。

然而，在近代的中国农村机构中，也可看见农村共同体的存在。此种农村共同体的遗制，农村共同体的诸关系，可以认为形成中国社会中农业与手工业直接结合的根基，它结局便或多或少的制约着中国社会的全历史。形成中国社会的一种特征的，就是中国亚细亚的专制主义，中国的中央集权的官人支配体制。而其根柢上，恰便存在着作为其基础的农村共同体，或以农业与手工业之直接的结合必然的农村共同体的诸关系。中国社会史基本的单位是农村，而此种农村的内部，虽发展着土地私有制，但亦可认为维持着或多或少的共同体的诸关系。中国农村，许多场合，以祠堂为中心，形成着共同体的关系，在其中央，必然有称为“花户”的地主的存在，他们便是亚细亚的官人的贮水池。所以，中国封建制中，在官僚化的地主层或地主化的官僚群的前面，便建立了亚细亚型的王朝的支配。均田制及类似均田的土地制度的成立，也可由此种关系来理解。及至均田制与类似均田制的制度崩坏，少数豪贵的力量强大化，王朝的支配，便显著的成了此等少数豪贵的代表机关。然而，中央集权的官僚支配，原来走向于抑止此等少数豪贵强大化的方向。所谓“儒教”，便是在某种程度上维持农村共同体的关系，以坐食于中国农村的地主的存在，即所谓“花户”为地盘而成立的官僚支配（中央集权的官僚制）的意识形态。

中国社会的另一种特征，商人资本（或高利贷资本）

与土地所有的结合，也同样可由此种关系来理解。商业（商人资本）决非决定的对立于封建制，反而是依据于封建制本身的范畴。大商人常以某种形式与地主的官僚相结合。他们决不是根本的反封建的势力。商业及商品交换关系，并未深刻的浸润到农村的内部。宁是农村的共同体的关系或成立于其上的农业与家内手工业之直接的结合，对于商品的侵入，常常发生强烈的抵抗。农民家族始终经营着和市场绝缘的独立生活，由此便产生了中国社会的亚细亚的停滞（静止的）状态。中国的商业——或一般的商人资本及高利贷资本，并未破坏农村的自然经济，宁是建基于自足的自然经济之上。这就是说：从农民吸取剩余劳动的封建地主，将其余剩分投于市场。而相反的方面，市场的成立与扩大，又加强了他们的地租收取。这样成立的封建地主的商业，又与商人的商业极密切的结合了起来。但是，农村几乎是完全和市场相隔离的。在这里，便存在着中国商业的特征。

商业及手工业（工场制手工业），在中国内部，一般上是通过封建的官僚而发达了起来。一方面，封建的官僚支配，是农民剩余分之大部分的独占的所有者，另方面，农村之自足的自然经济之维持，农村人口的生活水准，又降落到极度的低位。在农村低级的经济状态之下，表现了商业及对外贸易的发展——这是很大的特征。

商业（商人资本）的发展，破坏了中国农民的生活。一方面，在官僚所组织的封建制铁鞭之下，强行着使农民经济完全荒废的剩余劳动的吸取，另方面，在商业关系发展过程中所积蓄起来的货币，作为高利贷资本，而破坏农民经济。于是形成了农民的叛乱流亡，与王朝的倒坏、交替。但是，继此而兴的，又是几乎全然同一型的王朝的支配。商品货币关系，亦随之而趋于衰退或昂扬。然而，在这种循环过程中，社会之根本的构造，结局并无变化。于是，我们可以认定中国社会在根本上具有着亚细亚的停滞的性格。中国社会这种停滞的性格，在封建制与奴隶制的结合上，亦可认识出来。中国的奴隶制，并未能完全使农村共同体的诸关系趋于崩坏，反而奴隶制社会本身，结局是被这种农村共同体的关系所制约的。

上述中国社会的诸特质，在中国的科学与哲学中，也不得不有其反映。

第二章　中国自然科学的发展

第一节　中国的自然科学的特征

我们在序论中曾说，科学尤其自然科学的发达水准是规定哲学发展的一个重要条件，所以为要科学的理解中国哲学史，便不得不分析中国的自然科学的发展情形。然而这是重要的工作，却不是容易的工作。第一，中国的科学（自然科学）本身，在理论方面并未充分的体系化，其科学诸部门之独立的发展，亦不充分；另方面，我们的时代，对于中国科学（自然科学）的研究，亦不充分，所谓不容易的理由，即起因于此。所以常常听见有人说："在中国，自然科学并未产生。"或者说，在中国"并未开拓走向自然科学的途径"。

诚然，在中国没有产生像欧洲那样的近代自然科学。这一点，不仅在中国，即在印度与日本，亦是同样。其理由，则因此等国家中近代资本主义的生产关系，在社会自身的内部，并未独自的发展。所以使近代自然科学发展的反封建的进步的社会要素，亦未能形成起来。此等国家资本主义的成长，大体开始于十九世纪末乃至二十世纪，至此时期，才逐渐准备了欧洲近代自然科学全部移植的充分的物质的地盘。但是，这件事实，是意味着在中国原来没有自然科学吗？不是这样。在中国，全体看来，自然科学的发展，虽不充分，然而，自然科学，是存在着的。并且，在某种特殊的部门（数学、天文学）中，已经完成了相当的发展。不过，中国的自然科学，并没有发展成像欧洲那种自然科学的诸体系，尤其物理学、化学等科学的诸部门，几乎完全不发展。这一点，是被中国社会的亚细亚的停滞性所规定的。一般言之，为要使物理学、化学等自然科学部门发展，必须有产业之巨大的发展。

中国的天文学及数学，春秋时代，即已发展，并且此时代，地理学的知识亦颇进步。至战国时代，特别是纪元前三二〇至纪元前二五〇年顷，在墨翟的学派所谓“别墨派”的论理学的研究中，与几何学的研究相并，也表现了机械学及光学的研究。医学，亦在此时期开始发展。但是，在中国机械学、力学、光学等，并未作为独立的科学部门而发展。在宋代，虽有火药、罗盘针、印刷术等的发明，然而，无论在此时代或其以后的时代，则均未生出物理学，或光学之科学的体系。自明末至清初，意大利人利玛窦、西班牙人庞迪我、德意志人汤若望等均曾传来欧洲的天文学、数学、炮术等，清代“考证学”中所表现的中国人的科学的研究态度，与此时代天文学、数学、地理学等相当程度发展，有不可分离的关系；并且实际上已准备下以后欧洲诸科学向中国移植的思想上的地盘。

要而言之，作为中国的科学而值得注目的，只有天文学、数学、地理学、医学，而其中最值得注目并且完成了独自的发展的，则为天文学与数学。

第二节　中国天文学的发展

天文学，以牧畜及农业的发达为其条件而成立，借数学的助力而发展。所以中国天文学的研究，开始较早。其最初所使用的，是对应于月之朔望而计算日期的方法，即太阴历。其后，随着农业的发展，为要很正确的利用一年春夏秋冬之季节的变化，太阳历的制作，成了必要。但是，无错误的利用太阳历，在古代决非容易的事情。所以中国春秋以前的时代，所谓"观象授时"成了政治的一大紧要工作。太阳历与太阴历的调和，大体无错误的而加以正确的整理，在于春秋时代的中期。自此而降，即已开始实行十九年七闰月的历法。

中国古代，为要决定季节变化，各观测一定星象，以为标准，称之为"辰"。而此所谓"辰"的内容，随天文学的发达，次第变迁，计有"参"（冬季傍晚在东方发青白光辉的三个星）、"大火"（夏季傍晚出现于西方赤色的一等星）、"北斗"（即所谓北斗星）、"日月之交会点"（十二辰）、"日"（太阳）等。在用"参""大火""北斗"等"辰"而调整时节的方法以后，所采行的方法，即所谓"二十八宿法"。此所谓"二十八宿法"乃与从来观察夜间星象以测量天空中太阳的位置而判定季节的方法不同，而为间接参酌月在天空中的位置，来推定太阳之位置的方法。这种方法，乃是预先将黄赤道附近一周天，按照月的运动行程（月步），以显著的星象为目标，区分成二十八个不等部分，而称之为二十八宿。然后由观测新月以后月的位置之变化，依此比例，由新月的位置倒数二日行程，此二十八宿的回溯点，为合朔时之月的位置亦即太阳的位置。这样区分为二十八宿以认识太阳在天空中的位置，由此而直接表示出一年的季节。这种方法较前此之法，甚为精确，对于编制太阳历，实为一长足的进步。由周初至春秋时代中期所使用的方法，即此二十八宿法。

正在春秋时代的中期，又采用了所谓“周髀”的方法，即观测垂直于地面所树立的棒在日中时候的影长，而以其最长最短的距离为日至的方法。由这种“周髀”的日至所观测的结果，比较从来的方法，能够更正确的规定时节，并且由于以冬至为一年的开始，遂采用了冬至正月历。而至春秋时代后期，乃成立了几乎正确的插入闰月的十九年七闰的方法。在这里遂开始了历法的时代。

战国时代初期以降，又采用七十六年法以代替十九年法，并且自战国时代中期以后，更开始了岁星纪年法。一般言之，战国时代，是中国天文学史上最值得注目的发展期。在这个时代，表现了历法的制定，纪年法的创案，五星的运行的观测；并倡导五行说，而有恒星天的测定，星经的编纂。

前汉时代所出现的历法制定等天文文化，实际上则以战国时代这种天文学的发展为基础。然而，一般言之，中国的天文学，由战国时代及汉时代以至近世，均未表示出特别值得注目的发展。只是到了清代，始受西洋科学的影响，而有天文、历学、数学的进步，产生了圣祖御撰的《律历渊源》与梅文鼎的《历算全书》等。

中国天文学，决不曾作为科学而进入直线的向上发展。宁是和阴阳八卦说、五行说、九星说等占星术的迷信的诸要素，有了强固的结合。这一点，在战国时代以后的中国天文学中，特别显著。

第三节　中国数学的发展

数学的研究，随着天文学的发展而开始，尤其和测量术相结合而发展了起来。数学可以说是和天文学相并行，在中国科学中最早完成了独自的发展的科学。

中国算术及代数学，比较几何学，显示了更显著的发展。在中国很早的时期，就采用了算木的计算法，而此种方法，便支配了后代的算术及代算演算的运命。这就是说，自较早的时期，开平、开立，或二次三次的方程式的解法、联立一次方程式的解法，便已发达，尤以算术、代数的进步，更为显著；但是，此种进步，实际上，乃以算木的使用为基础。因此，算木的计算法，虽使中国的算术代数之特别的进步成为可能，然而，同时，这种算木的使用，也成了中国数学之更高度的发展、进步的桎梏。在元代数学中，至天元术、四元术成立，算木使用的器械的代数学，虽已到达于极致，然而，这种算木使用的中国数学，已完全走入了穷途末路。要之，算木是制约着中国数学的进步与穷途末路的范畴。

中国数学的成立期，其最初的发展期，恐怕远在于春秋战国的时代。在墨翟的学派，即“别墨派”中，已进行了数学的研究，尤其是类似于几何学的数学的研究，在他们的言论中，可以看出表示无限等比级数的概念。此时代是中国社会中经济的发展期，国都或长城的筑造，一般的土木工事治水工事或运河的开凿，相继进行，正是交通发达、战术进步的时代，因此，关于商业交换、租税输送，或测量及工程的计算等，遂使中国的数学发达了起来。

现存的古算书，所谓《算经十书》就是《周髀算经》、《九章算术》、《孙子算经》、《五曹算经》、《海岛算经》、《夏侯阳算经》、《张邱建算经》、《五经算术》、《数术记遗》、《缉古算经》等十书。其中第一种《周髀算经》，乃前汉末至后汉初的著作，第二种《九章算术》，恐系后汉时代所成立的。《海岛算经》是测量术的书籍，大体为三国末期的著作，至《孙子算经》和《五曹算经》恐亦为三国末期所遗留。《夏侯阳算经》和《张邱建算经》及《五经算术》，大体上恐为纪元六世纪中叶的著作。而《数术记遗》，虽名为汉代徐岳所撰，然有北周甄鸾的注，且徐岳的本文，乃极短的短篇，由此点考察起来，大体可认为甄鸾伪托徐岳的假作品。甄鸾是《五经算术》的作者。因此，《数术记遗》与《五经算术》为同时，大体均为纪元六世纪中叶的作品。最后，《缉古算经》因传为唐代王孝通所作，所以当为纪元七世纪中叶以前的著作。

我们可认为，后汉时代出世的《九章算术》，其中载有分数、最大公约数的求法、百分法、开平开立的算法、一次联立方程式的解法等，乃是值得十分注目的书籍。《海岛算经》的著者魏时的刘徽，对于此书附有注解，在其注解中，表示着关于根据几何学的处理法的二次方程式的解法、开平开立的算法等小数计算的使用、圆面积并圆周的算法、角锥体的立积的算法等。圆周率的算法，在数学史上虽具有重要的意义，但是，在中国前汉末年，刘歆关于铜斛的计算，即使用了一种圆周率；后汉的张衡，则使用了等于十个平方根的率。而魏时的刘徽，生于其后，关于圆的算法，已表现了甚为可观的成绩。

在唐代，数学上没有表现出特别值得注意的进步。正如在中国一般的情形同样，在唐代亦尚信仰着地平说。这一点，便意味着数学及物理学力量的不足。在唐及宋的时代数百年间，历法方面，虽出现了几多的新历，而在数学上，则没有什么进步。但是，由宋末至元代，则产生了秦九韶的《数书九章》(纪元一二四七年)，李治的《测圆海镜》(纪元一二四八年)、《益古演段》(纪元一二五九年)，朱世杰的《算学启蒙》(纪元一二九九年),《四元玉鉴》(纪元一三〇三年)等著作。其次，便成立了天元术与四元术。所谓天元术(李治)，就是用一幅算木代表未知数的方法(一元高次方程式)。所谓四元术(朱世杰)，就是将算木布置到上下左右四方，作成四元方程式的方法。这种天元术及四元术之器械的代数学，到了明代，已入于山穷水尽。所以算盘的算法，便代替了算木而普及起来。随着，便出现了"九九歌诀"。

但是，中国数学的穷途末路，并未因算盘的普及而打出生路。恰在此时，利玛窦等将欧洲的数学书，介绍到了中国，然而，并未因此而直接采用欧洲的数学。这种介绍，只不过渐次的徐徐的影响于中国数学，至于清代(十八世纪初)才开始出现了记号的代数学。实行笔算式演算，则在此以后。

在中国数学如上所述的发展过程中所表现的中国数学的特征，便在于虽和其天文学、测量术相结合，而和其物理学的研究则未曾结合。这一点，从中国科学未能独自到达于地球（地圆）说的事实上，亦可表示出来。要而言之，这件事实，便意味着中国自然科学的发达水准一般的低。

第三章　中国哲学的成立及其发展阶段

第一节　原始的辩证法、唯物论

在商殷时代的氏族制社会中，其意识形态的特征，完全是宗教神话观念的支配。当时的人们以为宇宙万物都出于神——帝、上帝的创造，自己的祖先，也是遵奉天命而生，同时也是神，因而宇宙及人生各方面，都受着神的支配。氏族酋长的责任，第一是领率成员祭祀上帝与祖先，第二是推测天意顺从天意决定集团及个人的行动，于是祭祀与龟卜的宗教仪式，便成了沟通天人之际的桥梁，商殷时代的天人合一思想，实由此而生。

周人灭殷以后，种族的奴隶制，虽已建立，而周人内部的氏族组织，并未消灭，天人合一的思想，更在宗教神话观念之下，益趋发展，周代王室的祭祀或祷告鬼神的仪式与礼节，较商殷时代，亦更加繁重。因而在周代奴隶国家的行政机构中，也设置了原始的分工组织；其与哲学的发生有直接关系的王官，就是用八卦占卜吉凶的筮人与撰定国家诏诰的史官。筮人的记录，是《易经》；史官的作品，是《书经》。在这两部最古的书籍中，实包含着原始的哲学——辩证法、唯物论要素的萌芽。

现在的《易经》与《书经》，其中虽多有后人的伪造，而基本的构成部分，则当为周初——奴隶制社会初期的意识形态。原始的《易经》，其基本的构成部分，是八卦、六十四重卦、三百八十四爻和解释卦用的卦辞及解释爻用的爻辞。所谓八卦者，就是☰乾（天）、☱兑（泽）、☲离（火）、☳震（雷）、☴巽（风）、☵坎（水）☶艮（山）、☷坤（地）。每一重卦，各有专名，并附有卦辞，其六爻又各有爻辞；例如上坤下艮䷎二卦相重为谦卦，其卦辞为“谦亨，君子有终”。其第一爻的爻辞为“初六，谦谦君子，用涉大川，吉”。这样构成的原始的《易经》，自然是周人用以占卜吉凶的宗教神话的范畴；可是，其中已经孕育着原始的辩证法、唯物论要素的萌芽。第一，所谓天、泽、火、雷、风、水、山、地这八种客观的存在物，是宇宙万有的本体；在这一点上，它是唯物论的思想。第二，由这八种客观存在物形成的宇宙本体，是不断的运动，变化——转化过程中的范畴；因相互结合的形态不同，则吉可以变为凶，凶又可以变为吉，而表现着到对立物转化的原理；在这一点上，它又是辩证法的思想。第三，这八种客观存在物的基本符号，是代表天的—（乾）与代表地的- -（坤），因天与地的配合对立形势不同，而产生不同的宇宙间的自然物质；在这一点上，它又是乾坤哲学或自然哲学。而这种自然哲学，恰是原始的辩证法与唯物论的本质上相互依存的形态。第四，周人因相国家行政与个人行为的成败善恶的关键，在于是否合致于上帝的意旨，所以由测知上帝意旨动向而获得的客观存在法则的认识，同时又是社会范畴的决定行动的指针，这样便形成了天人合一的宇宙观——人生观相一致的法则性的思想。第五，这种原始的辩证法、唯物论，一方面在其天人合一思想中，固然意味着对于氏族制社会意识形态——宗教神话的屈服，包含着宿命论的倾向；但是，另方面却又在其辩证法、唯物论的本性——万物在相互关联中不断流转变化的命题——中，促进着由氏族制到奴隶制的社会变革过程。

中国原始的辩证法、唯物论要素，除了《易经》中有其萌芽以外，在《书经》的《洪范》中，也有部分的存在。现存的《洪范》篇内容，固然也不免有后人的窜改或伪造，我们由方法论的见地的检讨所得到的结论，认为其中所谓“九畴”的项目，实为奴隶制社会初期的意识形态，尤其所谓水、火、木、金、土的五行（九畴之一），更与《易经》中的天、泽、火、雷、风、水、山、地的八卦一样，同为原始的唯物论的宇宙观——即认五种客观的物质为构成宇宙万有的基本原素。这样的世界认识，其哲学史的意义，实与印度的胜论派以地、水、火、风等为宇宙本体，希腊米利都学派以水、无限者、空气等为宇宙根源，同为原始的唯物论。但是，五行在《洪范》中，并不是一个哲学的命题；因为所谓“洪范”，就是现在的宪法。其所谓九畴——就是（一）五行——水、火、木、金、土；（二）五事——貌、言、视、听、思；（三）八政——食、货、祀、司空、司徒、司寇、宾、师；（四）五纪——岁、月、日、星辰、历数；（五）皇极——

行大中之德，表率百姓万民；（六）三德——正直、刚克、柔克；（七）稽疑——卜筮；（八）庶征——雨、旸、燠、寒、风、时；（九）五福六极——寿、富、康宁、修好德、考终命（五福），凶短折、疾、忧、贫、恶、弱（六极）。所以《洪范》中的五行，本质上是宗教神话的政治论与道德论掩蔽下的或与宗教神话观念直接结合着的原始唯物论，而并非明确的哲学思想。

总之，《易经》与《书经》中所表现的哲学思想，虽然带有充分的原始性，而本质上则是辩证法、唯物论要素的萌芽形态，在周初由氏族制转向到奴隶制的社会变革期中，具有着不可否认的革命作用。至其对于宗教神话的屈服与被人生哲学所掩蔽的阶级根源，则是由于周初尚存在着氏族社会的组织，而革新的奴隶所有者阶级，尚具有着对氏族制残滓妥协让步的软弱性所必致的结果，所以中国的原始辩证法、唯物论，和世界一般哲学史上同样，都是奴隶制社会初期的未成熟奴隶所有者阶级的变革哲学。这时代的变革哲学的特征，在于未能脱离宗教神话的外衣，未能成立为独立的意识形态。

第二节　中国古代哲学的成立

中国的哲学，成立于春秋时代末期。我们在第一章中已经说过，由春秋时代末期至战国时代，正是中国奴隶制社会最发达的时期。所以中国哲学成立于春秋时代这一件客观事实，一方面证明了在中国也和世界各国一样，哲学的认识，只有生产诸力与生产诸关系发展到一定的阶段，才能成立；另方面也证明了奴隶制社会是各国哲学史的共同起点，中国的哲学史，也未能例外。

我们在第一章中曾说，春秋时代，生产的奴隶制，已趋于大规模的发展。这时代氏族制社会的崩坏与奴隶制社会的发展，就是中国古代哲学成立的社会基础。因生产力与劳动生产性的不断提高，奴隶制变成了社会制度的本质的构成部分，于是在氏族制社会的废墟上，又引起了分业——农业、手工业、商业——的发达；在新兴的奴隶制社会的内部，经济及政治的领域，既完成了质的飞跃，所以春秋时代中期，自然科学的知识，也表现了巨大的发展，中国的天文学与数学，均成立于此时。这一点在第一章中，已经具体的叙述过。照一般的原则上说，生产力的发展，增加了人类支配自然的力量，扩大了人类认识自然的范围，因此氏族制的宗教神话观念，便发生了动摇，而以认识世界普遍发展法则为目标的哲学，亦随之而生。奴隶制社会中支持着哲学而与宗教神话观念相斗争的阶级，正是在实践上与氏族制社会组织相敌对的奴隶所有者的变革阶级。中国的古代哲学，也同样是以奴隶制社会的政治经济与自然科学的发展为基础，作为氏族制社会意识形态的对立物而成立的，所以中国哲学的成立，也同样意味着传统的宗教神话的破产，即中国商殷及周初时代所谓“帝”“上帝”及“天”的宗教的破产。

商殷时代宗教神话中的至上神，最初称为“帝”，其次称为“上帝”，在殷周之际，又称为“天”。殷人的至上神，是有意志的人格神，能命令、有好恶，一切天时的风雨晦冥、人事的吉凶祸福、年岁的丰啬、战争的胜败、城邑的建筑、国都的迁移、官吏的升黜，都由上帝所主宰，这和以色列民族的神，完全一样。尤其可注意者，殷人的至上神，同时又是其自己的祖先，而且其所称为“帝”的“高祖夒”，实际是一种动物——猩猩，可知殷人的宗教神话，与其图腾主义，具有着相互渗透的关系。

殷人这种宗教神话观念，在武王灭纣以后，便转化为周人的信仰而称之为“天”。这一点，我们从周初的彝铭——《大丰鼎》与《大盂鼎》——及《周书》——《大诰》、《康诰》、《酒诰》、《梓材》、《召诰》、《洛诰》、《多士》、《无逸》、《君奭》、《多方》、《立政》等篇——与《周颂》中，可以找出许多的证据。但周人对于“天”的态度，和殷人对于“帝”的态度，亦有甚大的差异，即周初的奴隶所有者的新兴阶级，其意识形态的代表者（周公），对于所谓“天命”“天威”，已采取了怀疑的态度。因天的信仰的动摇，又提出了人类主观力量范畴的“德”，以济天道之穷。到了厉王时代，因奴隶所有者阶级与奴隶大众的对立渐趋尖锐化，于是统治者又放弃了对于“天”的怀疑态度，而复活了殷人的宗教神话观念;《国语》上所谓厉王用卫巫监谤的记载，就是奴隶所有者阶级反动化的证明。但是，由于奴隶大众的暴动，赶跑了代理天意的“天子”——厉王，严重的打击了天的宗教信仰，于是在统治者内部，也发出了对于天的攻击与责难。如《诗经·大雅》中的《板》、《荡》、《桑柔》、《云汉》等篇即所谓“变风”“变雅”，便充满了这种意识。尤其《小雅》的《十月之交》篇，更说：“下民之孽，匪降自天。噂沓背憎，职竞由人。”又说：“天命不彻，我不敢效我友自逸。”这显然是人定胜天的气概，在某一方面，可以认为是周公思想的复活。在宣王中兴时代，虽曾一度企图把天的宗教复活起来，但终于未能恢复周初的支配势力。到了春秋时代，主张天命不可信的人，更其加多。如楚国的斗廉说：“卜以决疑，不疑何卜？”郑国的申缙也说：“妖由人兴，人无衅焉，妖不自作。人弃常则妖兴，故有妖。”晋国的伯宗也说：“民反德为乱，乱则妖灾生。”又如鲁昭公二十六年，有彗星在齐国的分野，齐侯要禳，而晏婴劝阻；哀公六年“有云如众赤鸟夹日以飞”，周太史叫楚昭王禜，楚不肯禜。而郑国的子产更明白的说明：“天道远，人道迩，非所及也。”然而，我们却不能认为春秋时代，已经完全摆脱了天的宗教的支配，反而尊天事鬼的思想，仍在继续。例如主张“天道远人道迩”的子产，在昭公七年，即高谈鬼神之事。

总之，由殷末至春秋，为氏族制社会意识形态——宗教神话随奴隶制社会的成立与发展而趋于动摇的时代：这时代因私有财产制的成立，而有了“人的发现”，于是在意识形态领域中，便产生了人本主义的思想。这时代的中国思想的发展，即由鬼神到人类。但春秋时代的思想家们，其最前进的分子，也只能到达于神学宇宙观的怀疑阶段，而绝无首尾贯彻的无神论者。《礼记》的《表记》上有云：“殷人尊神，率民以事神；周人尊礼尚施，事鬼敬神而远之。”这几句话，很可以表现当时的特征。中国的古代哲学，便是在这种宗教神话观念的动摇过程中，作为其反对物而成立起来的。

第三节　中国哲学的发展阶段

我们根据第一章所叙述的中国社会史的发展阶段，可将中国哲学史的全部发展，区分成下列四个阶段：第一，由春秋战国至秦代以前，在这个奴隶制社会中，为中国哲学的第一发展阶段。其次，由汉至唐，在这个奴隶制社会向封建制社会转化，一方面封建制度既已成立，而同时奴隶制与农奴制尚以特征的方法结成了相互依存的关系的时代，为中国哲学的第二发展阶段；在此第二发展阶段中，又可分为前后两期，前期由前汉至后汉的灭亡，即由纪元前二〇〇年至纪元一八三年凡三八〇年间，此时期中央集权的官僚支配已以明确的形态成立起来；后期由三国至唐玄宗末年，即由纪元一八四年至纪元七五五年约五五〇年间，通过了三国时代以后奴隶制与农奴制相互依存相互规定的关系，而到达于唐代的中央集权的官僚支配的封建制的成立。第三个发展阶段，为由宋至清代末期，即由纪元七五六年至纪元一八五〇年约一〇〇〇年间，在这个封建制社会中，到了末期，一方面因国内的社会矛盾，另方面因外国资本主义的侵入，中国的封建制度已开始崩坏。第四个发展阶段，由一八五一年至一九三七年凡八六年间，即由太平天国成立至卢沟桥事变，这一个半殖民地化的末期封建制社会中国国民革命的时期。以下，我们再将每一个发展阶段的基本特征，分别的加以概略的叙述：

（一）第一发展阶段，为诸子时代的哲学，即老子、孔子、庄子、杨朱、墨子、子思、孟子、荀子、惠施、公孙龙、别墨派等所谓“诸子百家”各立一家言相互论驳的时代，此时代的哲学，是中国哲学的全盛期，其可以特书的贡献，就是唯物论的世界观的成立，以及与自然科学的研究相关联的论理学的研究。

（二）第二发展阶段，为由子学向经学的转化，大体上是中国哲学发展停滞的时代。第二阶段的前期，由前汉武帝即位之初，用儒者董仲舒之言，尊崇儒教、罢黜百家以来，儒教繁荣而诸子衰微，儒教经典——即所谓五经的研究，掩蔽了学问的全体。这就是说，前期的中国哲学，是作为中央集权的官僚支配意识形态的儒教的确立、强化及其决定的支配的时期。此时期唯一可注意的，就是唯物论者王充生于此时，而主张其唯物论、无神论的理论。第二阶段的后期，为儒教不能维持其支配地位的时期。后汉灭亡以后，因社会发展的停滞，宗教的厌世观思想，风起云涌，唯物论、无神论大形衰微，代替儒教者，为道教（老庄思想）及佛教的支配。道教之采取老庄思想，集合中国古来的民间传说——复杂的低级信仰的大成，这种形成过程，乃在后汉灭亡以后，其创始者为五斗米教的张道陵（农民的组织者）及颠覆汉室的黄巾贼（农民叛乱军）首领的张角。由三国至南北朝，以没落贵族层及破产的中心地主为基础而发展起来的逃避现实的“无为自然”的思想（老庄思想）遂与道教的信仰合抱的相互溶结；同时，道教的形成，当然也受了佛教的不少的影响。总之，第二发展阶段后期的中国哲学，其支配的思想，首先是老庄思想，其次是与老庄思想相并的佛教思想。然而，这决不是说儒教已经完全不存在。儒教在此时期，依然保持着前期的余势至某种程度，经学的研究，也还相当盛行；惟因支配当时的思想，是老庄哲学，所以当时的经注中，颇多可认为用老庄思想以注释儒教经典的表现。至隋唐时代，儒教再度作为中央集权的官僚支配意识形态而扮演了重要的角色，经学成了国家的御用学问。即唐太宗，命孔颖达作《五经正义》，完成了经学的统一。佛教虽为后汉时代输入于中国，而其成为中国人的思想，实在三国时代以后，尤其在纪元四世纪末期以后。佛教又对于风靡当时的老庄思想，加以刺激，而促进了称为道教的宗教的成立。所以在隋唐时代，演成了儒释道三教的对立形势。

（三）第三发展阶段，为儒教别开生面，哲学的思维显示出异常发达的时期。即由中唐至五代这二百余年间，为哲学发展的准备期；由北宋初年至南宋末年，即由纪元九六三年至一二七九年这三一六年间，所谓“宋学”的新哲学，已经成立。至明代，阳明学出现。由宋至明，佛教哲学的影响，波及到了儒教，乃改造成为新儒教，这种改造后的儒教的代表形态，即是朱子学与阳明学。至清代因国内民族矛盾的尖锐化（反清复明的民族意识的勃兴），经济的发展及西洋自然科学的知识与方法——实证主义的输入，所谓“考证学”的思想，于以生起，而形成了汉学与宋学的对立。

（四）第四发展阶段，为西洋文化的输入使中国哲学成为世界哲学一有机部分的时期。最初为康有为、谭嗣同的公羊学派；其次为孙文学说的建立；再其次为作为五四新文化运动结果的科学与人生观论；更其次为一九二七年大革命后辩证法、唯物论的输入；最后为运用辩证法、唯物论批判中国固有文化或者说由中国固有文化及民族解放运动中发现辩证法、唯物论的具体形态。这时期的特征，即以注释学为特征的传统的经学，已完全破产，哲学上的反动体系，已随着封建残余与帝国主义的奇妙结合的成立，而采取了西洋反动哲学——资本主义最后阶段上的伪装的唯心论的新形态。因而此时期中国哲学发展中唯物论与唯心论的斗争，也比较的富于近代化的色彩。正如近百年来中华民族在实践上遭遇了空前伟大的历史使命一样，在哲学上也留下了并且正继续创造不可磨灭的哲学业绩。

第二篇

诸子时代的哲学

第四章　老子哲学及其学派

第一节　老子的直观的辩证法唯物论

现存的《道德经》，虽为战国时代环渊所作，但此与《论语》由孔门弟子记录，《墨子》由墨家弟子纂集，本质上为同一意义；我们决不能因《道德经》晚出，而否定老子（老聃）哲学为中国哲学史上最初创立的体系。不过，《道德经》的编辑人环渊，是文学趣味过于浓厚的楚国作家，遂致老子哲学在《道德经》中染上了战国时代的色彩。所以我们研究老子哲学，一面必须以《道德经》为依据，而同时也必须以批判的方法，在环渊的文章词藻的背后，发现或提取老子哲学的基本命题及其体系的本质的逻辑构成形态。

我们在第二章中曾说过，中国在春秋时代所发生的哲学，都是殷周以来宗教神话观念的正反对物。这一点，在老子哲学中，表现的最为明确。首先，老子否定了作为人格神的“帝”“上帝”“天”的至上性，而以“道”或“大”为宇宙万有的根源，世界的本体。所以他说：“道……渊兮似万物之宗。”(《道德经》第四章)“有物混成，先天地生。寂兮寥兮，独立而不改，周行而不殆，可以为天下母。吾不知其名，字之曰道，强为之名曰大。”(《道德经》第二十五章)“道者，万物之奥。”(《道德经》第六十二章)我们在老子的“道”或“大”的性质上，可以看出他的反宗教神话的宇宙观的态度。老子所谓“道”=“一”，虽然是超感觉超经验的范畴，唯一无二的本体，但是，却与康德的“物自体”不同。在老子哲学中，本体与现象之间，并无不可逾越的鸿沟，宁是将超越的本体与现象世界统一化了的体系。所以一方面说“道”=“一”为“视之不见”“听之不闻”“搏之不得”“迎之不见其首，随之不见其后”(《道德经》第十四章)的超越范畴，而另方面又说：“天得一以清，地得一以宁，神得一以灵，谷得一以盈，万物得一以生，王侯得一以为天下贞。”(同书第三十九章)“一生二，二生三，三生万物。”（同书第四十二章）这样看来，现象世界不外为本体的所生。所以老子对于本体与现象的关系的把握，在某一点上，比较二元论者康德的见地，更富于辩证法的性质。

但是，像黑格尔、哈克曼、渡边秀方、佐野袈裟美等人，将老子所谓“道”，解作观念的精神的范畴，视之为理念的同义语（Tao——Ideen），则殊属错误。在我们看来，老子所谓“道”或“一”，和埃利亚学派的“有”一样，都是客观的实在，世界之物质的统一性。它虽是有点近似于黑格尔的“纯粹存在”或“抽象化的存在”，但是，它却是物质的存在，而非全无内容的范畴。所以他说：“湛兮似或存。”（同书第五章）又说：“道之为物，惟恍惟惚。惚兮恍兮，其中有象；恍兮惚兮，其中有物。”（同书第二十一章）是知所谓“道”，已经具备了物质的性格；秋泽修二氏认之为“纯粹物质”，颇为中的。所以老子的哲学，本质上不是客观的唯心论，而是唯物论。

辩证法是客观存在＝物质的自然界的普遍运动法则，所以唯物论经常表现为辩证法的宇宙观。在老子哲学中，与其唯物论的性格相关联也具有着辩证法的要素。老子以为宇宙万有是不断运动变化的范畴，其运动变化的法则，名之为“常”。“常”既为客观存在的法则，则在人类的行为（实践）中，自然是规定的契机。这就是说，人类只有把握到作为客观存在法则的“常”，才能支配并改造现实，不然，必致陷于盲目的蛮干，而导出违反预期的恶果。所以老子说：“知常曰明；不知常，妄作；凶。知常，容；容乃公，公乃王，王乃天，天乃道，道乃久；没身不殆。”（同书第十六章）是知在老子哲学中，也和在一般的辩证法唯物论中同样，人类由必然性支配下的隶属向自由王国的飞跃，是以认识客观存在的法则为前提的。知识 = 对于客观存在本体之科学的把握、法则性的认识，就是权力；人类只要握有这种权力，则从来支配自己的外在的神秘性的力量，便会丧失其权威，而为人类所驱使。老子所谓：“执古之道，以御今之有。”（同书第十四章）又云：“侯王若能守之，万物将自化。”（同书第三十七章）又云：“以道莅天下，其鬼不神。”（同书第六十章）又云：“能无卜筮而知吉凶。”（《庄子 · 庚桑子》篇所引）义均在此。

老子在“有”与“无”的关系的理解上，也充满着辩证法的精神。他说：“无名，天地之始；有名，万物之母。”（同书第一章）又说：“天下万物生于有，有生于无。”（同书第四十章）有些人，不解其真义所在，据此而断定老子哲学为虚无主义，这完全是字面的考察，在哲学上毫无价值可言。实则老子所谓“有”或“有名”，同时也就是“无”或“无名”，此二者本质上是个别的存在与普遍的实体的统一。所谓“有名万物之母”，就是在纯粹存在上加以规定，而生出个别诸事物；但万物的根本规定，也就是无规定的纯粹存在自体，所以又说“无名天地之始”。是知此种作为无规定的实体的“无名”，不是全无规定，而是作为纯粹存在的存在的规定。此存在的规定，正是一切存在物的根本的规定，所以它是“有”而又是“无”，是存在而又是非存在。在从“有”到“无”或从“无”到“有”的转化中，完全是质量互易的辩证法的规定。其所谓“天下万物生于有，有生于无”的命题，也只有由此而理解。

老子又以为“道”或“常”的运动法则，是到对立物的转化。所以他说：“万物并作，吾以观复。夫物芸芸，各归其根。归根曰静，是谓复命。复命曰常。”（同书第十六章）“大曰逝，逝曰远，远曰反。”（同书第二十五章）“反者，道之动。”（同书第四十章）“玄德深矣远矣，与物反矣；然后乃大顺。”（同书第六十五章）“正言若反。”（同书第七十八章）并且，老子认为事物自身的内部，便包含着自己的对立物，在自己的发展过程中，导出自己的否定。所谓：“天下皆知美之为美，斯恶已；皆知善之为善，斯不善已。”“有无相生，难易相成，长短相较，高下相倾，音声相和，前后相随。”（同书第二章）“祸兮福之所倚，福兮祸之所伏。”“正复为奇，善复为妖。”（同书第五十八章）“曲则全，枉则直，洼则盈，敝则新，少则得，多则惑。”（同书第二十二章）“飘风不终朝，骤雨不终日。”（同书第二十三章）“物或损之而益，或益之而损。”（同书第四十二章）等等，义均在此。老子这种辩证法的思想，在当时哲学思维尚不发展的水准之下，一般人自不免有怪诞之感，所以老子说：“下士闻道大笑之，不笑不足以为道。”（同书第四十一章）

据上述各点言之，老子哲学，实为中国哲学史上最富于辩证法、唯物论要素的最初的体系。但是，老子哲学，只是直观的辩证法、唯物论，而不是辩证法、唯物论的彻底形态。第一，他对于人格神的天，尚保持着肯定的态度；所以说："天将救之，以慈卫之。"（同书第六十七章）"天之所恶，孰知其故。"（同书第七十三章）第二，他对祭祀的拜祖仪式，也表示拥护；例如"子孙以祭祀不辍"（同书第五十四章）即其明证。第三，他对于作为宇宙本体的"道"，也不能一贯的说明其根源性；所以他说："吾不知谁之子，象帝之先。"（同书第四章）"人法地，地法天，天法道，道法自然。"（同书第二十五章）于是"道"也丧失其本体性，而道的哲学，遂陷于自己的否定。第四，他对于所谓"反者道之动"的"反"，或"复命曰常"的"复"，及"各归其根"的"归"，严格的言之，也只有反复循环的机械的理解，而缺乏辩证法的环状发展的螺旋式运动的把握。并且其动的宇宙观，也不彻底，其所谓"常"的意义，根本上就是静止；所以说"归根曰静，是谓复命，复命曰常"。第五，他所谓"知常曰明"的意义，根本上就是对于现实的顺应，而缺乏彻底的变革精神，在实践上就是以逸待劳的等待主义，这一点，在其“无为自然”的消极的人生观及其“小国寡民”的政治主张中，有明确的表现。老子哲学这些不彻底性，显然是春秋时代奴隶制的矛盾中一部分贵族的没落生活的反映。这种倾向，后来被庄子所强调，直至后汉灭亡以后，还是社会的支配的意识形态。

然而，老子的辩证法、唯物论要素，虽埋没在消极的人生观之中，而其基本的命题，所包含的辩证法、唯物论要素，在古代的中国哲学中，确是最丰富的。这一点固然是春秋时代奴隶制发展的产物，而其理论的遗产承继，实与《易经》的辩证法、唯物论要素的萌芽，有接种的关联。所以，老子哲学，可以看做继《易经》而出的自然发生的原始辩证法、唯物论。

第二节 关尹、列子、杨朱对老子哲学的承继

在诸子时代，属于老子哲学系统的哲学家，计有关尹（即《道德经》的作者环渊）、列子、杨朱、庄子、惠施、公孙龙等人。老子学派的发展，其大体的过程如下：第

一，由老子到列子、杨朱，是辩证法、唯物论要素的继续或发展；第二，由列子、杨朱到庄子，是由唯物论到唯心论的隳落；第三，由列子、杨朱到惠施、公孙龙，是由辩证法到诡辩主义的转化。老子学派这种发展的过程，与由春秋到战国奴隶制社会矛盾的尖锐化及其穷途末路，有相互对应的关联。兹分述其学说的基本内容如下：

（一）关尹的学说。关尹与列子、杨朱同属于老子学派，而祖述老子学说，但其所见，又各不相同。所以《吕氏春秋》的《不二篇》曾扼要的说："关尹贵清，列子贵虚，杨朱贵已。"关于列子和杨朱的学说，下文另项说明，兹先将关尹的学说叙述如下：关于关尹的学说，我们所知道的资料甚少，惟《庄子》的《天下》篇中，曾引关尹的话。他说："在己无居，形物自著。其动若水，其静若镜，其应若响，芴乎若亡，寂乎若清，同焉者和，得焉者失，未尝先人，而常随人。"关尹的意思是只有作客观的考察，才能认识存在的本质；所以人们在认识上，应该以如水如镜之纯客观主义的态度，观照事物。所谓"寂乎若清"的清，实即静的意义；其基本的主张，是叫人平心静气，不受外物的诱惑，以忘我克己、虚衷退让为其认识论与人生观的骨干。关尹这种“贵清”的思想，和希腊罗马时代禁欲主义哲学“无激情”的主张，颇为相似；而与老子认识论中的客观顺适主义及其消极的人生观，尤有一贯的联系。

（二）列子的哲学说。列子以“道”为自己原因，认“道”为不变的实体（本体）。“道”本身虽不生不灭无变无化，而万物则由“道”而生，且经常变化。因为“道”创造自己，可能以自己的力量采取新形态，所以就是依自己本身而存在的范畴，就是“自己原因”。列子说：“有生，不生，有化，不化。不生者能生生，不化者能化化。生者不能不生，化者不能不化，故常生常化。常生常化者，无时不生，无时不化。”（《列子·天瑞篇》）又说：“生物者不生，化物者不化，而自生、自化、自形、自色、自智、自力、自增、自减。”（《列子·黄帝篇》）。这就是说，有不能创造的创造者，不能变化的变化者；它虽使生者生，变化者变化，而其自身，则是生成变化中的不变的实体，则是自生自变的“自己原因”。这样看来，列子将老子所谓“吾不知谁之子”的

"道"——超越的实体，已经很清楚的确认为"自己原因"。固然老子已经意识到"道"为"自己原因"，而使之明确的定式化的，则为列子。列子将作为"自己原因"的"道"，名之为"太易"，并说明了"太易"生成万物的过程。此所谓"太易"，就是气形质三者"相浑沦而未相离"相互融合着的实在，就是"视之而不见、听之而不闻、循之而不得"的实在；"太易"变化，气形质乃分，清轻者上而为天，浊重者下而为地，冲和之气，成为人类，如此而包含天地的精华，以化生万物。列子这种说明，实为老子的"一生二，二生三，三生万物"的思想的发展。前述《吕氏春秋》批评"列子贵虚"，这在《列子·天瑞篇》中，也有明文。即："或谓子列子曰：子奚贵虚？列子曰：虚者无贵也，非其名也。莫如静，莫如虚；静也，虚也，得其居矣；取也，与也，失其所矣。"此所谓"非其名"，就是识别知虑。人类为要认识事物，第一须去欲而归静，第二须无我而守虚，即虚心而去是非利害之念。所以列子的"贵虚"思想，就是无欲无我的客观主义，根本上就是老子的"无为自然"的人生观及其认识论上的客观顺适主义的延长或变态。

（三）杨朱的学说。杨朱在战国时代，是老子学派的代表者。他认为“道”是一种非人格的自然力，在这种自然力之前，无论天＝神、鬼与人类，都没有什么权威可言，并且更进一步，不承认神的存在及脱离身体而独立的灵魂的存在。列子的《杨朱篇》中，曾说：“既死，岂在我哉？焚之亦可，沈之亦可，瘗之亦可，露之亦可，衣薪而弃诸沟壑亦可，衮衣绣裳而纳诸石椁亦可。唯所遇焉。”这种思想，和法国唯物论的先驱者约翰·莫利厄神父的《遗嘱》内容颇相类似。兹摘译一段如下：“我死后，让牧师们神学者们及其他，尽量发其爱发的怒吼吧！让他们在那时呼我为背信者、背教者、背神者及无神论者都好，爱呼什么就呼什么吧！任凭他们来凌辱我！任凭他们用其所谓适当的方法来处置我的死骸！分尸也好，煮烧也好，配上好的医油吃掉也好！这一切都不能丝毫使我不安。因为我认为：他们所加于我的一切，和我全无关系，而且任凭什么东西都不能使我恐怖！”杨朱又说：“身固生之主，物亦养之主。”（《列子·杨朱篇》）很明显的，是以身体为生活的主体，精神或灵魂和身体比较起来，是第二次的范畴。生活的原理，是物质性的范畴，并不是什么精神或灵魂，这是明确的唯物论的思想。杨朱这种唯物论的思想，是因为将老子的“道”作为非人格的自然力而来，所以“道”的哲学，乃是杨朱哲学的出发点。在杨朱看来，一切的存在，均被“道”的根本力所贯彻所支配，这种根本力，生出无数的事物或形态，并在其中来表现自己。“道”是活动的自然力（物质的力），表现在人类中，就是冲动、嗜好、情欲等等，这样，乃完成了杨朱的快乐主义。杨朱哲学的根本原理，是“全性保真”，其意义是保全人类的本性而不使损害；而其所谓人类的本性，就是人类的“道”（自然力），也就是食色之欲。所以杨朱说：“太古之人，知生之暂来，知死之暂往，故从心而动，不违自然所好，当生之欲非所去也，故不为名所观；从性而游，不逆万物所好，死后之名非所取也，故不为刑所及。名誉先后，年命多少，非所量也。”又说：“生民之不得休息，为四事故：一为寿，二为名，三为位，四为货。有此四者，畏鬼、畏人、畏威、畏刑，此之谓遁人也。……不逆命，何羡寿；不矜贵，何羡名；不要势，何羡名；不贪富，何羡货；此之谓顺民也。”（《列子 · 杨朱篇》）总之，杨朱的快乐主义，就是他自己所说的“可在乐身，可在逸身”，根本上和伊壁鸠鲁哲学，十分相似。

第三节　庄子对于老子哲学的歪曲——相对主义的唯心论

在庄子的学说中，直接的继承了老子的“道”的思想，以及列子作为“自己原因”的“道”的思想。庄子在《大宗师篇》中曾云：“夫道，有情有信，无为无形，可传而不可受，可得而不可见。自本自根，未有天地，自古以固存。神鬼神帝，生天生帝。在太极之先而不为高，在六极之下而不为深，先天地生而不为久，长于上古而不为老。”这样看来，庄子所谓“道”，乃是客观独立的存在，“自本自根”的范畴。但是，庄子的作为“自本自根”的“道”，则未能与现象世界统一起来，他认为现象世界，是和“道”——本体完全脱离的纯粹虚妄；一切的事物，都是相对的、非现实的、没有任何现实性的假象。我们前面说过，老子虽以“道”为超越的本体，而却统一了本体与现象世界，并由此而生出“无名”与“有名”的统一，“无”与“有”的辩证法范畴；然而庄子则大不相同，将本体与现象世界绝对的切离，只承认本体为真实，而以现象世界为纯粹的虚妄，这是老子的“道”与庄子的“道”的差别所在。庄子这样一来，便打碎了老子的“道”的辩证法的内容，使之变成了完全抽象的绝对者；并且在庄子哲学中，相对与绝对的关系，完全抽象的、非辩证法的分离开了，现象世界因为是绝对的相对，终于成了虚妄。所以庄子哲学，就是相对主义的体系。他在《齐物论》中曾说:“物无非彼，物无非是，自彼则不见，自是则知之。故曰，彼出于是，是亦因彼，彼是方生之说也。虽然，方生方死，方死方生。方可方不可，方不可方可。因是因非，因非因是。是以圣人不由，而照之于天，亦因是也。是亦彼也，彼亦是也。彼亦一是非，此亦一是非。”又说:“天下莫大乎秋毫之末，而泰山为小；莫寿乎殇子，而彭祖为夭。”这显然是说，一切的事物，都是相对的，都不是绝对的，决乎没有绝对的大、善、高尚及有用的范畴的存在，一切的事物，是大而又是小，不是大而又不是小；一切的事物在空间与时间上，既是相因而存在，所以“彼出于是，是亦因彼”；地处此时之所谓死，即彼处彼时之所谓生，所以“方生方死，方死方生”；此地此时的真理，即彼地彼时的谬误，所以“方可方不可，方不可方可”。庄子的相对主义思想，是异常明白的。

其次，庄子所谓“道”的特性，是由于抹杀现实世界现象的具体性而成立的范畴，所以它不是扬弃了诸对立的统一物，而是抽象的抹杀了现实性的对立的无差别的、物我一体的范畴，庄子所谓“道枢”者，义即在此。他说:“是亦彼也，彼亦是也。彼亦一是非，此亦一是非。果且有彼是乎哉？果且无彼是乎哉？彼是莫得其偶（对立），谓之道枢。枢始得其环中，以应无穷。是亦一无穷，非亦一无穷也。故曰，莫若以明。”（《齐物论》）此所谓“道枢”，显然是彼是的相对、对立的消灭或融解，而非辩证法的扬弃。在这里的绝对，亦不是与相对统一了的绝对，而是抽象的“无差别的范畴”。庄子所说的“天均”，义亦指此。老子的“道”，经过了庄子的歪曲以后，和印度哲学中大乘教的“空”的原理相似，乃为非辩证法的范畴。庄子在《齐物论》中有云:“昔者，庄周梦为胡蝶，栩栩然胡蝶也自喻适志与，不知周也。俄然觉，则蘧蘧然周也。不知周之梦为胡蝶与？胡蝶之梦为周与？”这种无差别的状态，结局便到达于物我一体的唯心论的境地。所以他又说：“天地与我并生，而万物与我为一。”庄子这种物我一体的思想，和孟子的大我的唯心论，息息相通。这样，老子的“道”、唯物论的世界观，被庄子变成了鲜明的唯心论；庄子的相对主义，事实上就是这样的唯心论。在庄子的“道枢”=“天均”=无差别范畴的哲学中，具有着明确的解脱哲学的倾向，人生哲学的要素，亦处于支配形态的地位。

庄子的哲学，既已抹杀了主观与客观的对立，当然要放弃了知识的要求，而埋首于抽象的普遍者的赞颂，建立起无为自然的人生观。他在《大宗师》篇中曾云：“古之真人，不知说生，不知恶死。其出不䜣，其入不距。翛然而往，翛然而来而已矣。”庄子这种“无为自然”的倾向，在庄子学徒之间，更以明确的形态趋于发展，终于宣传复归原始人类的蒙昧状态。本来老子的“道”的哲学，就包含着这种“虚无恬淡”的人生哲学的解脱性质，至庄子乃更加发展，变成了哲学体系的中心思想。由老子到庄子这哲学逻辑上的堕落，当然是亚细亚式的中国奴隶制社会末期贵族阶级的消极的生活的反映。

此外，惠施与公孙龙的哲学思想，本来亦属老子哲学的系统，但是，因为他们的建树在于论理学方面，而论理学在中国哲学史上，乃值得特别分析研究的部门。所以另设一章（即本篇第七章）以便作更详尽的讨论，在这里只好从略。

第五章　孔子哲学及其学派

第一节　孔子的经验论——关于宗教神话的怀疑主义

孔子是儒教的创始者，他的思想，经过了历代的儒教学者的窜改伪托，不但对于中国的社会及政治，发生了亘古未有的最大的支配力量，即对于法国、德国及日本，也发生了很大的影响。但是，我们要知道，儒教决不是由孔子组织起来的思想体系；儒教作为官僚支配的意识形态而出现于中国的思想领域，并取得压倒一切的统治地位，乃是前汉武帝（纪元前一四〇年）以后的事情。所以我们讲孔子哲学，不但要将它和后世儒教学者的思想分开，即在孔子本人与其正统弟子之间，也须要划分清楚的界限。但是，另方面，我们也决不是忽视儒教思想发展史的逻辑的内在关联，反而只有如此，才能对于儒教哲学获得科学的认识。本节的论述范围，是由孔子经过子思到孟子为止，也就是由孔子的经验论＝不彻底的唯物论到子思、孟子的唯心论的转化过程。以下我们先研究孔子的哲学。

孔子是继老子而起的著名哲学者，他本人及其学徒，都承认与老子的思想有相当关系。我们现在研究孔子哲学惟一可靠的资料，只有《论语》;《论语》虽是孔子的弟子所编纂，但其编纂的态度，颇为忠实而朴质，故《论语》在孔子哲学上的价值，比较《道德经》在老子哲学上价值为高。我们在《论语》中所见到的孔子哲学，和老子哲学比较起来，有下列几点特征：第一，孔子虽也反对氏族制社会的意识形态＝宗教神话，但不像老子那样肯定宇宙本体的本质，而只是站在人本主义的立场，避而不谈，大体上与其说是唯物论，不如说是经验论，较为妥当；第二，在反氏族制社会意识形态的斗争上，非常富于妥协主义、折衷主义的色彩；第三，哲学的思维，不但比老子远为贫弱，缺乏变革的性质，而且人生哲学的支配，也比老子更加严重，在许多场合，如果我们不能突破文字上的限制，如果不能在人生哲学的政治论道德论的背后，发现其方法论的性格，几乎会看不出其与哲学有关，如像黑格尔等人不承认孔子为哲学者的见解，即起源于此。

孔子反对殷周以来的宗教神话的传统思想，在《论语》中有下列各处：（1）“子贡曰：夫子之文章可得而闻也，夫子之言性与天道不可得而闻也。”（《公冶长》篇）（2）“子疾病，子路请祷。子曰：有诸？对曰：有之，诔曰‘祷尔于上下神祇’。曰：丘之祷也久矣。”（《述而》篇）（3）“子不语：怪，力，乱，神。”（《述而》篇）（4）“季路问事鬼神。子曰：未能事人，焉能事鬼？！曰：敢问死？曰：未知生，焉知死？！”（《先进》篇）

孔子虽不谈鬼神，却肯定着祭祀。在《论语》中有下列各处：（1）“子曰：非其鬼而祭之，谄也。”（《为政》篇）（2）“子曰：禘自既灌而往者，吾不欲观之矣。”（《八佾》篇）（3）“祭如在，祭神如神在。子曰：吾不与祭，如不祭。”（《八佾》篇）只要我们注意到“祭如在祭神如神在”的两个“如”字，便可知孔子的祭的动机，在求祭者心理上的满足，并不是因为被祭者的鬼神真正存在。所以孔子主张，并不是承继殷周以来的鬼治主义，而是与其所谓“孝”“礼”“仁”等德治主义的思想，有密切关系的。《礼记·檀弓》篇所说：“惟祭祀之礼，主人自尽焉尔，岂知神之所飨？！”正是这个意思。孔子这种对祭祀的见解，大体言之，仍是无神论的，这一点到荀子哲学中，才和唯物论的宇宙观结合起来，而趋于彻底化。

然而，另一方面，孔子却又相信着“天”或“天命”。例如（1）“伯牛有疾，子问之。自牖执其手，曰：亡之，命矣夫。”（《雍也》篇）（2）“子见南子，子路不悦。夫子矢之曰：予所否者，天厌之！天厌之！”（《雍也》篇）（3）“子围于匡。曰：文王既没，文不在兹乎？天之将丧斯文也，后死者不得与于斯文也；天之未丧斯文也，匡人其如予何？！”（《子罕》篇）（4）“获罪于天，无所祷也。”（《八佾》篇）（5）“吾谁欺？欺天乎？”（《子罕》篇）（6）“唯天为大，唯尧则之。”（《太伯》篇）（7）“天生德于予桓魋其如予何？”（《述而》篇）（8）“颜渊死，子哭之恸。曰：天丧予！天丧予！”（《先进》篇）（9）“不怨天，不尤人，下学而上达，知我者，其天乎。”

（《宪问》篇）（10）“君子有三畏：畏天命，畏大人，畏圣人之言。”（《季氏》篇）（11）“不知命，无以为君子也。”（《尧曰》篇）我们知道，孔子所谓“天”或“天命”，纵非殷周时代的人格化的至上神，但也决不是纯粹的自然范畴，而多少还带有着神秘性质。这一点，我们从《论语》的《乡党》篇中，即“迅雷风烈必变”一语中，更可了然。所以孔子对于氏族制社会的意识形态——宗教神话的态度，大体上和周公相同，均未能坚定的站在唯物论——无神论的立场，贯彻其战斗的态度，而尚处于一面否定一面信仰的消极的怀疑阶段。这种矛盾，和孔子在氏族制社会残滓与奴隶制社会的新兴贵族的斗争中的妥协折衷的实践态度，实有密切的关系。

我们在第一篇第三章第二节中曾说：西周时代因天的宗教神话信仰动摇，遂建立了“德”的思想，本人定胜天的精神，以济天道之穷，而以周公为其代表的思想家。周公这种精神，孔子是非常钦佩的。所以他说：“周监于二代，郁郁乎文哉，吾从周。”（《八佾》篇）对于周公更极表景仰，如“甚矣吾衰也，久矣吾不复梦周公矣！”（《述而》篇）“如有周公之才之美，使骄且吝，其余不足观也已。”（《太伯》篇）孔子承继周公的哲学思想，本是汉代的定论，如《淮南子·要略》篇有云：“孔子修成康之道，述周公之训。”《史记·太史公自序》亦云：“周公卒五百岁而有孔子。”但是，由周公到孔子的发展，也与当时的奴隶制度的发展相对应，天的宗教思想渐趋稀薄，而德治主义的色彩，则更加昂扬，这一点，我们试取《周书》的《康诰》等篇与《论语》的内容比较观之，即可明白。

第二节　孔子哲学中政治论伦理学论理学的三位一体

孔子哲学的特征，在于人生哲学的思想，支配了一切。因此，他几乎未尝站在世界之全体的科学的认识，世界之根本原理的把握的立场，来强调哲学思维的独立性；即上述关于天道的思想，也是在政治论、道德论掩蔽下的范畴，所以孔子根本是具有着处世哲学者性格的哲学家。他的道德论政治论的根本观念，在于“一”或“仁”。例如“子曰：参乎！吾道一以贯之。”（《里仁》篇）

“子曰：赐也，汝以予为多学而识之者与？对曰：然。非与？曰：非也！予一以贯之。”（《卫灵公》篇）但是孔子所谓“一”，决不是脱离人类意识而独立的客观范畴；乃是成为德治主义中心的“仁”的同义语。而所谓“仁”，实际上就是君臣、父子、兄弟、夫妇、朋友等政治＝伦理关系的根本原理。这原理的内容，总起来说，就是推己及人的忠恕之道：其消极方面，是“己所不欲，勿施于人”；其积极方面，是“己欲立而立人，己欲达而达人”。尝见联语有云：“凡求乎父子兄弟尽其在我，所恶于前后左右勿以施人。”正是“仁”的真解。“仁”的政治意义，在于调和奴隶制社会的阶级矛盾；在于利用氏族共同体内父家长制意识形态，使之与封建的身份制相结合，企图由奴隶制和平的过渡到中央集权的封建专制主义。所以他认孝悌为“仁”的根本，而对于远古的圣人之言行，也不惜托古改制。总之，孔子的政治论与道德论，是互有关联的；在当时虽然缺乏斗争性，而本质上则是温和的改良的奴隶制社会的修正者，封建制萌芽的卫护者。孔子的哲学，所以自前汉至清末二千年来，始终获得封建的统治者的信奉，其理由实在于此。

但是，另一方面，我们也要知道孔子所谓“仁”的逻辑意义。孔子是经验论者，但孔子的经验论，实际上乃是局限于实践理性＝道德范围内的概念。他从道德出发，不但演绎出封建制的合理化，而且也使伦理上的推己及人转化成论理上的演绎法。在《论语》中例证颇多，如：“温故而知新，可以为师矣。”（《为政》篇）“回也闻一以知十，赐也闻一以知二。”（《公冶长》篇）“不愤不启，不悱不发，举一隅不以三隅反，则不复也。”（《述而》篇）“子曰：赐也始可为言诗已矣，告诸往而知来者。”（《述而》篇）“夫仁者：己欲立而立人，己欲达而达人。能近取譬，可谓仁之方也矣。”（《雍也》篇）此所谓“温故知新”，“闻一知十”，“举一反三”，“告往知来”，“能近取譬”等等，都是论理学上的演绎法。章太炎先生，早就看到此点，所以他对于“一以贯之”的忠恕（仁），曾这样来解释：“忠者，周以察物；恕者，心能推物。故夫闻一以知十，举一隅而以三隅反者，恕之事也。周以察物，举其征符，而辨骨理者，忠之事也。”此外其所谓“正名”，也是一面为政治－伦理的范畴，而同时也含有论理学的演绎法的意义。据此，我们可知，孔子所谓“仁”，本质上是其政治论，道德论，而同时也是其论理学。在这里，我们第一就发现了演绎法是中央集权的封建专制主义的必然产物；第二也可看出孔子的卫护封建萌芽的实践态度，是其论理学上演绎法建立的基础。国人研究孔子哲学者，多不明此点。例如十五年前，胡适之与梁漱溟二先生关于“仁”的争论，胡先生依章太炎的意见，认之为论理学的范畴，而梁先生则力主其为纯伦理学的范畴，实际上乃是由于双方均未能理解政治论、道德论、论理学在孔子哲学中的三位一体性所致。

总而言之，孔子哲学是中途半端的经验论，在关于宗教神话问题上，固有其比较前进的见解，而在人生哲学方面，则又包含着浓厚的唯心论要素。孔子哲学的特征，就在于内部命题的相互矛盾，而这种矛盾，正是春秋时代后期奴隶制社会矛盾的反映。他的学派，在其死后便发生了分裂；所以韩非子曾说：“自孔子之死也，有子张之儒，有子思之儒，有颜氏之儒，有孟氏之儒，有漆雕开氏之儒，有仲良氏之儒，有孙氏之儒，有乐正氏之儒。”（《显学》篇）其分裂的详情，此地不来考证。大体言之，孔子哲学中的积极部分——唯物论要素，由荀子所承继所发展，并综合古代哲学的全部成果，而完成了唯物论的哲学体系——几乎是中国哲学发展的顶点；其唯心论的要素，则由子思、孟子所承继而加以体系化，并奠定了中国唯心论哲学的理论基础。关于荀子哲学，以下要另辟专章论述，于此，仅将子思、孟子的哲学思想，分节述明如下。

第三节　子思的“天人合一”的唯心论

子思不仅是使孔子的经验论唯心论化的哲学者，而且是把孔子的唯心论要素体系化了的组织者。关于子思的著作，说法不一。我们根据郭沫若与王柏二氏的考证，当以《易传》、《大学》、《中庸》三书，为研究子思哲学的资料。子思所以能完成其唯心论的体系，和一般唯心论的建立同样，也是吸收了当时辩证法、唯物论的成果，加以歪曲而成的。他的唯心论的内容，主要的是来自《易经》与《书经》中的原始辩证法、唯物论以及老子的道的思想。所以他的哲学的特征，便在于依意识决定存在的命题，建立起主观范畴的“诚”的本体，使之与超越的“道”相结合，而完成识“天人合一”的唯心论的宇宙观。

我们先从《易传》上看。《彖下传》“恒”卦有云：“天地之道，恒久而不已也。利有攸往，终则有始也。……圣人久于其道，而天下化成；观其所恒，而天下万物之情可见矣。”子思所要把握的，显然是恒久不变的绝对者。这种绝对者，就是《系辞上传》所谓：“形而上者谓之道，形而下者谓之器，化而裁之谓之变，推而行之谓之通，举而措之天下之民谓之业。”是知绝对者就是“道”，同时也就是“神”。所以《系辞上传》说：“一阴一阳谓之道，……阴阳不测谓之神”；又说：“神无方而易无体。”这样一来，《易经》中的辩证法、唯物论要素，遂成了和道、神三位一体的宗教的唯心论，甚至公然的宣传宗教。如《系辞上传》所说：“天生神物，圣人则之。”“精气为物，游魂为变。”“显道神德行，是故可与酬酢，可与佑神矣。”关于世界生成发展的过程，在《序卦传》中曾说：“有天地然后有万物，有万物然后有男女，有男女然后有夫妇，有夫妇然后有父子，有父子然后有君臣，有君臣然后有上下，有上下然后礼义有所措。”这样一来，又把战国时代的父家长制及阶级的关系，固定化，绝对化了，因而也把自然发生的辩证法、唯物论要素，歪曲成了宗教的唯心论。这种由原始辩证法、唯物论到宗教的唯心论转化过程，在子思所创立的“五行说”（荀子《非十二子》篇说：“案往旧造说，谓之五行；……子思倡之，孟轲和之。”可见“五行说”虽为子思所创立，而原始的五行思想，则存在于子思的时代之前）中，更加显明。到了邹衍手中，更成为五行生胜之学，终至演成灾变神异的宗教。

子思在《大学》中，所提出的思想，是非常有体系性的。他说：“物有本末，事有终始，知有先后，则近道矣。”关于道的程序，就是：“古之欲明明德于天下者，先治其国；欲治其国者，先齐其家；欲齐其家者，先修其身；欲修其身者，先正其心；欲正其心者，先诚其意；欲诚其意者，先致其知；致知在格物。”反过来说，就是：“物格而后知至，知至而后意诚，意诚而后心正，心正而后身修，身修而后家齐，家齐而后国治，国治而后天下平。”子思所谓“格物致知”在道的发展程序上，居于首位，似乎近于唯物论；而实则不然。其“格物致知”的真解，虽成为中国哲学史上争论的中心，但我们却可以断定子思决非主张客观存在 = 自然法则的科学的认识为决定范畴的唯物论者，因此，其所谓格物致知，也就不是指认识自然的客观普遍法则而言，乃是指的古圣先哲政治、道德的说教，尤其是伦理范畴的事物的理解。所以他说：“自天子以至于庶人，壹是皆以修身为本；其本乱而末治者否矣。”我们统观《大学》十章，皆以讲解诚意正心修身齐家治国平天下为唯一的内容，而绝未涉及自然的认识，便可明白。

最后就《中庸》来讲。子思在这里已充分展开其“天人合一”的唯心论的宇宙观及建立一种宗教的企图。关于“天人合一”问题，他说：“天命之谓性，率性之谓道，修道之谓教。”“诚者天之道也，诚之者人之道也。”“诚者物之终始，不诚无物。”很明显的，子思哲学中的道，就是诚；而诚一面是天道，一面又是人性，只要能诚，就是尽人之性，能尽人性，也就合乎天道。所以说：“自诚明，谓之性；自明诚，谓之教；诚则明矣，明则诚矣。”又说：“惟天下之至诚，为能尽其性；能尽其性，则能尽人之性；能尽人之性，则能尽物之性；能尽物之性，则可以赞天地之化育；可以赞天地之化育，则可以与天地参矣。”我们在这里，可以从子思的“天人合一”哲学中，看出下面几件要紧的事：第一，子思的“诚”，分明是由老子的“道”禅化而来；第二，子思的“诚”，与孔子的“仁”，显属异名而同实；第三，子思所谓“诚者自成而道自道”，比老子的“吾不知谁之子”“道法自然”，固富于“自己原因”的性质，而另一方面却已歪曲成唯心论的主观范畴。

其关于宗教神话观念的见解，则承继着殷周以来的传统，肯定作为人格化的至上神的“天”和“上帝”，所以说：“天之生物，必因其材而笃焉；故栽者培之，倾者覆之。”又说：“鬼神之为德，其盛矣乎！视之而弗见，听之而弗闻，体物而不可遗。”对于祭祀之礼，也要求“事死如事生，事亡如事存”。尤其富于宗教性的，是下面这一段话：“仲尼祖述尧舜，宪章文武，上律天时，下袭水土。辟如天地之无不持载，无不覆帱；辟如四时之错行，如日月之代明，万物并育而不相害，道并行而不相悖；小德川流，大德敦化，此天地之所以为大也。”“唯天下至圣，为能聪明睿知足以有临也，宽裕温柔足以有容也，发强刚毅足以有执也，齐庄中正足以有敬也，文理密察足以有别也；溥博渊泉而时出之，溥博如天，渊泉如渊，见而民莫不敬，言而民莫不信，行而民莫不说；是以声名洋溢乎中国，施及蛮貊，舟车所至，人力所通，天之所覆，地之所载，日月所照，霜露所坠，凡有血气者，莫不尊亲；故曰配天。”这简直是把孔子当做通天教主来赞美，其建立宗教的企图，可谓昭然若揭。郭沫若先生说子思是因为受到了墨子创设宗教的刺激所致，洵属至当之论。

第四节　孟子的唯心论及其仁义与功利的辩证法

孟子是子思哲学的承继者。他关于上帝或天的见解，自然也采取肯定的态度。所以他说：“虽有恶人，斋戒沐浴可以祀上帝。”（《离娄》篇下）“天之将降大任于斯人也，必先苦其心志，劳其筋骨，饿其体肤，困乏其身，行拂乱其所为，所以动心忍性，增益其所不能。”（《告子》篇下）“诚者天之道也，思诚者人之道也。”（《离娄》

篇上）“天不言，以行与事示之。”（《万章》篇上）他在《公孙丑》篇下中所说的“浩然之气”，也就是人心中的神，人性中的天。这种天 = 神，一方面在人之心外，同时也在人之心中，在《尽心》篇中说：“尽其心者，知其性也；知其性则知天矣。存其心，养其性，所以事天也。夭寿不贰，修身以俟之，所以立命也。”“万物皆备于我。”“充实之谓美，充实而有光辉之谓大，大而化之之谓圣，圣而不可知之之谓神。”从此可知，孟子的“天人合一”思想，和子思完全一样；只是子思以孔子配天，孟子更进一步以自己配天，其自视之伟大，更在子思以上。在《尽心》篇下中曾说：“由尧舜至于汤，五百有余岁；若禹、皋陶，则见而知之，若汤则闻而知之。由汤至于文王，五百有余岁；若伊尹、莱朱，则见而知之，若文王则闻而知之。由文王至于孔子，五百有余岁；若太公望、散宜生，则见而知之，若孔子则闻而知之。由孔子而来至于今，百有余岁；去圣人之世，若此其未远也；近圣人之居，若此其甚也；然而无有乎尔，则亦无有乎尔？！”他这样根据天道，以圣人自命，实带有浓厚的宗教意识。

孟子哲学的最大特征，在于把“性善说”与“天人合一”的思想结为一体，由性善出发以完成其宗教化的唯心论，并以此为武器而与杨朱的唯物论及墨子的奴隶大众的宗教神话观相斗争，来卫护当时商业化贵族阶级的利益。孟子的性善说在哲学史上的意义，在于替孔子的“仁”与子思的“诚”奠定理论基础。他首先把孔子与子思所谓“天命”，区分成两个概念，即将其主观方面，称为“性”；其客观方面称为“命”。所以他说：“口之于味也，目之于色也，耳之于声也，鼻之于嗅也，四肢之于安佚也，性也，有命焉；君子不谓性也。仁之于父子也，义之于君臣也，礼之于宾主也，智之于贤者也，圣人之于天道也，命也，有性焉；君子不谓命也。”（《尽心》篇下）他在《公孙丑》篇上又说：“所以谓人皆有不忍人之心者，今人乍见孺子将入于井，皆有怵惕恻隐之心；非所以内交于孺子之父母也，非所以要誉于乡党朋友也，非恶其声而然也。由是观之，无恻隐之心，非人也；无羞恶之心，非人也；无辞让之心，非人也；无是非之心，非人也。恻隐之心，仁之端也；羞恶之心，义之端也；辞让之心，礼之端也；是非之心，智之端也。

人之有是四端，犹其有四体也；有是四端而自谓不能者，自贼者也；谓其君不能者，贼其君者也。凡有四端于我者，知皆扩而充之矣；若火之始然，泉之始达。苟能充之，足以保四海；苟不充之，不足以事父母。”从此可知，孟子之所谓性，乃人类先天具有的良知良能。此良知良能的本身，在孟子看来，是善的，但因为被外物的诱惑，乃又变成了恶。所以他认为人类的修养，可分两方面，第一，积极方面发挥良知良能，是谓“存心”；第二，消极方面使五官服从心的命令，是谓“求放心”。所以他说：“人之所以异于禽兽者几希，庶民去之，君子存之。”（《离娄》篇下）“君子所以异于人者，以其存心也。君子以仁存心，以礼存心。仁者爱人，有礼者敬人；爱人者人恒爱之，敬人者人恒敬之。有人于此，其待我以横逆，则君子必自反也。我必不仁也，必无礼也。此物奚宜至哉？！”（同篇）“仁，人心也；义，人路也；舍其路而弗由，放其心而不知求，哀哉！人有鸡犬放则求之，有心放而不知求。学问之道无他，求其放心而已矣。”（《告子》篇上）孟子以为求放心的方法，在于寡欲，所以说：“养心莫善于寡欲。其为人也寡欲，虽有不存焉者寡矣；其为人也多欲，虽有存焉者寡矣。”（《尽心》篇下）为什么只存心或求放心便可成为善呢？这是因为：“仁义礼智，非由外铄我也，我固有之也，弗思耳矣。故曰求则得之，舍则失之。或相倍蓰而无算者，不能尽其才者也。”（《告子》篇上）孟子这种性善说，其最后的根据，既建筑在先天的良知良能上，自然是反科学的唯心论的滑稽荒唐见解，我们看他在《告子》篇上，和告子的四次争论（第一次论性犹杞柳，第二次论性犹湍水，第三次论生之谓性，第四次论仁内义外），都不能在逻辑上自满其说，便知纵以孟子的善辩，也不能掩蔽唯心论哲学的违反客观真理的本性。然而，唯心论者孟子，则以其性善说为基础，发展了“天人合一”的思想。所以他说：“尽其心者，知其性也，知其性则知天矣。存其心，养其性，所以事天也。”（《尽心》篇上）又说：“君子所过者化，所存者神，上下与天地同流，岂曰小补之哉？！”（同上）

孟子不但根据其性善说演绎出唯心论的宇宙观，而同时也根据性善说的推己及人的演绎法，建立起托古改制的井田法的理想国。在其理想国中，一面制限过度的剥削，一面将阶级榨取绝对化。所以他说："民之为道也，有恒产者有恒心，无恒产者无恒心，苟无恒心，放辟邪侈，无不为己。及陷乎罪，然后从而刑之，是罔民也；焉有仁人在位，罔民而可为也？！是故贤君必恭俭下礼，取于民有制。……为民父母，使民盻盻然，将终岁勤劳不得以养其父母，又称贷而益之，使老稚转乎沟壑，恶在其为民父母也？！"（《滕文公》篇上）而另方面又说："无君子莫治野人，无野人莫养君子。"（同篇）"八家皆私田百亩，同养公田，公事毕，然后敢治私事，所以别野人也。"（同篇）"有大人之事，有小人之事。……故曰：或劳心，或劳力，劳心者治人，劳力者治于人，治于人者食人，治人者食于人，天下之通义也。"（同篇）他这种理想国家，当然是奴隶制社会末期所发生的封建制萌芽的反映或其美化形态。在这一点上，孟子哲学也不纯粹是保守阶级的意识形态。

另方面，孟子也在某种限度以内，代表着商业的利益，他反对一律的价格公定，主张商业的自由。所以他说："夫物之不齐，物之情也；或相倍蓰，或相什佰，或相千万。子比而同之，是乱天下也。巨屦小屦同价，人岂为之哉。”（《滕文公》篇上）其他如反对战争，重民轻君等主张，均为卫护商业利益的表现。同时也是战国时代奴隶制社会末期商业发展的必然反映。孟子哲学中这种奴隶所有者贵族与封建阶级的意识形态的同时并存，一方面是由奴隶制向封建制转化的时代特征的反映，另方面也是中国奴隶制社会的特殊构造——即在奴隶制之傍已发生了农奴生产方法，而农奴所有者一部分是由氏族贵族转化而来，一部分则由奴隶所有者转化而来——的产物。

我们前面说过，由孔子到孟子，是经验论转化为唯心论的过程。在这里我们尤应知道，孟子的唯心论，带有非常浓厚的功利主义色彩。例如他劝梁惠王“与民偕乐”，是为的自己“能乐”，为的消弭“时日害丧，予及女偕亡”的“虽有台池鸟兽，岂能独乐哉”的害处；“不违农时”，是为的“谷不可胜食”；“数罟不入洿池”，是为的“鱼鳖不可胜食”；“斧斤以时入山林”，是为的“材木不可胜用”；使“黎民不饥不寒”，是为的把握“然而不王者未之有也”；所以要求“施仁政于民，省刑罚，薄税敛，深耕易耨，壮者以暇日，修其孝悌忠信，入以事其父兄，出以事其长上”，是为的“可使制梃以挞秦楚之坚甲利兵”；因为“仁者无敌”，所以“请王勿疑”。其劝梁襄王“不嗜杀人”，是为的可使“天下之民，皆引领而望之”，使“民归之由水之就下，沛然谁御之”，以达统一天下的目的。其与齐宣王论与民同乐的必要，也说是因为“乐民之乐者，民亦乐其乐，忧民之忧者，民亦忧其忧，乐以天下，忧以天下，然而不王者，未之有也”。此外，我们统观《孟子》七篇，永未违背功利而有所主张。所以孟子哲学，本质上是功利主义的。然而，治中国哲学史者，每喜援《梁惠王》篇上“王何必曰利，亦有仁义而已矣”一语，认孟子为反功利主义的哲学者。实则孟子的真意，并不是舍弃功利而谈超然的仁义，乃由仁义出发以争取功利实现的前提。观于“上下交征利而国危矣”及“未有仁而遗其亲者也，未有义而后其君者也”等语，便可明白。尤其在与齐宣王对话时，所说：“权然后知轻重，度然后知长短，物皆然，心为甚，王请度之！”（《梁惠王》篇上）更充分表现着孟子的功利主义色彩。在这里我们已经看到孟子哲学中仁义与功利的辩证法，即仁义与功利的对立的统一关系。这种关于仁义功利的辩证法思想，乃是孟子哲学中唯一的积极要素；而此积极要素的存在，一方面是客观真理的模写，同时也是战国时代哲学中阶级斗争的产物或武器。

我们知道，孟子的时代，是哲学斗争最剧烈的时代，而最大的学派，则是杨朱的唯物论与墨子的奴隶大众的宗教思想；孟子哲学，便是杨墨两派的反对物。所以他说："圣王不作，诸侯放恣，处士横议，杨朱、墨翟之言盈天下。天下之言，不归杨，则归墨。杨氏为我，是无君也；墨氏兼爱，是无父也；无父无君，是禽兽也。……杨墨之道不息，孔子之道不著，是邪说诬民，充塞仁义也。仁义充塞，则率兽食人，人将相食。吾为此惧，闲先圣之道，距杨墨，放淫辞，邪说者不得作。作于其心，害于其事，作于其事，害于其政；圣人复起，不易吾言矣。……能言距杨墨者，圣之徒也。"（《滕文公》篇下）孟子既以承继夏禹、周公、孔子三圣的道统自命，以反对杨朱、墨翟的学说，所以孟子哲学的构成形态，便应在其与自己的反对物斗争中，寻求其原理。墨子哲学有仁无义，杨朱哲学有义而无仁（范寿康先生语），所以孟子便以仁义并称；在杨墨哲学中，仁义与功利都是形而上学的对立着的，孟子乃阐明仁义是功利的基础，主张无论以个人或全体为单位，执功利以求功利，都是徒然的妄想，只有从仁义出发才能争取大众的功利，只有大众的功利得到保证，个人的功利才能发展。孟子这种由仁义到功利转化的辩证法的见解，乃是以孔子“君子喻于义，小人喻于利”的唯心论命题为基础，吸收了杨朱的快乐主义与墨子的功利思想加以颠倒综合而成。所以孟子的功利主义，便在表现上成了唯心论的形态。然而，在这里，也和在一般的哲学斗争的场合一样，“狡猾的唯心论，战胜了机械的唯物论”。

第六章　墨子哲学及其学派

第一节　作为宗教教义的墨子哲学

墨子的年代，在孔子以后，孟子以前，而约与子思同时。现存的《墨子》五十三篇，也和《论语》或《道德经》一样，为其门人所集录。但其中也不能全认为是墨子的思想，后人伪托的部分，自然也是有的。兹综合各家的意见，分类如下：第一，《尚贤》、《尚同》、《兼爱》、《非攻》、《节用》、《节葬》、《天志》、《明鬼》、《非乐》、《非命》、《非儒》等篇，率皆分上中下三篇，文字思想又皆大同而小异，想系墨子死后，弟子分裂为相夫氏（苦获、已齿）、相里氏（相里勤）、邓陵氏（邓陵子）三派，每派各有底本，后经集录而成；所以这几篇可认为墨子哲学的中枢。第二，《耕柱》、《贵义》、《公孟》、《鲁问》、

《公般》等篇，为墨子弟子所记墨子的言行录，体裁颇似《论语》，可视为墨子哲学入门。第三，《亲士》、《修身》、《所染》、《法仪》、《七患》、《辞过》、《三辩》等篇，为墨家末流，吸取儒家道家思想，杂糅而成。第四，《经》上、《经》下、《经说》上、《经说》下、《大取》、《小取》等篇，虽亦为墨家末流，趋于文辩的产物，但其论理学、数学及自然科学的研究成果，则异常重要。第五，《备城门》、《备高临》、《备梯》、《备水》、《备突》、《备穴》、《备蛾传》、《迎敌祠》、《旗帜》、《号令》、《杂守》等篇，虽有汉人伪托的大部分，然亦为战国时代墨子弟子的作品。在某种限度以内，可以说明别墨派的论理学、数学及自然科学的知识的物质基础。所以我们研究墨子哲学，应以第一项的几篇为主，第二第三两项的几篇为副；至于第四第五两项的几篇，则提归另章的论理学主题之下，与惠施、公孙龙的思想，合并进行论述。

墨子是所谓“墨教”的宗教的创始者。当时之所谓“墨者”，就是一个有组织的宗教团体；以钜子为教主，教主有指挥其弟子行动的权利，凡违犯其纪律者，钜子且有生杀之权。我们所谓墨子哲学，实际上就是这种宗教的教义。墨子哲学的意义，在于复活殷周以来的宗教神话观念，而以天为人格化的至上神，因而对于鬼神，也采取了肯定的态度。他以为人民万物，都是天所创造，而天也就成为人间的唯一至高的主宰。所以他的全部主张，都在借天鬼的意志而行。他说："天欲义而恶不义。然则率天下之百姓，以从事于义，则我乃为天之所欲也；我为天之所欲，天亦为我所欲。……顺天意者，兼相爱，交相利，必得赏；反天意者，别相恶，交相贼，必得罚。"（《天志》篇上）又说："我有天志，譬若轮人之有规，匠人之有矩，以度天下之方圜，曰：中者是也，不中者非也。"（同上）又说："鬼神能赏贤而罚暴。……鬼神之所赏，无小不赏之；鬼神之所罚，无大不罚之。"（《明鬼》篇下）他所以"凡入国，必择务而从事焉"者，如"国家昏乱，则语之尚贤尚同；国家贫，则语之节用节葬；国家憙音湛湎，则语之非乐非命；国家淫僻无礼，则语之尊天事鬼；国家务夺侵凌，则语之兼爱非攻"（《鲁问》篇）等具体性的主张，都是由天鬼的意旨，演绎而来。墨子这种对于天的宗教的拥护态度，和孔子的怀疑态度，恰相背反，和"周人尊礼尚施事鬼敬神而远之”的态度，和周公的怀疑态度比较起来，也显然是一个人智发展的倒退阶段。《淮南子》的《要略训》，说“墨子背周道而用夏政”，其是否用夏政，虽不无问题，而其背周道，却毫无可疑的地方。在这一点上，我们看看墨子所为自己学说的根据的古圣人，即可明白。他所引的有尧、舜、禹、汤、文、武、伯益、伊尹、傅说、泰颠、闳夭、散宜生、南宫括，大抵与儒家相同，而独不提周公；至于孔子，我们前面说过，却对周公再三表示钦佩。孔子与墨子对周公的态度的不同，恐怕在对于天的宗教的态度的相反上，不无根据。

我们说墨子是孔子哲学的反对论者，不独在对于天、鬼神问题上，其全部的主张，大体均为孔子哲学的反对物。例如《鲁问》篇有云：“儒之道足以丧天下者四政焉：儒以天为不明，以鬼为不神，鬼神不说，此足以丧天下；又厚葬久丧，重为棺椁，多为衣衾，送死若徙，三年哭泣，扶然后起，杖然后行，耳无闻，目无见，此足以丧天下；又弦歌鼓舞，习为声乐，此足以丧天下；又以命为有贫富寿夭治乱安危，有极矣，不可损益也，为上者行之，必不听治矣，为下者行之，必不从事矣，此足以丧天下。”在其他各篇中，也载有墨子与儒者相辩论的故事。《淮南子 · 要略训》也说：“墨子学儒者之业，受孔子之术，以为其礼烦扰而不悦，厚葬靡财而民贫，久服伤生而害事，故背周道而用夏政。”所以墨子的宗教态度，可以认为是其与儒者斗争中的产物。

第二节　墨子哲学中唯物论——无神论的要素及其阶级的论理的分析

但是，在这里我们必须特别注意，与儒者哲学相斗争的墨子哲学，一方面针对着孔子的宗教神话的怀疑态度，固然倒退了一步，复活了殷周以来的天神观念；而另一方面却又针对着孔子的命运观念，前进了一步，建立起非命的理论。此非命的理论，正是墨子哲学中辩证法、唯物论的要素。然而这却是一般治中国哲学者所完全忽视了的唯一可宝的遗产。正因为忽视了此点，所以对墨子哲学的理论价值及其阶级基础，便作了估计错误的过低评价，如郭沫若先生认墨子为保守的复古派，即是一例。我们认为，墨子的非命思想，其中富有异常宝贵的教训与意义。兹分述如下：

第一，非命理论是奴隶制社会的阶级斗争的武器。当春秋战国之交，中国奴隶制社会的阶级矛盾，日趋尖锐化。奴隶所有者贵族，相竞沈于骄奢淫逸，对于奴隶大众及一般平民，榨取特甚，尤其在不间断的战争中，来牺牲下层阶级的利益与生命。而贵族阶级，则认为这种“上天下泽”的现象是理所当然。例如知武子说：“君子劳心，小人劳力，先王之制也。”（《左传·襄公九年》）公父文伯之母也说：“君子劳心，小人劳力，先王之训也。”（《国语·鲁语》）至于当时的被压迫阶级，则颇有点不安于劳力的地位。所以说：“筚门闺窦之人，而皆陵其上，其难为上矣。”（《左传·襄公十年》）又说：“盗入于北宫（子西），乃归甲，臣妾多逃，器用多丧。”（同上）又说：“君子称其功以加小人，小人伐其技以凭君子，是以上下无礼，乱虐并生。”（《左传·襄公十三年》）又说：“今发徒隶而作之，则逃而不守；发民则下疾怨上；边境在兵，则怀宿怨而不战。”（《管子·轻重》乙）在意识形态领域中的命运观念——甚至整个儒者的学说，几乎完全是统治阶级的护身符，墨子的非命思想，正是奴隶大众及一般平民的斗争武器。所以他说："执有命者之言曰：命富则富，命贫则贫，命众则众，命寡则寡，命治则治，命乱则乱，命寿则寿，命夭则夭；命，虽强劲，何益哉？！以上说王公大人，下以驵百姓之从事，故执有命者不仁，故当执有命者之言，不可不明辩。"（《非命》篇上）又说："覆天下之义者，是立命者也，百姓之谇也；百姓之谇者，是灭天下之人也。"（同上）墨子更进一步，断定"命者，暴王所作，穷人所术，非仁者之言也，今之为仁义者，将不可不察而强非者，此也。"（《非命》篇下）此所谓"穷人所术"一语，最富于唯物论、无神论的意义，因为命运的观念，乃是被压迫者群不理解并无力克服压迫者的压迫的产物；所以"暴王所作，穷人所术"二语，是墨子哲学的顶点，也是当时阶级斗争的最高的反映。

第二，墨子的非命思想，是中国的雅典——鲁国的哲学斗争的产物。墨子是鲁国人，而鲁国乃周公之后，周代的典策文献的最高学府，在学术的位置上，颇类似希腊的雅典。如晋侯使韩宣子来聘，观书于太史氏，见易象与鲁春秋，遂叹道："周礼尽在鲁矣，吾乃知周公之德与周之所以王也。”（《左传·昭公二年》）孔子也说：“吾说夏礼，杞不足征也；吾学殷礼，有宋存焉；吾学周礼，今用之吾从周。”（《中庸》）；又说：“我观周道，幽厉伤之，吾舍鲁何适矣？”（《礼记·礼运》）又说：“齐一变，至于鲁，鲁一变，至于道。”（《论语·雍也》篇）可见鲁国是中国奴隶制时代的文化中心。又《左传·襄公廿九年》载叔侯谓：“鲁之于晋也，职贡不乏，玩好时至。”《成公二年》又载：“楚侵及杨桥，孟孙请往，贿之以执斵、执鍼、织纴，皆百人。”《史记·商君列传》也说秦国“大筑冀阙，营如鲁卫”。可见鲁国同时又是贵族们在物质上享乐的中心，所以“四体不勤，五谷不分”的孔子学派，与主张“赖其力者生，不赖其力者不生”的墨子学说都发生在鲁国，乃是必然的结果。其相互间的论争之剧烈，及其斗争对于各自学说构成形态的决定作用，也可不言而喻。

第三，墨子的非命思想，是奴隶大众变革意识的反映。墨子非命论的内容，及其与儒者的对立，前已言及。在这里我们要以非命为中心，考察墨子哲学的阶级基础。墨子的身世，前人无明晰的记载。《元和姓纂》说他是“孤竹君之后”，又有人说他的先人本是“职司黥墨”的贱吏，近人钱穆在《古史辨》第四册序言中解“摩顶放踵”一语，以为“摩顶者，摩秃其顶，盖奴作髡钳，所以便事；放踵则不履不綦，出无车乘”。大约也是由没落的贵族出身，而沦为微贱的人物。因为他生在文化中心的鲁国，所以得“学儒者之业受孔子之术”，但却始终为“贱人”(《贵义》篇说:“子墨子南游于楚，见楚惠王，献书；惠王受而读之，曰：良书也！不用，使穆贺以老辞。穆贺见子墨子，子墨子说穆贺，穆贺大说，谓子墨子曰：子之言诚善矣，而君王天下之大王也，毋乃曰贱人之所为而不用乎？”)。又近今方授楚先生则更进一步，据《贵义》篇“翟上无君上之事，下无耕农之难”，以证其非官非农，据《鲁问》篇“不如翟之为车辖，须臾刈三寸之木而任五十石之重”，并《韩非子·外储说左上》篇“不如为车輗之巧也”，以证其为造车的手工业者（见《墨学源流》上卷第二章），可谓特识。然而，我们只由墨子的身世微贱，尚不能证明其为代表奴隶大众的变革的哲学者。因为孔子的弟子，亦多贫贱；例如“颜子居陋巷，死有棺无椁；曾子耘瓜，其母亲织；

闵子骞着芦衣，为父推车；仲弓父贱人；子贡货殖；子路食藜藿，负米，冠雄鸡，佩猳豚；有子为卒；原思居穷巷，敝衣冠；樊迟请学稼；公冶长在缧绁；子张鲁之鄙家”（见钱穆著《先秦诸子繫年》卷一）等是。其间差异的中心，乃在于所代表的阶级立场不同。大约孔子的学风，代表劳心者的利益，所以仲弓学“南面”之术；子张明言“干禄”；樊迟问稼问圃，孔子均不答复；曾子、子夏为诸侯师，声名显天下；冉求为季氏宰，此外如子路、宰我、子贡、子游、子贱、高柴、原思等，亦皆为官。这都是根据孔子“学而优则仕”的学风而来的结果。孟子所说“士之仕也，犹农夫之耕也”（《滕文公》篇下）一语，最可表示孔子哲学的阶级性。至于墨子的学风，则不然。他提倡节用节葬，以反对统治阶级的浪费；提倡兼爱非攻，以反对统治阶级的掠夺战争；提倡非礼非乐，以增加生产的效率；提倡劳动神圣，以反对劳心劳力的剥削关系；提倡尚贤，以反对贵族的专制；提倡非命非儒，以揭穿统治阶级的理论欺骗。这都是墨子哲学的变革性的证据。荀子曾看到此点，所以他说：“大有天下，小有一国，必自为之然后可，则劳苦耗悴莫甚焉，如是，则虽臧获不肯天子易业！是以县天下，一四海，何故必自为之？自为之者，夫役之道也，墨子之说也；论德使能而官施之者，圣王之道也，儒之所谨也。”（《王霸》篇）墨子生当奴隶制社会，而不肯侍奉贵族，专代奴隶大众说话，自然不为贵族所喜。孙诒让说：“昭公末年，司城皇喜，专政劫君，而囚墨子。”（《墨子传略》）此即墨子哲学阶级性的一证。

墨子哲学为奴隶大众的意识形态，除上述证据而外，尚有证明。例如荀子说他“蔽于用而不知文”（《解蔽》篇），楚威王说他“言多而不辩”（《韩非子·外储说左上》篇），王充说他“虽得愚民之欲，不合知者之心”（《论衡·薄葬》篇）。又在文体上，也是适合当时奴隶大众文化水准的通俗读物。举其显著者，如（一）引诗多散文化（《尚贤》篇中引《周颂》云：“圣人之德，若天之高，若地之普，**其有**昭于天下**也**，若地之固。”《非攻》篇中云“诗曰：鱼水不务，陆将何及乎？”《兼爱》篇下引周诗云：“君子之所履，小人之所视。”又云：“大雅之所道曰：无言**而**不仇，无德**而**不报。”）（凡字下加点者，皆墨子改诗为散文所加的字，而为原诗所无）。

（二）引古书多改为当时的口语（《尚同》篇下引《大誓》云："小人见奸巧，乃闻。不言也，发，罪钧。"《明鬼》篇下引《夏书禹誓》云："予非尔田野葆士之欲**也**，予共行天之罚**也**。"此"也"字亦系墨子所加;《非乐》篇上云："于武观曰：启乃淫溢康乐，**野于饮食**。"此种语法，与《左传》昭公十九年所引当时的谚语"室于怒，怒于色"巧相一致）。（三）多引大众语汇入文（《尚贤》篇中云："古者圣王**唯毋**得贤人而使之。"《尚贤》篇下云："使天下之为善者，可而劝也，为暴者，**可而**沮也。"此"唯毋"与"可而"，都是当时方言性质的大众语汇，在其他各家著作中，均不经见）。

第三节　墨子哲学兴衰的原因

墨子哲学的消极方面，如天志明鬼等观念，在当时奴隶大众中，尚甚流行，其非命等思想的积极方面，亦甚合奴隶大众的要求，其通俗文体，亦为奴隶大众所易理解；更加上当时奴隶制社会的阶级矛盾的尖锐化，所以他的学说一出，即风行一时，不久即与儒家、道家（杨朱）两大学派，三分天下。但是，我们却不可认为墨子的非命思想，已经达到了体系化的无神论，恰巧相反，而只是一种宗教体系下的无神论——唯物论的萌芽。然而，此种萌芽，也是奴隶大众的变革现实的态度的反映，及墨子与儒者在理论斗争中所获得的成果。

此后，墨子学派的发展，为求合于上层阶级的欣赏，乃溺于辩而流于文，或趋于名辩（如《经》上、下，《经说》上、下及《大取》、《小取》），或吸收儒家道家的思想（如《亲士》修身《所染》），以求宗教色彩的淡薄；这样一来，已失其固有的阶级使命，而墨子哲学，遂变质而成为别墨派的诡辩。别墨派的贡献，在于论理学、数学及自然科学的方面，已于下章详论，此不再述。

第七章　诡辩家的论理学

第一节　中国论理学的成因及其特征

所谓诡辩家或辩者，乃是战国中期出现的哲学者。他们所研究的问题，即事物的“名”（概念）与“实”（事物的现实的本质）的关系如何？特别着重关于“名”的论理学的问题，所以又称为“名家”。在战国时代，百家并起，相互攻击，各学派为了在理论的斗争中争取自身的存在与发展，遂相率踏入论理学的研究。所以以诡辩家为始的中国论理学的建立，乃是当时哲学斗争白热化中的产物。但是，中国这时期的哲学斗争，也和在一切时代及一切国家同样，是在真理的追求背后掩蔽着实际的阶级利益的二重性的斗争；如果有人认之为单纯的概念戏弄，自然是错误。我们前面讲孟子哲学的时候，就已经暗示出《孟子》的战斗性的体裁与内容的逻辑以及阶级同一化的特征。在《墨子》的《小取》篇中，关于哲学斗争（“辩”）的意义，曾有下述更明确的规定：“夫辩者，将以明是非之分，审治乱之纪，明异同之处，察名实之理，处利害，决嫌疑。焉（乃）摹略万物之然，论求群言之比；以名举实，以辞抒意，以说出故；以类取，以类予。有诸己，不非诸人；无诸己，不求诸人。”观此可知当时的哲学斗争中的论理学，其科学目的与阶级目的是同时兼具的。此时代论理学研究的发达，嗣后便产生了荀子的《正名》篇。然而，此时代名家的所说，虽与科学（自然科学）认识的发展有全面的直接关系，而综合观之，则为惠施、公孙龙等唯心论的诡辩主义。此种诡辩主义的流行，也和庄子的相对主义同样，都是此时代奴隶制社会矛盾到达于穷途末路的反映。

系统的研究战国时代所谓“名家”的论理学派的学说，是中国哲学史上的重要课题之一。但是，诡辩家的代表者的著作，如《公孙龙子》，尚有六篇的遗稿，可资凭借；至于惠施的学说，则只在《庄子》的《天下》篇中，有残缺的断片。所以，严格的规定他们的学说体系及其阶级性，殊嫌资料不足；而其为奴隶制社会没落期的反映，则无可疑。近人胡适之及梁启超二先生，均以名家的学说，起源于墨子学派，即认惠施公孙龙等为“别墨派”。实则不然。惠施、公孙龙等诡辩家，与其说是“别墨派”，不如认之为老子学派，较有根据（详本章第二节）。所以我们认为诡辩家的论理学说虽与《墨子》的《经》上、下,《经说》上、下，及《大取》、《小取》等六篇的内容相近似，但后者实为前者的反对命题；我们一方面要把他们的学说同置于论理学的主题之下，而另方面又把两者分别开来，作独立的考察，其理由正在于此。

我们在论述诡辩家的论理学内容以前，应先说明中国论理学一般的特征。中国的论理学的研究，虽开始于战国时代的辩者，然而却只是极原始的萌芽，并不像亚里士多德的论理学或印度尼耶耶派的五段论法（其后即成立为因明学）那样组织成科学的体系。名家及别墨派，虽均意识到所谓归纳与演绎两种推理法，却全然未曾确立起三段论法。甚至连批判的整理了名家论理学的荀子，在其正名篇上，也几乎是停止在概念论的领域，而且即此初步的论理学的研究，到了战国以后，也几乎全然衰灭下去。所以，一般的看来，中国论理学的发达，可以说是非常不充分的。中国论理学的研究者，被汉代学者称为“名家”，实在是十分恰当的。因为他们并没有把作为思维法则的论理学，科学的确立起来，而只是关于记号或概念的研究；并且在一般的场合，和中国哲学的发达情形同样，其对于思维（存在）的纯科学的研究，经常的是掩蔽在政治法律道德等思想的背后的。

中国论理学对于人生哲学的从属关系，我们在第五章讲孔子哲学及其学派的时候，已经约略的谈到过。前面所引《墨子·小取》篇对于辩的方法及效用的说明，更确证着当时的诡辩家（名家与别墨派）的实际课题，不是对于论理的法则本身作科学的体系的研究，而只是努力于正确的思考，避免思想的缺陷，以便在讨论中指摘论敌的谬误，而争取理论斗争的胜利，使国家的行政与立法依照自己的主张确实的实现。名家与别墨派的论理思想，在中国哲学史上，本算最为发达，尚不免对于人生哲学的从属性，自此以降，更何足数？！

第二节　惠施及其论理学

惠施是战国时代最著名的诡辩家。《庄子》的《天下》篇，说他以诡辩“为大观于天下，而晓辩者。天下之辩者，相与乐之”。又说他“自以为最贤，……以反人为实，而欲以胜人为名”。《荀子》的《非十二子》篇说他“不法先王，不足礼义，而好治怪说，玩琦辞；甚察而不惠，辩而无用，多事而寡功，不可以为纲纪。然而其持之有故，言之成理，足以欺惑愚众”。在《解蔽》篇中又说他：“蔽于辞而不知实。”

关于惠施学说的来源，胡适之与梁启超二氏，都认他是别墨派的人物。其实他是老子学派的思想家，而与公孙龙同为杨朱的嫡派。在《吕氏春秋》的《爱类》篇中有云：“匡章谓惠子曰：公之学去尊，今又王齐王，何其到（倒）也？”这里所说的“去尊”，与墨子的“尚同”的政治理论，实不相容；而与孟子所说的“杨氏无君”则相一致。所谓“无君”与“去尊”，译成现代语，就是无政府主义，而此乃老子哲学发展的必然归结。其次，就哲学的基本内容上讲，惠施也通过杨朱而承继了老子“道”的思想，并以独自的方法，而使之更加发展。这就是说，惠施不仅接受老子及杨朱所谓“大一”（道）的原理，而且更进一步，又提出了所谓“小一”这一个极微的原子的原理。《庄子 · 天下》篇所引的“至大无外，谓之大一；至小无内，谓之小一”，或“氾爱万物，天地一体也”云云，就已经证明了由“大一”及“小一”两方面来把握宇宙本体的“道”，而阐明了抽象的绝对者“大一”——“道”的概念中的二律背反；由于至大无外与至小无内，而结论出氾爱万物天地一体。这一方面是老子及杨朱的实体的抽象化，而同时也扩大了老子的“慈柔”与杨朱的“为我”，且把儒家的“仁”“诚”，墨子的“兼爱”，也都包括在内。据郭沫若先生说，“惠施这‘小一’的观念，虽是由他的分析的态度所必然得出的结果，然而也应该是受了儒教的五行说的影响”。（见《先秦天道观念之进展》第六四页）并且惠施的思想，也相当的影响庄子哲学（以下详论）。在这里我们便看出了学派的分裂与学派的融合，以及各学派在相互斗争中而相互吸取对方的内容，以充实自己的体系。以上我们说明了惠施的哲学立场，现在开始考察惠施的论理学的内容。

惠施是非常博学的人，他的论争的对手庄子也说："惠子多方，其书五车。"但其著作，却全部丧失，只在《庄子》的《天下》篇中，举出了他的十条富有论理学意义的意见。

（一）至大无外，谓之大一；至小无内，谓之小一。

（二）无厚不可集也，其大千里。

（三）天与地卑，山与泽平。

（四）日方中方睨，物方生方死。

（五）大同异与小同异，此之谓小同异；万物毕同毕异，此之谓大同异。

（六）南方无穷无而有穷。

（七）今日适越而昔来。

（八）连环可解也。

（九）我知天下之中央，燕之北，越之南是也。

（十）氾爱万物，天地一体也。

这十条是惠施的有名逆说或奇论（Paradox）。但是，其理论的根据是什么呢？这是抽象的无限性的思想，时间及空间的无限的可分割性的思想。关于此点，在前举第一第二两命题中，则非常明白的表现着。我们前面已经说过，惠施把道——大一（实体）作为抽象的绝对者而把握，因为抽象的绝对，所以是从现实世界抽象的分离了的绝对的无限，是从现实的具体的存在飞跃出去的唯心论的无限大，惠施即称此种无限大为“大一”。然而，如果由此“大一”可以生出万物，则当然就要产生与“大一”相对待的无限小的概念。此无限小，也是抽象的无限性；所以“道”无论内包或外延上都是一个无限——抽象的无限。无限小是无内容的极微概念，惠施称之为“小一”。而“小一”乃是无质量的范畴（无厚），所以“不可集”。但此所谓“小”，究非无限的小——黑格尔称之为“恶的无限”（Schlechto Unendlichkeit），所以此“无厚”的范畴，比起绝对的无限小，却又可以说是千里之大。这样，无限概念中的矛盾，便明显起来；由此遂产生了时间空间的抽象的无限性及其区别的相对性等均为虚妄的思想，惠施的逆说的成立，实以此为理论的基础。

第三条天与地同卑，山与泽同平，阐明了空间的区别的相对性及其虚妄；第四条曰既到正午即成斜阳，物正当生存即成死亡，阐明了时间的区别的相对性及其虚妄；第五条阐明了事物异同的相对性；第六条与第二条同样，阐明了有限与无限的矛盾；第七条乃时间的区别的相对性；第八条与第九条，也是说明空间的区别的相对性。惠施这种以时间空间的一切差别均为相对及虚妄，曾影响于庄子的思想，所以庄子也建立了同样的逆说；这就是我们在第四章中所引用过的“天下莫大乎秋毫之末而泰山为小，莫寿乎殇子而彭祖为夭”(《齐物论》)。第十条“汜爱万物，天地一体”，为惠施根据前面九条所得的结论，乃是人生观与宇宙观（认识论、论理学）相互统一的基本命题。这一个命题，也曾影响到庄子，《齐物论》中所说的“天地与我并生，而万物与我为一”，即是例证。这种物我一体的思想，也同样是一切差别的消灭，而还原成无差别的一者。

惠施的十条逆说，其自身固然不是辩证法的思想，仅只将实体抽象化成无限大与无限小；但是，他却无疑的提示了这种无限概念的矛盾，有限与无限的辩证法的矛盾——世界是有限而同时又是无限的二律背反；换言之，惠施和希腊埃理亚学派的芝诺（Zenon）同样，都是已经曝露出可分性与不可分性、有限性与无限性的辩证法的矛盾的哲学者。所以我们不得不把它作为辩证法的要素而加以批判的摄取。然而，惠施的立场，是站在和现实世界完全分离的抽象的非辩证法的见地上的，因而他的绝对者（实体）的“大一”与“小一”，便不能辩证法的解决这种矛盾、这种二律背反；所以惠施结果只是一个诡辩家，而不是一个辩证法论者。

第三节　公孙龙及其论理学

公孙龙和惠施同样，也是战国时代诡辩派的中心人物。《庄子 · 天下》篇说：“辩者以此与惠施相应，终身无穷。桓团（即《列子 · 仲尼》篇的《韩檀》)、公孙龙之徒，饰人之心，易人之意，能胜人之口，不能服人之心，辩者之囿（郭沫若解作“尤”）也。”可知公孙龙不但擅长于诡辩，而且与惠施的思想不同（此层详下文）。关于公孙龙的著作，扬雄的《法言》称他“诡辞数万”，而现存的《公孙龙子》中，却只有六卷，其第一卷《迹府》，又为后人汇集其生平事迹而成的传略或言行录，其自著者，仅有《白马论》、《指物论》、《通变论》、《坚白论》、《名实论》五卷。在第一卷《迹府》中，记载公孙龙和孔子的六代孙孔穿相会于赵国的平原君家，孔穿说："久闻先生大名，早想为您的弟子，不过我对于先生的'白马非马'的主张，却不赞成；如肯将这种主张取消，我就拜您为师。"公孙龙答道："先生之言悖！龙之所以为名者，乃以白马之论尔，今使龙去之，则无以教焉……此先教而后师之也。"据此可见公孙龙的学说，以《白马论》为中心，我们的研究，也就应该以此为起点。

公孙龙的白马非马的命题，其论理学上的特征，在于使普遍的概念与个物，实体与偶有性，本质与属性，抽象的绝对的分离开来。所以在《白马论》中，曾云："白马非马可乎？曰：可。曰：何哉？曰：马者，所以命形也；白者所以命色也。命色者非命形也，故曰白马非马。"这就是说，所谓马是表示形体的范畴，而所谓白则是表示颜色的范畴。因为颜色不是形体，所以白马不是马。这样一来，所谓白的概念（特殊性）与所谓马的概念（普遍性），所谓白的特性与所谓马的本质，便全然非辩证法的分离开来；本来在现实中白的特殊与马的普遍之辩证法的统一着的“白马”这个个物，便从马之自体（所谓马的普遍概念）完全切断了本质的关联，而达到了白马非马的结论。

乌拉地米尔在其《关于辩证法问题》的札记中说的真理，恰足以曝露公孙龙的白马非马命题的反辩证法性。他说：“辩证法一般的叙述（或研究）方法，必须从最单纯的、通常的、大量的等任意的命题开始，如像树叶是绿色，约翰是人类，黑犬是犬等等之类。在这里（正如黑尔格所曾天才的指示过的那样），便存在着所谓个别范畴即一般范畴的辩证法（参照亚里士多德《形而上学》第二卷第三篇第四章所谓‘在可见的各个家庭之外，再也不能有一个家庭——家庭一般——的存在。’）结局，对立物（个别范畴与一般范畴的对立）是同一物。个别范畴不导入对一般范畴的关联中，便不存在；而一般范畴也只有在个别范畴之中，通过个别范畴，才能存在。一切的个别范畴（在任何方法之下），都是一般范畴；一切的一般范畴，只是近似的把握着一切的个别范畴；一切的个别范畴，都不能完全钳入一般范畴之中等等。

一切个别范畴，经过若干的移行而与他种个别范畴（物、现象、过程）相结合等等。在这里已经存在着自然的必然性，客观的关联等等的要素、端绪、概念。偶然范畴与必然范畴、现象与本质，也已经存在于此。因为当我们说约翰是人类、黑犬是犬、这是树叶等等的时候，就已经将一联的表征作为偶然范畴而放弃、使本质从现象区别开来，将两者相互对立起来的缘故。这样子，在任意的命题中，剔抉出辩证法的全部要素的端绪，因而便可以显示在人类的一切认识中一般的内在着辩证法（而且不得不如此）。自然科学已经将各种性质的客观的自然、将个别范畴向一般范畴的转化，偶然范畴向必然范畴的转化，对立物的移行交流，相互关联等，统同显示于我们（这一层也应该用任意的最单纯的实例来证示）。辩证法正是（黑格尔与）马克司主义的认识论。事态的这个‘侧面’（这不是事态的‘侧面’，而是事态的本质！）其他的马克司主义者固不必说，即普列哈诺夫也未曾注意。”

乌拉地米尔说“黑犬是犬”；公孙龙说“白马非马”。两相对比，可知后者全然是非辩证法的命题。公孙龙不理解特殊与普遍之辩证法的统一着的具体的个物，而唯心论的将普遍的马自体从白马这个具体的个物终于分离开来。我们说公孙龙的哲学，是十足的唯心论，这在他的“坚白论”中也明白的表现着。考《史记·孟荀列传》称“公孙龙为坚白异之辩”，《平原君传》也说“公孙龙为坚白之辩”，可见“坚白论”与“白马论”同为公孙龙的中心思想所在，二者俱有声当世。近人伍非百先生说：“公孙龙不达于知物之故与所以为名实之别，故离形名而非白马，分彼此而辩名实，其敝皆原于坚白。”（见《墨辨解故》）可知“坚白论”是公孙龙哲学的基本命题所在。本来坚固与白色均为石头的属性而包含石头之中，而公孙龙在其坚白论中，却把坚、白的属性从此石头的自体完全分离开来。在他看来，所谓石头的坚固的性质，乃由触觉而感觉，其所谓白色的性质，乃由视觉而感觉，而坚白的性质，却不属于石头，不是石头所固有的性质。所以他说：“视不得其所坚而得其所白者，无坚也；拊不得其所白而得其所坚者，无白也。”又说：“物白焉不定其所白，物坚焉不定其所坚，不定者兼，恶乎其（原书作甚）石也？！”这就是说，在公孙龙看来，石头的坚固与白色，只有以我们的感觉为媒介，然后才能认识，才能将石头、坚固与白色，合一起来，因此，他断定了坚固与白色，便不是存续于石头之中的范畴，便不是属于石头的范畴，而是与石头相分离的范畴。坚固与白色只有经过我们的感官知觉对于石头的活动然后才能存在，不然便不存在；这完全是唯心论。公孙龙的诡辩，就是建筑在这种唯心论的基础上面的。在认识中注意到概念的作用，固是必要，然将概念加以唯心论的绝对化或夸大化，则无疑的是完全的谬误。

关于公孙龙的诡辩命题的内容，普遍均认为是《庄子·天下》篇所举的二十一条，如日本的渡边秀方氏，以前述的十条为惠施的诡辩，以此二十一条为桓团、公孙龙与惠施相论的命题，即其一例（见《中国哲学史概论》上世哲学第五编第三章，刘侃元译，商务版第一七三页）。实则不然。当战国时代，诡辩家分为“合同异”与“离坚白”两派。“合同异”派的辩者，以为坚白与石，三位一体，析名则三，指实则一，推而广之，则纷纭万物，莫非统一。“离坚白”派的辩者，以为坚白各自独立，坚自为坚，白自为白，坚白和石，亦复如此；更进一步，主张坚不自坚，待捶而坚，白不自白，因光而白，宇宙万有，莫非相异。惠施属于“合同异”派的辩者，而公孙龙则属于“离坚白”派。《庄子·天下》篇所举的二十一条，乃此两派诡辩命题的总括。兹分别述之如下。

关于惠施“合同异”派的诡辩命题，计有“卵有毛”、“郢有天下”、“犬可以为羊”、“马有卵”、“丁子有尾”、“山出口”、“龟长于蛇”、“白狗黑”等八个命题。此与前述惠施诡辩的十个命题，有一贯的论理学上的根据，我们在上一节中，已有评述，这里勿须再说。其关于公孙龙“离坚白”派的诡辩命题，则有下列十三个，即“鸡三足”、“火不热”、“轮不辗地”、“目不见”、“指不至、物不绝”、“矩不方，规不可以为圆”、“凿不围枘”、“飞鸟之影未尝动也”、“镞矢之疾，而有不行不止之时”、“狗非犬”、“黄马骊牛三”、“孤驹未尝有母”、“百尺之捶、日取其半，万世不竭”等命题。此十三个诡辩命题中，最可注意的是“镞矢之疾，而有不行不止之时”及“百尺之捶，日取其半，万世不竭”两个命题。前一命题，以时间的无限的可分割性为基础，主张飞矢有停止进行的瞬间；后一命题，则以空间的无限的可分割性为基础，而主张一定的长，两分起来，永不能达到于其结局，而可以无限的短缩。这和希腊的埃理亚学派的芝诺的否定运动的四个命题，有若干程度的相合。芝诺的第三个命题说："飞矢静止着"；其第一个命题说："在运动中，为要达到目标，必须先达到空间的半分，所以结局永不能达到目标。"

由此可知公孙龙的诡辩命题，具备着抽象的形而上学的性质，他在认识论上，虽是采取了唯心论的立场，然而他确乎已经暴露出存在及运动的内在的矛盾，提示了运动与静止、连续性与不连续性，可分性与不可分性、无限性与有限性等范畴的辩证法的要素。好像黑格尔称埃理亚学派的芝诺为"客观辩证法的真正的开山鼻祖"(《哲学史》第一卷第一部第一章）一样，我们也应该这样来理解公孙龙的论理学在中国哲学史上的意义与价值。

第四节　别墨派的论理学

墨家的论理思想，在墨子本人的著作中，已有萌芽，这就是《非命》篇上所说的关于论证的“三表”法。他说：“故当执有命者之言，不可不明辨。然则明辨此之说，将奈何哉？子墨子言曰：必立仪（规范、原理）。言而毋仪，譬犹运钧之上而立朝夕者也；是非利害之辨，不可得而明知也，故言必三表。何谓三表？子墨子言曰：有本之者，有原之者，有用之者。于何本之？上本之于古者圣王之事。于何原之？下原察百姓耳目之实。于何用之？观其中国家百姓人民之利。此所谓言有三表也。”第一项所谓“本”，就是一种演绎法；第二项所谓“原”，是依经验的事实产生出来的归纳法；而第三项所谓“用”，则是逻辑原理的实际应用。然而我们必须知道，在墨子时代，最根本的原理，仍是依于天鬼意志及古者圣王的教理的演绎法；只在墨子死后，作为经验原理的归纳法，始获得重要的意义。

我们在第六章中，曾说到墨子学派末期的分裂。但这种分裂，乃起于墨子死后。所以韩非子《显学》篇曾说：“自墨子之死也，有相里氏之墨，有相夫氏之墨，有邓陵氏之墨。故……墨离为三，取舍相反，皆自为真……墨。”《庄子·天下》篇也说：“相里勤之弟子五侯之徒，南方之墨者苦获、已齿、邓陵子之属，俱诵墨经而倍谲不同，相谓别墨。以坚白异同之辩相訾，以觭偶不仵之辞相应。以巨子为圣人，皆愿为之尸，冀得为其后世，至今不决。”可见别墨时代，已趋于诡，论理学的研究，即别墨派在当时哲学斗争的产物。当时别墨派的论争对手，主要的即惠施公孙龙等诡辩家，但其一面与诡辩家相斗争，而同时又受到诡辩家的影响。别墨派的思想，俱在于所谓“墨经”的《经》上、《经》下、《经说》上、《经说》下、《大取》、《小取》等六篇中。现在且就此六篇的内容，加以概略的研究。

墨经的最大特色，在于自然科学的研究。其关于几何学者，计有：平面的定义，等长线段的求法，圆的中心在于圆周的同长点，圆和其中心同长，不平行的二直线必相交，正方形四面为等边等角等等命题。其关于光学者，计有：凹面镜的原理，光的放射及其原理等；此外关于经济学者，也谈到价值与价格的问题。凡此皆当时他家著作所罕道，而墨经所独有者。关于墨经的自然科学的研究，曾有人怀疑其为后世研究者的穿凿附会，而其实战国时代乃中国奴隶制社会的鼎盛期，商业及手工业已相当发达,《墨子》第十四第十五两卷中《备城门》以下等十一篇关于兵器技术的记载,固不必说,而《周髀算经》及《考工记》等著作,也可以证明。而且墨子本人,既为工人,其弟子注意于自然科学的研究并表现其超越的成果,实为当然。再反观希腊时代自然科学的发达,将更无理由怀疑墨经中自然科学知识出现的可能性。

在墨经中除自然科学以外,尚有论理学的研究。别墨派的论理学,虽未能达到于三段论法,而却较墨子的三表法进步多多,即演绎法与归纳法已相当的确立了起来。首先便是关于“故”与“法”的研究。《经》上说:“故,所得而后成也。”《经》上说:“故,小故有之不必然,无之不然。……大故有之必然,无之必不然。”《经》上说:“法,所若而然也。”《经说》上说:“法,意、规、圆,三也;俱可以为法。”墨经所说的“故”,就是原因或根据;而所说的“法”,则是所准据的原理或形式,由此便表现出演绎及归纳的推理法。我们所说的演绎法,墨经名为“效”。《小取》篇有云:“效者,为之法也;所效者,所以为之法也。故中效则是也,不中效则非也,此效也。”在演绎法以外，又提出了举他事以明一事的比较法（“辟”），比较两个全然同一命题的平行法（“侔”）、类推法（“援”）、未知事实同一于既知事实的归纳法（“推”），以及盖然判断（“或”）、假设命题（“假”）等。墨经中这些论理学的知识，与其自然科学的研究——即对宇宙认识的发展水准，固有因果关系，而另方面也是别墨派用以进行哲学斗争的武器。

墨经中的论理学，是当时别墨派的论争工具，我们前面已经屡次提及。现在且具体的论述如下：墨子学派，蹶起于下层社会，且正值儒道两派既已发达之后，自不得不于思想的斗争中，确立其自己的学说。所以重辩乃战国时代哲学者的共同特征，而以墨子为最。墨子的《非攻》、《非儒》、《非乐》、《非命》固不必说，即《兼爱》、《天志》、《明鬼》、《尚同》、《尚贤》等篇，也都是论战风的著作。《贵义》篇记墨子的话，有云：“以其言非吾言，是犹以卵投石也。尽天下之卵，其石犹是也，不可毁也。”这种重辩的学风，在墨子时代，尚处处以实际问题的解决为基础（如“三表法”即以非命为任务），至别墨时代，则更进一步，使之合理化，而以纯逻辑的命题出现于哲学斗争的战场。所以说:“诽之可否,不以众寡,说在可非。”(《经》下)“诽:诽之可不可:以理之可非,虽多诽,其诽是也;其理不可非,虽少诽,非也。今也谓多诽者不可,是犹以长论短。”(《经说》下)又说:“非诽者,悖。说在弗非。”(《经》下)“非:已之诽也,不非;诽非可非也。不可非也,是不非诽也”(《经说》下)。这显然是说,只要自己对于他人的学说批判正确,纵令如何详尽,也不足为反对论者借口的理由;如果有人以为有理由可以反对批判本身,那么,他的这种反对论,即根本不能成立;因为反对批判,其自身就是一种批判。这样,别墨派便运用了形式论理学的矛盾律,替墨子重辩的学风,奠定了逻辑基础。这一点,实在不能不认为是墨子学派的发展。

别墨派以此为基础,对于当时的学派,几乎无不加以批判。如“无穷害兼”说、“杀盗即杀人”说(二者均墨子兼爱的反对论)、儒家的尧舜祖述论、告子的仁内义外论、驺衍的阴阳五行论、老子的有无相生论等,均依其形式论理学的见地,加以辩难。然而,我们站在辩证法、唯物论的观点来看,只有对于惠施、公孙龙等诡辩家的批判，最有意义。兹特比较详细的分析如下。

我们前面说过，惠施是"合同异"派的诡辩家，公孙龙是"离坚白"派的诡辩家；别墨派在这里则执行了两条战线的斗争，即对于惠施提出了"离同异"、对于公孙龙提出了"合坚白"的反对命题。所谓"离同异"，即同中有异异中有同的主张。《小取》篇有云："夫物有以同不率遂同。……其然也，有所以然也；其然也同，其所以然也不必同。其取之也，有所以取之；其取之也同，其所以取之也不必同。"《经》上云："同异而俱之于一也。"《经说》上云："同，二人而俱见是楹也。"又云"同，重、体、合、类。"（《经》上）"同，二名一实，重同也；不外于兼，体同也；俱处于室，合同也；有以同，类同也。"（《经说》上）又云："异，二、不体、不合、不类。"（《经》上）"异，二必（毕）异，二也；不连属，不体也；不同所，不合也；不有同，不类也。"（《经说》上）又云："同异交得，放有无。"（《经》上）"同异交得，于福家良恕，有无也。比度，多少也，免蚓还园，去就也；乌折用桐，坚柔也；剑尤早，死生；处室子，子母，长少也；两绝胜，白黑也；中央，旁也；论行行行学实，是非也；难宿，成未也；兄弟，俱适也；身处志往，存亡也；霍为姓，故也；贾宜，贵贱也。”（《经说》上）又说：“异类不比，说在量。”（《经》下）“异，木与夜孰长；智与粟孰多；爵亲行价，四者孰贵……。”（《经说》下）上引墨经的原文，虽有许多字句，不甚明显；然而其企图在“天地一体”的无差别的抽象化的同一性中，指出具体化的现实的差别性，则跃然可见。这种以“同异交得”为特征的离同异的命题，显然与惠施的诡辩，针锋相对；其辩证法的要素，实不可忽视。

其次，所谓“合坚白”的命题，则与公孙龙的唯心论相反，而富于唯物论的要素。在《经》上中有云：“坚白不相外也。”《经说》上云：“得二，坚白；异处不相盈，相非则相外也。”《经》下云：“坚白，说在因。”《经说》下云：“坚得白，必相盈也。”又云：“于一，有知焉有不知焉，说在存。”“于石一也，坚白二也，故有智焉有不智焉，可。”又云：“不可偏去而二，说在见与俱，一与二，广与修。”“见不见离，一二不相盈，广修坚白。”这恰是公孙龙坚白论的反对命题。按别墨派看来，如果坚白不在一处，如一为白雪之白，一为白玉之坚，则坚白即相离而不相合；今坚白俱在于石，则白内在于坚，坚内在于石，实相互渗透而结为一体。至于用眼看不着坚而得白，用手摸着白而得坚，乃由于人类感觉性质的不同而坚白始离，而客观上的石的属性之为坚白，则不能因人类的感觉与否而有所变动。这种以坚白二属为客观的存在于石的性质的命题，显然是反对公孙龙唯心论的唯物论倾向的见解。此外，别墨派对于公孙龙指物论的辩论，提出了一般不能脱离个物而实存的命题，在中国唯物论史上，也有同等重要的意义。

别墨派的唯物论倾向，在其认识论，也有比较明确的表现。《经》上篇有云："知，材也"；"知，接也"；"恕，明也。"在《经说》上篇有云："知材，知也者，所以知也；而不必知，若明。""知，知也者，以其知遇物而能貌之。若见。""恕，恕也者，以其知论物而其知之也著。若明。"在这里，可知别墨派所说的认识（知），须有"材"、"接"、"恕"三个条件；而所谓"材"即感觉能力；所谓"接"即对于对象（客观存在）的模写；所谓"恕"，即在知觉（感觉能力与对象模写）上成立的悟性活动。所以我们的认识，不接于客观存在的对象，不能模写对象，便不能成立。这就是说，只有感觉能力，还不能产生认识，如果无感觉能力与对象的结合，悟性的认识，也不能成立。这种见解，很近似康德的“无内容的思考为空虚”的命题。所以别墨派的认识论，虽不脱经验论的范围，而却与其论理学的见解同样，具备了唯物论的性质。

总之，别墨派的哲学思想，虽不免受诡辩家的影响，而有几分诡辩论的性质（如《经》下篇“一少于二而多于五”等命题），但其辩证法、唯物论的要素，却比较丰富。尤其是他们自然科学的研究及其纯逻辑形式的较高级形态的论证法，在中国哲学史上，几乎是独一无二的宝贵遗产。

第八章　荀子哲学——中国古代哲学之批判的综合

第一节　中国古代哲学中积极要素的总结

荀子生当战国时代的末期，他站在儒家的立场上，以统一百家自命。的确，荀子这种抱负，已经在历史条件可能的限度以内，求得实现。有人将孔子比作苏格拉底，孟子比作柏拉图，荀子比作亚里斯多德，其实荀子哲学的综合的意义，不仅限于儒家一派，即在中国奴隶制社会的整个古代哲学史的全发展中，也同样是一个充分适切的命题。这就是说，所有春秋战国以来中国哲学中的积极要素，都在荀子的哲学体系中获得了较高级形态的发展。因此，我们在论述荀子哲学以前，应先将中国古代哲学中的积极要素，予以扼要的总结。

由春秋到战国时代的诸子哲学，主要的为老子、孔子、墨子这三个学派。老子学派，由直观的辩证法、唯物论（老子）出发，经过了列子（所谓“太易”的实体及其“自己原因”的把握）杨朱（所谓“大一”的盲目的自然力及其无神论的倾向）的承继与发展，而隳落成庄子的相对主义唯心论，更由于惠施公孙龙的唯心论的诡辩，而完成了中国论理学的初步研究。墨子学派，在宗教神话观念复活的体系中，已孕育了无神论的要素（非命）；到别墨时代，则由于哲学斗争的白热化，而产生出唯物论倾向的经验论的认识论与论理学的比较发展的研究成果及其辩证法的萌芽。孔子学派，则由经验论（唯物论要素与唯心论要素的和平共处）出发，归结于子思孟子的天人合一的宗教化的唯心论。这种详细的内容及其发展的过程，我们在本书的第四第五第六第七等章，已经说过。所有其中的积极要素（唯物论要素），均为荀子哲学所吸收，而其消极要素（唯心论及神话观念），也几乎无不为荀子哲学所排斥，这样一来，荀子哲学，便在中国哲学史的第一个发展阶段上（即奴隶制社会时代），占据了最高峰的地位。我们在本书的序论中，曾说哲学本质上是唯物论的范畴，所以作为中国古代哲学发展的最高峰的荀子哲学，同时也就是最富于唯物论内容的体系。

中国奴隶制社会时代的哲学，开始于老子，而终结于荀子，此时期的哲学发展，也恰巧是唯物论在与唯心论斗争中的一个环状的螺旋式发展，即出发于直观的唯物论，中间通过了许多曲线的阶段，而终于在更丰富更体系化的形态上，复归于唯物论本身的出发点。在荀子时代，已是奴隶制向农奴制转化的前夜，即中央集权的封建制社会成立的前期阶段，所以，至此时为止，不但是中国哲学史第一个发展阶段的完结，同时也是中国奴隶制社会的闭幕。在这里，我们就已经证明了下述两件富于理论教训的事实：第一，我们对于中国哲学的发展阶段的划分，是与中国社会的发展阶段的划分，相一致的：第二，中国古代哲学的发展，也和一般的场合同样，而为唯物论本身的发展。

第二节　荀子的唯物论、无神论

老子学派，发展到了庄子、惠施；孔子学派，发展到了子思、孟子，已经完全堕落成唯心论。而荀子则反对着庄子、惠施的物我一体的唯心论及子思、孟子的天人合一的唯心论，由唯物论的见地，来理解所谓“道”——“天”的实体。首先，荀子承继了老子所谓“道”这一客观实在的概念，而视之为世界的根本原理——实体。所以他说：“所谓大圣者，知通乎大道，应变而不穷，辨乎万物之情者也；大道者，所以变化遂成万物也。”（《哀公》篇）又说：“万物为道一偏（即一部分），一物为万物一偏。愚者为一物一偏，而自以为知道，无知也。”（《天论》篇）可见荀子关于“道”的理解，正和列子、杨朱同样，是站在唯物论的立场，作为物质的自然范畴而把握的，而不曾像庄子那样以“道”为观念的实体。并且在《天论》篇论“道”的文字中，又批判“老子有见于诎（屈），无见于信（伸）”，这又是对于老子的客观顺应主义的非难，而要求在把握到“道”的本质以后，反转来把自己从对于客观自然的隶属中解放出来，而成为支配自然的自由王国中的主人翁；是荀子在关于道的态度上，比老子、列子及杨朱的消极顺应主义，更富于积极的意义，而具备了征服自然的精神。

关于“天”的观念及祭祀的态度，孔子已采取了怀疑宗教神话性质的传统见解，而由人本主义的经验论，发表过他的消极的不信仰的意见；荀子则更进一步，强调了客观自然的法则对于天的支配作用，而完全否定了天的宗教性及礼拜的必要性。所以在《天论》篇中曾说：“天行有常，不为尧存，不为桀亡。应之以治则吉，应之以乱则凶；强本而节用，则天不能贫；养备而动时，则天不能病；修道而不贰，则天不能祸。故水旱不能使之饥，祆怪不能使之凶。本荒而用侈，则天不能使之富，养略而动罕，则天不能使之全；倍道而妄行，则天不能使之吉。故水旱未至而饥，寒暑未薄而痴，祆怪未至而凶。”这显然是说，天及神鬼妖怪，都不是支配并干涉人类的神物，而只是单纯的物质的自然，人类生活中的吉凶贫富祸福，乃是人类活动的必然的结果。这种见解，不仅推翻了墨子作为人格神的天的观念，而且由“故明天人之分，则可谓至人矣”（《天论》篇）一语看来，也否定了庄子或孟子的天人一体的思想。

荀子在《天论》篇中，又说：“列星随旋，日月递炤，四时代御，阴阳大化，风雨博施，万物各得其和以生，各得其养以成，不见其事而见其功，夫是之谓神。皆知其所以成，莫知其无形，夫是之谓天。唯圣人为不求知天。”这就是说，由自然的活动看来，虽可称之为“神”——“天”，而自然在本质上则并非宗教神话性质的“天”——“神”，而为一种物质的自然，所以圣人不想将自然看成神秘的魔物。于是，他更进一步说道：“星队（坠）木鸣，国人皆恐。曰：是何也？曰：无何也，是天地之变，阴阳之化，物之罕至者也。怪之可也；而畏之非也。夫日月之有蚀，风雨之不时，怪星之党见，是无世而不常有之。上明而政平，则是虽并世起，无伤也；上暗而政险，则是虽无一至者，无益也。”又说：“雩（求雨的祈祷）而雨，何也？曰：无何也；犹不雩而雨也。日月食而救之，天旱而雩，卜筮然后决大事，非以为得求也，以文（粉饰政府急于灾害以顺应民意）之也。故君子以为文，而百姓以为神；以为文则吉，以为神则凶。”由此可知，荀子已经不承认自然现象中的宗教的性质，而完全由自然的原因，由自然现象中的自然的必然的因果性，来说明自然现象中的变化与发展。这种无神的见解，乃是他的唯物论思想的必然的归结。在这一点上，比较孔子由经验论的消极怀疑而仍保持着对于自然现象的宗教残余（“迅雷风烈必变”）实为一大进步；这种进步的来源，在逻辑方面就是唯物论对于经验论的优越性。在实践方面，就是由于荀子“嫉浊世之政……营于巫祝，信视机机祥”（见《史记·孟子荀卿列传》）的反宗教态度。

我们前面曾说，荀子对于“道”的态度，比老子及其学派，富于征服自然的精神。这一点在《天论》篇中尚有更明确的表现。他说：“大天而思之，孰与畜物而制之？从天而颂之，孰与制天命而用之？望时而待之，孰与应时而使之？因物而多之，孰与骋能而化之？思物而物之，孰与理物而勿失之也？愿于物之所以生，孰与有物之所以成？故错人而思天，则失万物之情。”这里的命题，实在是借助于认识自然法则而支配并征服自然的唯物论的科学的态度。

第三节　荀子的论理学、认识论

孔子是经验论者，而经验论本质上可能导出两个相反的认识论的命题。即一方面可能导出唯心论的认识论，一方面又可能导出唯物论的认识论；子思孟子的哲学，代表着前者，而荀子则代表后者。具体的说来，荀子与子思孟子，虽同由孔子的经验论出发，而却到达了两相背反的哲学。关于子思孟子的思想，已详见本书第五章，此不再述；而荀子的论理学认识论的思想，则异常鲜明的系以孔子的经验论为出发点而建立起来的。论理学在孔子的经验论中，乃论理学的从属的范畴，而无独立的逻辑的性质；荀子的论理学、认识论，虽然仍采用了孔子的“正名”的术语，而实质上则已变成了唯物论性质的范畴。所有荀子论名实关系及论理学上的内包与外延关系的见解，俱在于《正名》篇，兹分为三点，说明如次：

第一点，论制名的必要。所谓“名”，必须能够确认其所名的对象物的差异性；宇宙间的事物，形态各异，人心又不相同，如果各就其之心所见，而任意以名万物，则名实混乱，难以辨别。一旦“异同不辨，则志必有不喻之患，而事必有困废之祸”，所以必须正名，以制定万人共同的名。由此可知，荀子正名的动机，乃在于由名以指实，而辨别同异，并非为的诡辩。

第二点，论制名的根据。荀子以为判别同异的根据，在于人类的感官（即耳目鼻口形体等所谓“天官”，有了自感官而生的知觉即“天官之当薄”，然后才能遂行思维作用，此即荀子所说的“心”的“征知”。由于这种“天官之当薄”（感觉、知觉）与“心之征知”（思维、概念），然后才能认识事物的同异，而同异的概念，则由“名”来表现。这就是说，同异，以感官的杂多的印象为基础，而感官的印象，则由“心”即思维、悟性来辨别，而分为各种的范畴（概念）。这样，在荀子的认识论中，感觉与概念感性与悟性便统一起来，而且在这种统一中，感觉对于思维，是更根源的范畴，即主张着感觉在认识中的根源性；荀子所谓“然而，征知必待天官之当薄其类然后可也”（《正名》篇）就是说思维（概念）只有以感觉为基础始有可能。此外，荀子更强调了“名”（概念）应该和“实”（存在）相一致，所以这种认识论，实已具备了唯物论的基调。在这里，我们便会想起亚里斯多德在认识论上所主张的感觉的根源性，及思维与感觉的统一。所以我们可以说，中国与希腊的古代哲学的两个集大成者，在哲学的基本命题上，意见十分相近似，因而称荀子为中国的亚里斯多德，也颇为恰当。

第三点，论制名的规范（枢要）。荀子因为强调名实的一致，所以他认为正名的规范，首先便是同类给以同名，异类给以异名。并且仅以单名即可以理解，则用单纯的名词（如马）；在用单名不足的场合，则用兼名（复合的名词——如白马）。名又有共名与别名，例如人对于动物为别名，动物对于人为共名。别名之极，为各个的名，共名之极，为物。所以荀子说："故万物虽众，有时而欲遍举之，故谓之物；物也者，大共名也。推而共之，共则有共，至于无共然后止。有时而欲偏举之，故谓之鸟兽，鸟兽也者，大别名也。推而别之，别则有别，至于无别然后止。"（《正名》篇）又，如果事物的形状虽同而异其处所，虽可给以共名，而实际上仍是别名，例如对于同类的犬而与以甲犬及乙犬的别名。反之，虽形状不同而为一物，则此不同乃由变化而来，如蚕与蛾之类。所以荀子又说："物有同状而异所者，有异状而同所者，可别也。状同而为异所者，虽可合，谓之二实；状变实无别而为异者，谓之化；有化而无别，谓之一实。此事之所以稽实定数也。”总而言之，荀子正名的规范，在于“知异实者之异名也，故使异实者莫不异名也，不可乱也；犹使同实者莫不同名也”。这样，荀子一方面阐明了概念的内包及外延的关系，而他方面又以此为基础，对于当时的诡辩家的命题，加以严厉的批判。

在荀子看来，宋子所谓“见侮不辱”，别墨派所谓“圣人不爱己”“杀盗非杀人”，乃是“惑于用名以乱名”；惠施所谓“山渊平”，宋子所谓“情欲寡”以及“刍豢不加甘，大钟不加乐”的命题，乃是“惑于用实以乱名”；别墨派所谓“非而谒楹有牛”，公孙龙所谓“白马非马”，乃是“惑于用名以乱实”。这些错误的证明，便是“验之名约，以其所受，悖其所辞”。此外，在《儒教》篇中，又说：“坚白同异之分隔也，是聪耳之所不能听也，明目之所不能见也，辩士之所不能言也，虽有圣人之知未能搂指也；不知无害为君子，知之无损为小人；工匠不知无害为巧，君子不知无害为治，王公好之则乱法，百姓好之则乱事。而狂惑戆陋之人，乃始率其群徒，辩其谈说，明其辟称，老身长子，不知恶也；夫是之谓上愚，曾不如相鸡狗之可以为名也！”此外，在《修身不苟》、《荣辱》、《非十二子》、《天论》等诸篇中，都有反对诡辩派的激烈词句，在《非相》篇中，则更由反对诡辩而使哲学斗争合理化，所以说：“君子必辩。凡人莫不好言其所善，而君子为甚焉。”这样看来，荀子的唯物论的认识，论理学，也同样是其在哲学斗争中的武器及产物。

第四节　荀子“性恶”论中的两条战线的斗争

荀子的性恶论，是孟子的性善说的反对命题，二者是尖锐的对立着的范畴，这种对立，根本上是唯物论与唯心论的对立。荀子是比较坚决的唯物论者，他对于子思孟子的天人合一的唯心论，一向即采取着严厉的反对态度。所以在《非十二子》篇中曾说：“略法先王而不知其统，犹然而材剧志大；闻见杂博，案往旧造说，谓之五行，甚僻违而无类，幽隐而无说，闭约而无解。案饰其辞而只敬之曰：此真先君子之言也。子思唱之，孟轲和之，世俗之沟犹瞀儒，嚾嚾然不知其所非也，遂受而传之，以为仲尼、子弓为兹厚于后世；是则子思、孟轲之罪也。”

但是，荀子的性恶论，另方面又是杨朱的快乐主义的反对命题。我们前面说过，荀子的唯物论，是承继着老子学派的列子杨朱的唯物论加以发展而来。然而，荀子与杨朱却又不同。在杨朱哲学中，物质的自然力表现到人类身上的形态，就是“欲”；荀子固然也承认“欲”是人类的本性，可是同样从“欲”的理论出发，而却得出了两个相反的结论，即杨朱以保全人类的本性为主眼，得出了快乐主义的结论，而荀子则根据着孔子的仁——礼的思想立场，得出了由礼以控制人类本性的结论。

这样，荀子的性恶论，一方面是老子学派的“道”与孔子学派的“礼”的综合的产物，另方面又是其所用以反对杨朱的快乐主义与孟子的性善说的斗争的武器。荀子的性恶论内容如下：“人之性恶，其善者伪也。今人之性，生而有好利焉，顺是，故争夺生而辞让亡焉；生而有疾恶焉，顺是，故残贼生而忠信亡焉；生而有耳目之欲有好声色焉，顺是，故淫乱生而礼义文理亡焉。

然则，从人之性，顺人之情，必出于争夺，合于犯分乱理而归于暴。故必将有师法之化，礼义之道，然后出于辞让，合于文理，而归于治。用此观之，然则人之性恶明矣，其善者伪也。"（《性恶》篇）荀子这种性恶论形成的社会根据，在于当时"争城一战，杀人盈城，争地一战，杀人盈野"（《孟子》），或所谓"浊世之政，亡国乱君相属，不遂大道，而营于巫祝，信禨祥，鄙儒小拘如庄周等，又滑稽乱俗"（《史记》）的刺激。在这里，我们便会想到英国十六七世纪产业革命时代的唯物论者霍布士的见解。霍布士因为看到了当时的"圈地"惨剧，遂将市民社会，看成了"万人对万人的斗争"，而关于人性也作出了"人类对于人类是豺狼"的定义。荀子与霍布士的相似，不仅在于性恶论，即关于政治主张上，也都拥护着中央集权的专制主义。

荀子的性恶论中的唯物论要素，在于否定先天良知的存在，而以"善"为社会关系中所习得的经验范畴。所以他批判孟子的性善说为"不及知人之性而不察乎性伪之分"。在荀子看来，"不可学、不可事、而在人者，谓之性；可学而能可事而成之在人者，谓之伪"。是知所谓“性”，就是生理的机能，如目可以见，耳可以听等；而所谓“伪”，则是社会的范畴。荀子关于“伪”的内容的确认，如礼义等的强调与绝对化，固不免陷于唯心论的错误，而其方法论的特征，则仍具备了唯物论的性质。例如在《劝学》篇中曾说：“干越夷貉之子，生而同声，长而异俗，教使之然也。”这简直是十八世纪法兰西唯物论者的“人类依存于教育”的命题的中国版。在《儒效》篇又说：“故积土而为山，积水而为海，旦墓积谓之岩，至高谓之天，至下谓之地，宇中六指谓之极，涂之人——百姓，积善而全尽谓之圣人。彼求之而后得，为之而后成，积之而后高，尽之而后圣。故圣人也者，人之所积也。人积耨耕而为农夫，积斲削而为工匠，积反货而商贾，积礼义而为君子。”这又和唯物论者费尔巴哈所谓“事物的对象决定事物的本质”的命题，十分相合致。

第五节　荀子哲学的批判——诸子时代哲学一般的制限

荀子哲学中，虽有上述比较丰富的唯物论要素，但是，荀子并不是彻底化的唯物论者，相反的，在他的哲学中，一般儒家的唯心论，尚占据着支配的优势，所以荀子哲学的特征，在于他在儒家唯心论的可能范围以内，充分吸收了唯物论的成果。更具体的说，荀子所以能够定立人性即欲望而欲望即罪恶，实不得不以孔子的礼——仁的思想为前提，其所以以儒家自任的理由，便在于此。

荀子的唯物论的不彻底性，在于"礼"的强调。而所谓"礼"，在荀子看来，便是"法之大分类之纲纪，故学至于乎礼而止矣"（《劝学》篇），是礼为人伦及政治的极致；这种礼的起源，在于"人生而有欲，欲而不得，则不能无求，求而无度量分界，则不能不争，争则乱，乱则穷。先王恶其乱也，故制礼义以分之"（《礼论》篇），此所谓"分"，即"贵贱有等，长幼有差，贫富轻重皆有称"（同篇）的阶级支配的卫护；卫护阶级支配的礼的根据，是什么呢？他说："礼有三本：天地者，生之本也；先祖者，类之本也；君师者，治之本也。无天地，恶生？无先祖恶出？无君师，恶治？三者偏亡，焉无安人。故礼上事天、下事地，尊先祖而隆君师，是礼之三本也。”（同篇）这几乎是已经离开了唯物论、无神论的立场，企图在天——人格神的宗教信仰中来寻找礼的根据。在礼的规定下的阶级关系，应该怎样建立呢？荀子的理想，是维持劳心与劳力的剥削关系。所以他说：“相高下，视垸肥，序五种，君子不如农人；通财货，相美恶，辩贵贱，君子不如贾人；设规矩，陈绳墨，君子不如工人；……若夫谲德而定次，量能而授官，使贤不肖皆得其位，能不能皆得其官，万物各得其宜，事变得其应，慎墨不得然其谈，惠施邓析不敢窜其察，言必当理，事必当务，是然后君子之所长也。”（《儒效》篇）又说：“聪明君子者，善服人者也；人服而势从之，人不服而势去之，故王者已于服人矣。”（《王霸》篇）劳心者这样高高在上，而劳力者又当如何呢？荀子以为：“少事长，贱事贵，不肖事贤，是天下之通义也；有人也，势不在人上，而羞为人下，是奸人之心也。”（《仲尼》篇）所以荀子根本反对平等，在《王制》篇中曾说：“分均则不偏（治），势齐则不壹，众齐则不使；有天有地而上下有差，明王始立而处国有制。夫两贵之不能相事，两贱之不能相使，是天数也。势位齐而欲恶同，物不能澹则必争。……使有贫富贵贱之等，足以相兼临者，是养天下之本也。”但是，荀子又知道“马骇舆，则君子不安舆，庶人骇政，则君子不安位。……君者舟也，庶人者水也，水则载舟，水则覆舟。……故人君者欲安，则莫若平政爱民矣”（《王制》篇）。

据上述观之，荀子的唯心论，乃在于社会主张方面。从前昂格思说费尔巴哈在宇宙观上是唯物论者，在历史观上则是唯心论者（见所著《费尔巴哈与德意志古典哲学的末日》），这个评语，加在荀子哲学上，也一样可以通用。

我们前面说过，荀子哲学是中国古代哲学全发展的顶点；然而在荀子哲学中，也未能完成像古代希腊那样的自由主义，德谟颉利图的唯物论。这是什么原因呢？这是由于中国奴隶制社会的本身的发达的不完全性所规定的。中国的奴隶制，由春秋到战国末期，已经相当发展，在这个时代，有工商业及农业的发达，有集中人口至万家以上的都市，有商品货币经济的流通，有商人资本的蓄积，有高利贷资本的巨大的成长，有奴隶所有者的巨大商人的出现，有工业的巨大奴隶所有者的发展

（均见《史记·货殖列传》)，然而，我们必须知道，此等工商业的富者，决不是和土地所有贵族作决定的对立的阶级，而是从属于土地所有贵族的阶级，并且他们自身同时也是大土地所有者。这种关系，乃是被共同体的氏族诸关系所规定的一种特殊性的结果，而同时也是阻碍中国奴隶制向古典形态发展的物质基础。在这里，一方面说明了春秋战国时代诸子哲学所以能够发展的原因，另方面也说明了中国古代哲学发展的历史制限特别巨大。

总而言之，中国诸子时代的哲学，是新兴的土地所有者贵族的哲学，而不是像希腊那样的商工业的富者的进步阶层的哲学。这是诸子哲学的一般制限，而荀子也未能例外。尤其荀子的哲学，出于儒家，而儒家则来自《周书》所谓“多士”——即在周人灭殷以后，投降了周室的殷氏族共同体内部的贵族集团，这个集团的传统意识的特征，在于权威的阿谀（儒者柔也，因人成事也)，故其在与氏族制对立的场合，虽不十分彻底，然尚能保持其进步性，可是一旦关涉到奴隶所有者与奴隶大众的实际问题上，则完全变成了保守的阶级。所以荀子的唯物论的不彻底性，在历史——社会领域的唯心论的支配，乃是不可避免的归结。而且，因为战国以降的中央集权的士大夫官僚的封建支配，仍以土地所有的卫护为基础，所以荀子的弟子韩非、李斯，便都作为秦代的绝对王权的组织者与拥护者而出现于中国的历史舞台。

第三篇

经学时代的哲学

第九章　汉代哲学（上）

第一节　汉代经学形成的社会基础及其政治根源

战国时代为要获得奴隶与土地而相互攻伐的诸国，先后被秦所灭亡，在纪元前二二一年，中国完成了空前的统一。原来，秦代的政策，即《商君列传》所谓："大小僇力，业本耕织，致粟帛多者复其身，事末利及怠而贫者举以收为孥。"依此而奠定了秦代富国强兵的基础。是知秦代中央集权的专制主义，乃建立在对于公民之强度的租税榨取之上的。这种政权的支配，很快的便引起了农民的穷乏；《史记·秦始皇本纪》曾云："有坠星下东郡，至地为石。黔首或刻其石曰：'始皇帝死而地分。'始皇闻之，遣御史逐问，莫服，尽取石旁之人诛之，因燔销其石。"由此可见当时失掉土地的农民的要求之所在。以土地问题为中心的农民战争，于纪元前二〇八年七月间，在陈胜吴广的领导之下终于爆发。据《史记·陈涉世家》的记载，秦代对于公民的暴动，曾“免郦山徒人奴产子”，组成奴隶军，将暴动的民军，一度镇压下去。但陷于逆境的旧贵族（项羽）及地方豪族（刘邦），却又乘着农民暴动的怒潮，揭出了叛秦的旗帜；刘邦因为巧妙的利用了公民的势力，终于在八年血战的过程中，取得了皇帝地位；汉代便接替着秦代的支配而成立了中央集权的官僚政权。根本上看来，汉代虽和秦代同为专制主义，但秦代乃以法治主义为基础的专制的法律的统制，而汉代——尤其自武帝以降，则采用了伪瞒的德治主义——受天命支配的思想，使专制的支配合理化。此种德治主义，即所谓儒教的经学。

一般言之，秦汉中央集权的专制支配，都是使奴隶的剥削转化到一般公民之强度的租税榨取的方向，打算由此而解决战国时代的不绝战争中所表现的奴隶制的矛盾，根本上都是建立在奴隶制矛盾上面的政权。但是，却不能真实的解决了奴隶制的矛盾，这种专制主义，仅只是以亚细亚的官僚支配，主要的由士大夫阶层（农村中心地主）

所形成的官僚集团为中心的具有超阶级外貌的中央集权的绝对主义，来阻止奴隶制破局的扩大。此种绝对主义，在汉武帝时代，整备成清晰的形态。在汉武帝时代（纪元前一四〇至纪元前八七年），完成许多灌溉及治水的设施，并实行了盐铁国营，开办了各种官设大工场；此种大工场中所使用的劳动力，主要的是奴隶劳动。

然而，奴隶制到了汉代，至少在农业里边，是已经到达于全然穷途末路的境地。汉元帝时（纪元前四十八至纪元前三十三年），即已经感到了奴隶劳动的不利，而有所谓“今官奴婢十余万，游戏而不事事，以良民之税养之，宜免为庶人”（见日本《世界历史大系》第四卷《东洋中世史》一〇四页）的意见。并且在汉代的富豪、商人与地主等大土地所有中，也使用着所谓“徒附”一种农奴的劳动力，这和罗马末期的大庄园（Latifundium）中所出现的“克罗奴斯”式的农奴的农民，十分相似。但全体看来，在汉代的大土地所有——汉室自身也就是大土地所有者——之下的主要的劳动力，仍是奴隶；所以在严密的意味上来看，汉代依然不能说是封建的社会构成的时代。

汉代对于公民，曾课以人头税，由十五岁至五十六岁者，每年征收百二十钱，是谓算赋——丁赋；由二十岁至五十六岁者，每年强制课以一个月的徭役（折合金钱二千钱）；然而，这决不是意味着国家的封建制的范畴。例如以奴隶所有者的生产样式为基础的罗马国家，乃是以专门榨取臣民为目的的一个巨大的复杂的机关，而在罗马国家中，租税、国家赋役，及一切种类的负担，压迫着住民大众，终于逐渐加深的陷入了穷乏境地；并且罗马由各州征收的租税，主要者是地租，其所征收的成数，相当于农民收入的三分之二乃至二分之一；这样的征收与赋役，决不能说罗马国家自身是封建制。

要之，汉代亚细亚官僚支配下的绝对主义，乃是成立在奴隶制矛盾上面的政权，乃是打算以绝对主义的权力来抑止奴隶制矛盾的破局扩大的政权。这时代，奴隶制已到了穷途末路，在经济上已形成了不可能的局势。然而，像罗马那样“自由人的劳动被道德所追放”的现象，在汉代却未尝存在；在中国所采取的道路，乃是对于自由人（农民）的租税强征；结局，便形成了奴隶制与农奴制之中国式的结合形态。

从奴隶制矛盾的无法逃脱的绝路打开生门，而促进社会发展的重要杠杆，是中国的绝对主义，亚细亚的官僚支配。所以汉代便禁止商人的土地私有，实行车船课税，并且对于商工业者的财产，也一般的实行了课税。遇有商工业者置买财产的场合，则没收他们的财产，并降为奴隶；汉武帝的政治顾问儒者董仲舒等的主张“限田”，其意义亦正在于此。所以，像汉代的绝对主义，其唯一目的，实在于抑止因大土地私有及商工业者的发展而生的奴隶制矛盾的破局扩大。然而，此种绝对主义（亚细亚的官僚支配）本身，乃是一个矛盾物；在其不久便会引起豪贵、豪商的大土地私有奴隶所有以及与此相连的农奴榨取的发展，农民的穷乏、零落、土地丧失、饥饿等，达于极点，形成农民的叛乱，结果便是王朝的倒坏交替。像这样子，前汉亡于赤眉，后汉亡于黄巾。

此种关系，根本上规定了汉代的哲学。首先，汉代的地主及商工业的富者，几乎完全从属于绝对主义；并且在某种场合，地主的官僚，依据着绝对主义的权力，对农民及商工业者，又进行了强度的租税榨取，所以在此种生产关系之下，一般上便没有使哲学遂行其飞跃发展的进步的社会阶层的存在。这样，便形成了汉代哲学之一般的贫困化的特征。这就是说，在汉代除了王充的唯物论而外，实不曾进行活泼的哲学研究，全体看来，未尝产生优秀的哲学体系。

但是，汉代的绝对主义的支配，一方面固然规定了积极的哲学研究的贫困，而另方面则仍然需要着自身的思想的支柱。这种作为绝对主义的思想支柱而出现的，就是儒教的经学，儒教因绝对主义的整备，遂成了决定的支配的思想，即到了汉武帝时代绝对主义的支配发展到可惊程度的完备，儒教乃取得了国家正教的地位，而经学也成了王家御用的官学。马宗霍氏《中国经学史》第六篇有云："……汉之博士，实兼官师之职，综政教之权，与周之以司徒掌邦教，秦之以吏为师，其制略同，当文景之时，博士犹少，尚为具官；及武帝罢黜百家，表章六经，学乃定于一尊；备置五经博士，教乃归于一律；登进人材，以通经为第，仕乃出于一途。著之功令，颁为教条，自此以来，则公卿大夫士吏，斌斌多文学之士矣。《汉书·儒林传·赞》曰：自武帝立五经博士，开弟子员，设科射策，劝以官禄，讫于元始，百有余年，传业者浸盛，支叶蕃滋，一经说至百余万言，大师众至千余人，盖禄利之路然也。观此可知当时上以官禄而劝经，下为禄利而习经；故经之官学，遂为梯荣致显之捷径。凡儒生之肄经者，莫不游学京师，受经博士。……其由是而出者，行虽不备犹得补官；非是者虽经明行修，名亦不显；故终汉之世，惟官学大昌，而位愈高者则徒愈亦众，以为可借以相授也。”（见原书五十一至五十二页）

据此可知，汉代儒教思想的支配，是完全和当时绝对主义的支配相对应的。儒教——孔子系派的哲学，原来是隐蔽社会阶级的对立，使父家长制的支配合理化绝对化的思想；正在这一点上，儒教便以其合致绝对主义的权力要求的固有机能，一方面抑止大土地私有及商人资本的发展，另方面也可将人民压服在强度的租税榨取之下，而成了汉代中央集权的官僚的专制主义之最妥适的意识形态。所以梁启超氏曾说：“惟孔学则严守差等，贵秩序；而措而施之者，归结于君权……其所以干七十二君，授三千子弟者，大率上天下泽之大义，扶阳抑阴之庸言，于帝王驭民，最为适合；故霸者窃取而利用之以宰制天下。汉高祖在马上，取儒冠以资溲溺，及既定大业，则适鲁以太牢祀矣。盖前者则孔学可以为之阻力，后此则孔学可以为之奥援也。”（见《饮冰室全集·论中国学术思想变迁之大势》）此外，尚有一点政治的理由，足以促进儒教与汉代政权合抱，即汉代是秦代的反对物——扬弃者，而秦代的文化政策，是导源于荀子学派的法治思想的文艺破坏主义（Vandalism）。儒教徒在秦代的支配之下，曾遭受到严厉的压迫与残害。如《史记·秦始皇本纪》有云“……及始皇统一天下，三十四年置酒咸阳宫，博士淳于越所议异趣，丞相李斯乃上言，请史官非秦皆烧之。……始皇可其议，收去诗书百家之害。……翌年又坑诸生四百六十余人于咸阳，诸生亦皆诵法孔子者也”，即其例证。所以陈胜、吴广起兵反秦，儒者乃实行参加。《史记·儒林传》曾谓：“陈涉之王也，而鲁诸儒持孔氏之礼器，往归陈王。于是孔甲为陈涉博士，卒与涉俱死。陈涉起匹夫，驱瓦合适戍，旬月以王楚，不满半岁，竟灭亡，其事至微浅。然而，缙绅先生之徒，负孔子礼器，往委质为臣者，何也？以秦焚其业，积怨而发愤于陈王也。”是知汉代的独尊六经，本质上乃是秦代的焚书坑儒的反对命题；其天人感应的唯心论（经今文学），特别繁荣，荀子的唯物论思想——甚至其曾经效力于秦代中央集权的绝对王权的法治思想，反趣衰微，自然与荀子弟子——韩非、李斯的相秦，有同样反对命题上的根源。朴列哈诺夫曾云："要阐明为什么在这时代之间一定底学说会得到胜利，就必须预先了解先行于那时代的时代底'智力状态'，知道前为是怎样的学说和倾向支配着。没有这，就使怎样地详悉一定时代底经济，也是不能完全把握那时代底智力状态的。"（见所著《史的一元论》中译本三二〇至三二一页）所以秦代和汉代虽然同为建基于奴隶制矛盾上面的中央集权的专制主义，而其所御用的思想学说，可能相互背反。这就是人类思想史——人类的概念及表象的结合，有其自己独特的法则的一个明证；在这里，我们的见解，和从商品流通中求论理发展法则的机械唯物论者（如波格达诺夫在其《社会意识学大纲》中的表现）及从论理性格本身中说明学说抬头的唯心论者，无任何的共同点。

儒教——孔子学派的学说，在由春秋末期至战国时代，虽然已经由经验论隳落成了唯心论，但尚继续其科学的发展，当时尚可认为是某种程度的自由积极而独创的（Original）哲学研究，然而，汉代的儒教，其性质则全然异趣，根本丧失了独创的研究或科学的前进，而仅止是儒教圣典的“五经”之训诂或解释。这种五经的训诂解释，即所谓“经学”。而此种经学在汉代取得了支配思想的地位，本质上便是意味着中国哲学发展之完全的停滞。近人冯友兰氏不察，竟认经学时代为旧瓶装新酒式的纯量的发展阶段（参照冯氏著《中国哲学史》第二篇第一章，即四九一至四九六页），殊为欠妥。

第二节 汉代哲学的特质及其唯心论化宗教化的特殊形态

汉代哲学的特质，是王室御用下的罢黜百家，独尊儒教，所以汉代哲学的研究，实质上便是儒教经学的分析与批判。此时代的所谓经学，其共同的特征，固在于儒教经典的训诂解释，而在训诂解释的方法与根据上，则又因彼此不同，引起了派别的论争（即中国哲学上知名的今文派与古文派的斗争）；但此时代的哲学斗争，与诸子时代的百家争鸣不同，已经成了儒教的内部斗争，这是第一点。其次，此时代的儒教思想，由于和所谓“谶纬说”相结合（特别是今文派），而更加走上了宗教化唯心论的堕落道路。然今古文派的争论，实缘汉代前期儒者采用谶纬等迷信思想以解说经典的宗教的唯心论而起，所以我们应先检讨儒教思想与谶纬学说结合的经过，然后再批判的叙述今古文派论争的本质的意义所在。

孔子的经验论，虽然对于殷周的宗教神话观念，提出了消极的怀疑，但非常缺乏坚定的彻底否定精神；这就是说，孔子对于古代传来的所谓“术数”，仍残留着相当的信仰。例如《论语》所记:“凤鸟不至，河不出图，吾已矣夫！”“道之将行也与？命也；道之将废也与？命也。”“死生有命，富贵在天。”以及“君子有三畏：畏天命，畏大人，畏圣人之言”、“五十而知天命”云云，足证孔子本人，原来也颇重视天道人事相互影响的术数观念。所以子思、孟子便放弃了孔子经验论中科学的唯物论要素，而完成了孔子哲学的唯心论化；他如战国末期以及秦代的阴阳家与方士之流，也显然有将古代术数中的“天文”、“历谱”、“五行”等宗教思想加以理论化，而与子思辈的唯心论相混合的趋势。至汉代，农业、商业，及手工业，虽有了相当程度的发展，但全体看来，乃是社会发展固定化的时代。这就是说，在此时代，从此时代开始，社会发展的停滞的反复之特有的形态，已经成立；在社会发展的停滞性，纵然是中国社会其后发展之渐进的表现形态，但结局则是在同型的社会矛盾的反复形态之下，继续其存在，这样，便提供了宗教迷信的成立与发展的广泛的地盘。所以古代的术数观念，便在汉代遂行了异常的繁荣的发展。所谓“谶纬说”的伪托孔子的著作，就是这种宗教的迷信思想的产物。所谓谶书，即“诡为隐语预决吉凶”（《四库全书》总目提要语）的著作，后汉的张衡，已断为“殆必虚伪之徒，以要世取资”（见《后汉书·张衡传》），固不必论；至所谓纬书，足号称“经之支流衍及旁义”（四库全书总目提要语）的著作，然其荒唐怪诞，实与谶书同出一辙。此等阴阳谶纬术数的天道人事相互影响的思想，西汉人已普遍的深信此理。所以冯友兰氏曾言：“汉儒多言灾异，君主亦多遇而惧。所谓三公之职，除治政事外，尚须调和阴阳。陈平谓文帝曰：‘宰相者，上佐天子理阴阳，顺四时，遂万物之宜者也。’丙吉问牛喘，以为三公调和阴阳；今方春少阳用事，未可大热。恐牛因暑而喘，则时节失气，有所伤害。三公除负政治上之责任外，尚须负自然界中事物变化之责任。故汉时遇有灾异，有免三公之制。”（见《中国哲学史》四九八页）汉代儒者，深受此种影响，所以董仲舒在其贤良对策中有云："王者上谨于承天意，以顺命也。”（《前汉书》本传）这主要的是天道思想，而带有显著宗教化的性质。《汉书》关于武帝时代的儒教曾云“兴大学，修郊祀”，足证儒教与祭祀的结合。汉代的儒教——经学，既以对于天道之宗教的信仰为中心，结局遂与“谶纬说”相结合，其自身也终于成了显著的神秘的迷信的宗教思想；这就是说，董仲舒以后的经学，“终于隳落成重占卜而预知将来的京房的易学，或注意天灾以预言未来的谶纬说”（武内义雄：《东洋哲学史》“中国”九十一页）。如像贾逵、郑玄等，均曾借谶纬之言以解释经书。

其次，关于汉代哲学（经学）的内部斗争，马宗霍氏云："……自六经燔于秦而复出于汉，以其传之非一人，得之非一地，虽有劝学举遗之诏，犹兴书缺简脱之嗟，既远离于全经，自弥滋乎异说。是故，从其文字言，则有古今之殊；从其地域言，则有齐鲁之异；从其受授言，则有师法家法之分；从其流布言，则有官学私学之别。"（见所著《中国经学史》第六篇三十五页）其实这完全是表面的区分，本质不是所谓齐学、鲁学、师法、家法、官学、私学等的对峙，都是经学中的今古文派斗争的现象形态。汉代的今文派与古文派的斗争，皮相的考察起来，好像是起于诸儒说经时所根据的版本的不同——即今文派根据当时的隶书版本，古文派根据前代的蝌蚪或古籀书的版本，而实则不然。然而如周予同氏所说"它们的不同，不仅在于所写的字，而且字句有不同，篇章有不同，书籍有不同，书籍中的意义有大不同；因之，学统不同，宗派不同，对于古代的制度以及人物的批评各各不同；而且对于经书的中心人物孔子各具完全不同的观念"（见《经今古文学》一至二页）也不完全正确。根本上今古文派的对立，乃是宗教化的唯心论（今文派）与客观主义——机械论的唯物论（古文派）之间的斗争。这一斗争爆发的过程，大抵是由于当时的阴阳五行术数的信仰者——方士的流亚，乘经缺简脱的机会，挟其宗教的迷信观念，信口说经，以迎合汉代中央集权的专制主义的要求，相继获得了“官学”的合法身份，即西汉所立今文专家的十四博士。儒教思想，遂与方士的迷信相结合，而隳落成宗教化的唯心论。于是，以客观主义为特征的机械唯物论者，乃采取了古文派的形态而出现，和今文派的宗教化的唯心论，进行了顽强的斗争。据周予同氏的归纳（见所著《经今古文学》），这一斗争“从西汉末年一直延到东汉末年，竟达二百余年之久”。中间重要的斗争，约有四次，曾表列如下：

次数	时期	人物		对象	结果
		今文派	古文派		
第一次	前汉哀帝建平元寿间（纪元前六至一年）	太常博士 孔光 龚胜 公孙禄（附）	刘歆	古文尚书（古） 逸礼（古） 左氏春秋（古） 毛诗（古）	古文经传不得官学
第二次	后汉光武帝建武间（纪元二五至五五年）	范升	韩歆 许淑 陈元 李封	费氏易（古） 左氏春秋（古）	左氏春秋立于官学旋发

续表

第三次	后汉章帝建初元年至四年（纪元七六至七九年）	李青	贾逵	左氏春秋（古）春秋公羊传（今）	
第四次	后汉桓帝至灵帝光和五年（纪元一四七至一八二年）	何休 羊弼	郑玄	左氏春秋（古）春秋公羊传（今）	

至于两派斗争中心问题，则有如下列的对照表：

今文派主张	古文派主张
（1）崇奉孔子	（1）崇拜孔子
（2）尊孔子为受命之素王	（2）尊孔子为先师
（3）视孔子为哲学家、政治家、教育家	（3）视孔子为史学家
（4）以孔子为托古改制	（4）以孔子为信而好古述而不作
（5）以六经为孔子作	（5）以六经为古代史料
（6）以春秋公羊传为主	（6）以周礼为主
（7）为经学派	（7）为史学派
（8）经的传授多可考	（8）经的传授不大可考
（9）西汉皆立于官学	（9）西汉多行于民间
（10）盛行于西汉	（10）盛行于东汉
（11）斥古文经传为刘歆伪造之作	（11）斥今文经传为秦火残缺之余
（12）今存仪礼、公羊、谷梁（？）及小戴礼记（？）大戴礼记（？）韩诗外传	（12）今存毛诗、周礼左传
（13）信纬书以为孔子微言大义间有存者	（13）斥纬书为诬妄

据上所述，可知汉代古文派和今文派所争者，表面上只是书籍的真伪及官学地位的取得等非哲学性质的问题。正因如此，才把自己的唯物论的本性，弄得特别模糊。所以治中国哲学史者，关于今古文派的斗争的意见，也特别混乱，甚至毫不注意。例如日本唯物论者秋泽修二氏，在其所著《东洋哲学史》中，关于此问题，即完全没有涉及。唯冯友兰氏，对此时的哲学斗争，独具只眼。他说："……古文家之经学。其说经不用纬书谶书及其他阴阳家之言，一扫当时'非常可怪之论'，使孔子反于其师之地位。此等经学家，实当时之思想革命家也。……古文经学家之经典及经说，比于今文经学家之经典及经说，多为后起，可无疑义。然若谓其为伪，则即今文经学家之经典，本不必真孔门之旧；其经说更多孔门所未尝梦及之'非常可怪之论'，本亦何尝'真'？若就经说论，则古文经学家所说尚为较近于孔门面目也。……刘歆尚讲五行灾异，可见其尚不免受阴阳家之影响。然其所作《七略》，综论上古学术之源流派别，认各家之起皆有其历史的根据，不杂所谓'非常可怪'之论，实纯就古文经学家之见解以立言，在当时亦实一

部革命的著作也。”（见所著《中国哲学史》五七四至五七六页）

要之，汉代古文派与今文派的斗争，本质上为经学内的客观主义的机械唯物论与宗教化的唯心论的斗争，殆无可疑。唯这一斗争的发难者刘歆，乃是佐理王莽实行“古代中国之国家社会主义的企图”（特别是王莽的“六筦”及“五均”政策，富于国家社会主义的精神，关于此点，请参照日本森谷克己著《中国社会经济史》第三篇第二章第六节）的改革论者，当时限于政治经济的条件，未得彻底发展，到了东汉末年，乃由郑玄以博学家的资格，编注群经，混揉今古文派的家法，而获得了折衷主义的解决（其实只是表面的息争的企图之完成）。然而，这一斗争在中国哲学史上，不是毫无结果的，如扬雄的经验论及王充的无神论与唯物论的体系，都是古文派在对今文派斗争过程中所派生的前进的体系。

在这里，我们只概略的叙述了汉代哲学发展的基本形势。以下各节，我们要予以更具体的分析。

第三节　董仲舒的宗教化的唯心论——今文派的经学

前述以阴阳五行谶纬之说，解释儒经的今文派的经学家，可以董仲舒为代表。《前汉书》董仲舒传谓其“进退容止，非礼不行，学士皆师尊之”；同书董仲舒传赞谓其“承秦灭学之后，六经离析，下帷发愤，潜心大业，令后学者，所有统壹，为群儒首”；同书五行志也说：“昔殷道弛，文王演《周易》；周道衰，孔子作《春秋》。则乾坤之阴阳，效洪范之咎征，天人之道，粲然著矣。汉兴，承秦灭学之后，景武之世，董仲舒治《公羊春秋》，始推阴阳，为儒者宗。”是知董仲舒在汉代的儒教中，乃扮演着最重要的角色的第一等领袖人物。实际上他不仅具有了使儒教为国家正教、使经学为国家御用学问的力量，而且他已经使作为天道思想的汉代儒学，适应着绝对主义的要求，而确立了起来；这就是说，到了董仲舒的时代，儒教才实际上作为绝对主义（中央集权的官僚的专制主义）的思想，和国家取得了明确的结合，而高据于思想的王座。

我们说过，秦代的政策，是文艺破灭主义；当其统一中原之际，曾实行有名的“燔书坑儒”，以压迫盛行于战国时代的诸子哲学，企图由严格的法律的统制，维持其专制的支配。结果，战国时代的文化花园，变成了广漠的荒野。此点虽然不是秦代所以灭亡的基本原因，然而，代秦而起的汉代，则遵循着意识形态发展中的反对命题的法则，到了汉武帝之时，遂反转来向儒教的天及仁的思想中，寻求其业经整备过的中央集权的官僚制的专制主义的思想原理。而董仲舒的今文派经学——《公羊春秋》中的天及仁的思想，正是在这种政治基础上，遂行了使汉代绝对主义合理化的历史任务。

董仲舒的宗教化的唯心论，其基本命题，即所谓“道之大原出天”（对策三）。其体系的展开，在于所著的《春秋繁露》。所有他企图隐蔽社会的阶级对立，使社会阶级的秩序绝对化，使汉代绝对主义合理化，以及在宗教化的唯心论体系与建基于奴隶制矛盾上的专制政权之间，奠定强固的结合根柢，实无不以“天人一致”的观念，为最后的思想地盘。所以董仲舒的哲学的特征，便在于其体系的完整性——即从其宇宙观出发，通过了历史观、伦理学，而直达于政治论与政治领域内的诸具体主张，其间均在逻辑上有其一贯的紧密关联。

大抵一种哲学体系的建立，哲学者首先成立的概念，必然是直接与其所拥护的生产关系有积极的适应作用的范畴，至于纯逻辑的理论体系——宇宙观，则是其哲学体系完成的最后成果。冯友兰氏曾云："盖汉儒本以当时君臣、男女、父子之关系，类推以说阴阳之关系；及阴阳之关系如彼所说，而当时君臣、男女、父子之关系，乃更见其合理矣。"（见所著《中国哲学史》五二二页）然而，在这里我们必须理解哲学体系的生成过程与其叙述方法中间的辩证法的矛盾。这就是说，纵然董仲舒的宗教化的唯心论体系的生成过程，是以对于当时绝对主义的适应为起点而建立，但是我们在叙述方法上，则只有以其生成过程的归纳点为出发点，即由其宇宙观开始叙述，而逐渐导出其历史观与政治论伦理学以及其政治伦理领域内的诸种具体主张，然后才能一方面把握其哲学的体系性，另方面批判其阶级性，而获得全面正确的理解。

董仲舒的宇宙观，发源于阴阳家。即以宇宙成立于阴阳五行四时的配合。他在《春秋繁露》的《五行相生》篇中曾云："天地之气，合而为一；分为阴阳，判为四时，列为五行。"所谓阴阳者，即《阴阳义》篇中所说："天地之常，一阴一阳；阳者，天之德也；阴者，天之刑也。"阴与阳的关系，董仲舒以为不但相反而且不能并行发展，无论在空间或时间上，只能此消彼长，此进彼退。所以说："天之常道，相反之物也；不得两起，故谓之一。一而不二者，天之行也。阴与阳，相反之物也；故或出或入，或右或左。"（《春秋繁露·天道无二》篇）又说："天道大数相反之物也，不得俱出，阴阳是也。春出阳而入阴，秋出阴而入阳，夏右阳而左阴，冬右阴而左阳。阴出则阳入，阳出则阴入，阴右则阳左，阴左则阳右。"（《春秋繁露·阴阳出入》篇）董仲舒又以为："北方者，天之所终始也，阴阳之所合也。"（《春秋繁露·阴阳终始》篇）"阳气始出东北而南行，就其位也；西转而北入，藏其休也。阴气始出东南而北行，亦就其位也；西转而南入，屏其伏也。是故阳以南方为位，以北方为休；阴以北方为位，以南方为伏。"（《春秋繁露·阴阳位》篇）董仲舒既认定了阴为天之刑，阳为天之德，遂断定"天数右阳而不右阴，务德而不务刑”（《春秋繁露·阳尊阴卑》篇）。其证据为：“天之大数，毕于十旬。旬天地之间，十而毕举；旬生长之初，十而毕成；十者，天数止之所止也。右之圣人，因天数之所止以为数，纪十如（而）更始。……见天数之所始，则知贵贱逆顺所在；知贵贱逆顺所在，则天地之情著……矣。……阳气以正月始出于地，生育长养于上，至其功必成也，而积十月。人亦十月而生，合于天数也。是故天道十月而成，人亦十月而成，合于天道也。故阳气出于东北，入于西北；发于孟春，毕于孟冬，而物莫不应是。阳始出，物亦始出；阳方盛，物亦方盛；阳初衰，物亦初衰；物随阳而出入，数随阳而始终，三王之正，随阳而更始。以此见之，贵阳而贱阴也。”（《春秋繁露·阴尊阴卑》篇）他在同书《阴阳位》篇中也说：“阳至其休而入化于地，阴至其伏而避德于下。是故，夏出长于上，冬入化于下者，阳也；夏入守虚地于下，冬出守虚地于上者，阴也。阳出实入实，阴出空入空，天之任阳不任阴，好德不好刑，如是也。”

董仲舒所谓五行，即《春秋繁露·五行之义》篇中所说：“一曰木，二曰火，三曰土，四曰金，五曰水。木，五行之始也；水，五行之终也；土，五行之中也；此其天次之序也。”关于五行的时空分配，董仲舒以为：“木居左，金居右，火居前，水居后，土居中央。”具体言之，即“木居东方而主春气，火居南方而主夏气，金居西方而主秋气，水居北方而主冬气，……土居中央谓之天润”（《五行之义》篇）。至于五行的相互关系，董仲舒以为有两种反相的法则，即“比相生”与“间相胜”（《五行相生》篇）。所谓比相生者，即“木生火，火生土，土生金，金生水，水生木”（《五行之义》篇）。所谓“间相胜”者，即“金胜木，……水胜火，……木胜土，……火胜金，……土胜水”（《五行相生》篇）。此五行之间，所以有此种相生相胜的关系，则由于“木主生而金主杀，火主暑而水主寒。……土者，天之肱股也，其德茂美，不可名以一时之事。故五行而四时者，土兼之也。金木水火，虽名职，不因土方不立”（《五行之义》篇）。

既明阴阳五行的关系与位置，则四时的形成，即属简单易解的课题。质言之，即四时的变成，实由于阴阳在五行的固定间架内不断的消长流动的结果。大体上，“阳盛则助木火为春夏，而万物生长；阴盛则金水为秋冬，而万物收藏”（冯友兰著《中国哲学史》五一二页）。更具体的说来，即如《春秋繁露·阴阳出入》篇所云：“天之道，初薄大冬，阴阳各从一方来，而移于后。阴由东方来西，阳由西方来东，至于中冬之月，相遇北方，合而为一，谓之日至。别而相去，阴适右，阳适左；适左者其道顺，适右者其道逆，逆气左上，顺气右下，故下暖而上寒。冬月尽而阴阳俱南还。阳南还出于寅，阴南还入于戌；……至于中春之月，阳在正东，阴在正西，谓之春分。春分者，阴阳相半也；故昼夜均而寒暑平。阴日损而随阳。阳日益而鸿，故为暖热。初得大夏之月，相遇南方，合而为一，谓之日至。别而相去，阳适右，阴适左，适左由下，适右由上，上暑而下寒。……夏月尽而阴阳俱北还，阳北还而入于申，阴北还而出于辰。……至于中秋月，阳在正西，阴在正东，谓之秋分。秋分者，阴阳相半也；故昼夜均而寒暑平，阳日损而随阴，阴日益而鸿，故至于季秋而始霜，至于孟冬而始寒，小雪而物咸成，大寒而物毕藏，天地之功终矣。”所以冯友兰曾云：“木火金水，各主四时之一气，而土居中央以策应之。因四时之气，代为盛衰，所以有四时之循

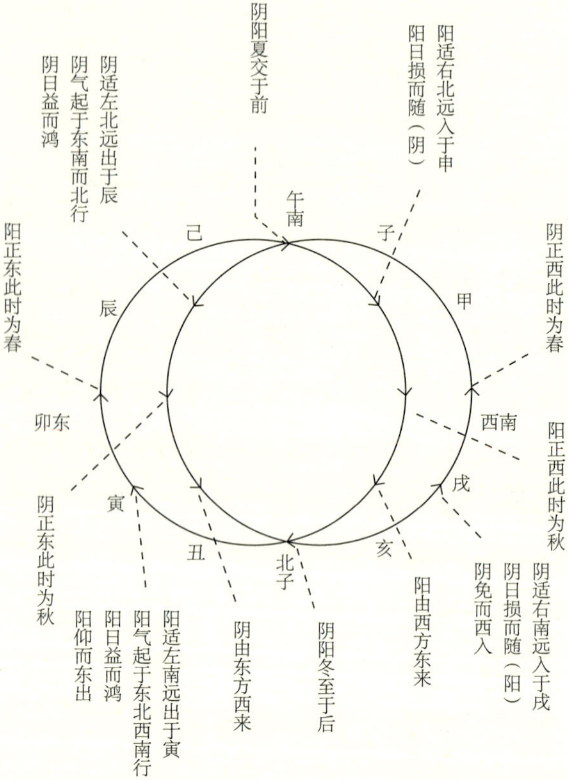
阴阳夏交于前
阳适右北远入于申
阳日损而随（阴）
阴适左北远出于辰
阴气起于东南而北行
阴日益而鸿
午南
己
子
甲
辰
阳正东此时为春
阴正西此时为春
卯东
西南
阳正西此时为秋
戌
寅
亥
丑
北子
阴正东此时为秋
阴适右南远入于戌
阴日损而随（阳）
阴免而西入
阳由西方东来
阴阳冬至于后
阴由东方西来
阳适左南远出于寅
阳气起于东北西南行
阳日益而鸿
阳仰而东出

环变化；四时之气之所以代为盛衰，则因有阴阳以使之然。”（《中国哲学史》五〇七页）冯氏更制一图（同书五一一页），颇为精审，特转录之如下，以清眉目。

这样，由阴阳五行四时相配合而形成的宇宙构造，在董仲舒看来，是经常的循环运转，绝不改动的。所以他说“天之道，终而复始”（《春秋繁露·阴阳终始》篇）；又说“道之大原出于天，天不变道亦不变”（《前汉书·董仲舒传》）。但是，董仲舒的宇宙观，表面上虽处处力求以自然的机械力，来说明宇宙的运动（如《春秋繁露·同类相动》篇所表示的企图，最为鲜明），而本质上则保持着目的论的神学的天道观念。如像天辨在《人》篇所说：“喜怒之祸，哀乐之义，不独在人，亦在于天。……天无喜气，亦何以暖而春生育？天无怒气，亦何以清而秋杀就？天无乐气，亦何以疏阳而夏长养？天无哀气，亦何以激阴而冬闭藏？故曰：天乃有喜怒哀乐之行……”其《阴阳义》篇亦云：“天亦有喜怒之气，哀乐之心，与人相副，以类合之，天人一也。春，喜气也；故生。秋，怒气也，故杀。夏，乐气也，故养。冬，哀气也；故藏。四者天人同有之，有其理而一用之。”这样看来，董仲舒的天，乃是有意志有好恶的神物。不但如此，而且天又有向违反自己意志的现象，实行示威或谴责的能力；这就是所谓“灾异”。《春秋繁露·必仁且智》篇有云：“……天地之物，有不常之变者，谓之异；小者谓之灾。灾先至而异乃随之。灾者，天之谴也；异者，天之威也。谴之而不知，乃畏之以威。诗曰：‘畏天之威’，殆谓此也。凡灾异之本，尽生于国家之失。国家之失，乃始萌芽，而天出灾害以谴告之；谴告之而不知，乃见怪异以惊骇之；惊骇之尚不知畏恐，其殃咎乃至。以此见天意之仁而不欲陷人也。”此外，在《求雨》篇有云：“昊天生五谷以养人，今五谷病旱，恐不成实！敬进清酒膊脯，再拜请雨，雨幸大澍！”《止雨》篇亦云：“嗟！天生五谷以养人，今淫雨太多，五谷不和，敬进肥牲清酒，以请社灵。幸为止雨，除民所苦！无使阴灭阳，阴灭阳不顺于天。天之常意，在于利人。人愿止雨，敢告于社，鼓而无歌，至罢，乃止。”在《顺命》篇又说：“父者，子之天也；天者，父之天也；无天而生，未之有也。天者，万物之祖，万物非天不生。”在《祭义》篇又说：“天者，百神之君也。”据此可知，董仲舒的天的思想，乃是被宗教化的有神论所贯彻了的神秘主义的唯心论的宇宙观，而冯友兰氏不察，竟认“董仲舒所谓之天，有时系指物质之天，即与地相对之天；有时系指有智力有意志之自然”（见《中国哲学史》五〇三页），殊属非是。

此外，董仲舒对于人类及天人关系的见解，亦应特别叙述，因为这是董仲舒由其宇宙观过渡到其历史观伦理学政治论及政治主张的桥梁。首先，董仲舒以为人类的存在，是宇宙自身完成的不可或缺的基本构成部分。其理由有二，第一，是因为“天、地、阴、阳、木、火、土、金、水，与人而十者，天之数也，故数者至十而止，……天至于人而毕”（《天地阴阳》篇）。第二，是因为“人之（为）人，本于天。天亦人之曾祖父，此人之所以乃上类天也。人之体形，化天数而成；人之血气，化天志而仁；人之德行，化天理而义；人之好恶，化天之暖清；人之喜怒，化天之寒暑”（《为人者天》篇）。于是宇宙的主宰者——天，乃按照自己的构造，创造了人类，使之灵长万长，代行自己的意志。所以在《人副天数》篇说道：“天地之精所以生物者，莫贵于人。人，受命于天也；故超然有以倚（高物）。物疢疾莫能为仁义，唯人独能为仁义；物疢疾莫能偶天地，唯人独能偶天地。人有三百六十节，偶天之数也；形体骨肉，偶地之厚也；上有耳目聪明，日月之象也；体有空窍理脉，川谷之象也；心有哀乐喜怒，神气之类也。观人之体，一何高物之甚而类于天也！……是故凡物之形，莫不伏从旁折天地而行，人独题（颋）直立端尚（向），正正当之。是故所取天地少者旁折之，所取天地多者正当之；此见人之绝于物而参天地。是故人之身，首妢而员，象天容也；发，象星辰也；耳目戾戾，象日月也；鼻口呼吸，象风气也；胸中达知，象神明也；腹胞实虚，象百物也。……天以终岁之数，成人之身。故小节三百六十六，副目数也；大节十二分，副目数也；内有五脏，副五行数也；外有四肢，副四时数也；乍视乍瞑，副昼夜也；乍刚乍柔，副冬夏也；乍哀乍乐，副阴阳也；心有计虑，副度数也，行有伦理，副天地也。此皆暗肤（虑）著身，与人俱生，比而偶之弇合。于其可数也，副数；不可数者，副类。皆当同而副天，一也。”这样，作为天的创造物的人类，在宇宙中的位置，是异常重要的。所以董仲舒在《立元神》篇又说道：“天地人，万物之本也；天生之，地养之，人成之。……三者相为手足，合以成体，不可一无也。”但是，人类虽是天之骄子，有“绝于物而参天地”的特权，却只能顺天之命，而不能逆天之志，这在《春秋繁露》中，像一根红线一样的贯穿着全部，恕不具引。

董仲舒根据着上述的宇宙观及人类观所到达的历史观伦理学及政治论，正如物体循力学法则而下落隳地一样的自然。即第一，他根据着“天之道终而复始”的循环论，建立起黑白赤三统说的互相交替循环的历史哲学（《三代改制质文》篇），在这种历史观中，以夏为黑统，尚黑色；商为白统，尚白色；周为赤统，尚赤色；继周而起的王朝，亦应为黑统而尚黑色。其基本的命题，即所谓“如顺连环，周而复始，穷则反本”（转引冯友兰《中国哲学史》补《秦汉历史哲学》篇）。这种循环论的历史观，本质上和印度哲学史中的轮回（Samsara）及业（Karma）的思想同样，都是亚细亚的停滞性的社会关系——阶级关系的渐变性的反复性的反映；同时董仲舒历史中的三统说，与当时流行的五德说（发源于阴阳家邹衍），当然有逻辑的关联。根据这种历史观，可以归结到“凡是存在的都是合理的”之匝合权威的结论，所以它对于当时业经整备的中央集权的官僚制的专制主义的汉代王室支配，自然具有着积极的巩固作用。与董仲舒同为公羊派的清代今文家如康有为等，所以建立其保皇党，而以循环论的历史观为理论基础，其原理亦正在此点。

第二，董仲舒又根据其“天道任阳不任阴”——“阳尊阴卑”的宇宙观，建立起了“三纲五纪”的伦理学。他在《春秋繁露》的《基义》篇说道：“凡物必有合，合必有上、必有下、必有左、必有右、必有前、必有后、必有表、必有里，有美必有恶，有顺必有逆，有喜必有怒，有寒必有暑，有昼必有夜，此皆其合也。阴者阳之合，妻者夫之合，子者父之合，臣者君之合。物莫无合，而合各有阴阳。……君臣父子夫妇之义，皆取诸阴阳之道。君为阳，臣为阴；父为阳，子为阴；夫为阳，妻为阴。阴道无所独行，其始也不得专起，其终也不得分功，有所兼之义。是故臣兼功于君，子兼功于父，妻兼功于夫，阴兼于阳。……阳之出也，常县于前而任事；阴之出也，常县于后而守空处，而见天之亲阳而疏阴，任德而不任刑也。是故仁义制度之数，尽取之天；天为君而覆露之，地为臣而持载之，阳为夫而生之，阴为妇而助之，春为父而生之，夏为子而养之，……王道之三纲，可求之于天。天出阳为暖以生之，地出阴为清以成之。……然而，计其多少之分，则暖暑居百，而寒清居一，德教之与刑罚，犹此也。故圣人多其爱而少其严，厚其德而简其刑，以此配天。”由此观之，不惟“三纲五纪”的伦理，即德治主义的政治论及汉代作为秦代法治专制主义反对命题而实施的德治主义政策，也同样在董仲舒的体系中，获得了形而上学的根据。

第三，董仲舒又根据其神学的天道观念，以王者为承天命治民而完成天的意志。他在《春秋繁露》的《深察名号》篇中说道：“天生民性，有善质而未能善，于是为之立王以善之，此天意也。民受未能善性之于天，而退受成性之教于王；王，承天意以成民之性之为任者也。”《前汉书·董仲舒传》亦云：“天令谓之命，命非圣人不行。……故王者，上谨于承天意以顺命也；下务明教化民以成性也；正法度之宜，别上下之序，以防欲也。修此三者，而大本举矣。”他在《春秋繁露》的《王道通》三篇中，更神秘的说道："古之造文者，三画而连其中谓之王。三画者，天地与人也；而连其中者，通其道也。取天地与人之中，以为贯而参通之，非王者孰能当是？是故王者唯天之施〔法〕，施（法）其时而成之〔□□〕，法其命而循之诸人，法其数而以起事，治其道而以出法〔法其道而以出治〕，治〔法〕其志而归之于仁。"这样，又从神秘主义的文字学上，神圣化了汉代的专制支配。

第四，董仲舒更以同一的根据，使社会的阶级秩序绝对化，以隐蔽阶级对立。所以他说："吾闻圣王所取仪金〔法〕天之大经，三起而成，四转而终。官制亦然者，此其仪与？三人而为一选，仪于三月而为一时也；四选而止，仪于四时而终也。三公者，王之所以自持也；天以三成之，王以三自持。……备天数以参事，治仅于道之意也。……天有四时；时，三月；王有四选；选，三臣。是故有孟有仲有季，一时之情也；有上有中有下，一选之情也。……人之材，固有四选；如天之时，固有四变也。……尽人之变合之天，唯圣人者能之，所以立王事也。故一岁之中有四时，一时之中有三长，天之节也；人生于天而体天之节，故亦有大小厚薄之变，人之气也。先王因人之气而分其变，以为四选；是故三公之位，圣人之选也；三卿之位，君子之选也；三大夫之位，善人之选也；三士之位，正直之选也。分人之变，以为四选，选立三臣；如天之分岁之变，以为四时，时有三节也。天以四时之选，与十二节相和而成岁；王以四位之选，与十二臣相砥砺而致极。道必极其所致，然后能得天地之美也。"（《春秋繁露·官制象天》篇）

人类既为天所创造"使行仁义而羞可耻"（《竹林》篇）的傀儡，它的权利与义务，又只能顺天而不能逆天，而王者的一切措施，又悉系上承于天意，则其专制自为的生杀予夺，自然是"春露秋霜，皆出圣恩"。所以董仲舒的宗教化的唯心论体系，能与汉代的中央集权的官僚专制主义支配，蒂结下牢固的依存关系，在逻辑上，实有其必然的基础。

以上我们对于董仲舒的学说所以要繁重的引征，其唯一的目的，只在于实证"反动的历史观伦理学政治论及政治主张，必然以反动的宇宙观为其立足的地盘"。

第十章　汉代哲学（下）

第一节　扬雄的折衷主义——唯物论与唯心论的混合

在西汉末年发生的特殊形态的唯物论与唯心论的斗争——即古文派与今文派的儒教思想的内部斗争，本质上是当时统治阶级的内部政治斗争的反映。到西汉末年，由于巨大商人资本与官僚地主的土地兼并，使广大农民失去了土地，并造成了“连年久旱，百姓饥穷，故为盗贼”（《王莽传》）的严重灾荒与农民骚动，这时候统治阶级的内部，在政见上便化分成两派。第一派是现状维持派，他们是在“拥刘”的意识下企图继续其对于农民的剥削，而以今文派的宗教化的唯心论为思想上的支配工具（注意：董仲舒的王室本位思想——抑止商人资本的兼并与大土地所有的发展的思想，此时已经随西汉经济的发展而丧失了支配的作用）；第二派是改良派，他们以“复古”为旗帜，企图限制商人资本与大土地所有的发展，借改革现状的手段，来和缓农民的不平，其理论上的代表，即所谓“古文经学派”，于是两派的斗争，乃出现于中国哲学的论坛。但是，因为它是统治阶级内部的斗争，所以本性上便缺乏彻底性；如像古文派的第一个代表人同时又是辅佐王莽实行改革的刘歆氏，即曾以谶纬说解释儒教经典（见《后汉书·五行志》），透露了对于今文派——宗教化的唯心论的妥协态度，以致其客观主义的机械唯物论，也染上了神学的色彩。扬雄的折衷主义，正是古文派经学家与今文派的不彻底性的斗争的产物；因而在他的体系的内部，便表现着唯物论要素与唯心论要素的混合形态。

扬雄哲学的折衷主义性，在于他摄取《周易》与老子的理论，并杂以阴阳家的神秘主义（历法），而铸成其宇宙观，另方面又根据儒教的人生哲学的关心，而建立其伦理学说。其《太玄赋》有云：“观大易之损益兮，览老氏之倚伏。省忧喜之共门兮，察吉凶之同域。皦皦著乎日月兮，何俗圣之暗烛？岂慯宠以冒灾兮，将噬脐之不及？若飘风之不终朝兮，骤雨不终日；雷隆隆而辄息兮，火犹炽而速灭。自夫物有物盛衰兮，况人事之所极？”此扬雄氏承继《周易》与老子的宇宙观的确证。但其在伦理问题上，则又将老子与其他诸派的思想，完全舍弃，而独尊崇儒教。所以他说：“老子之言道德，吾有取焉耳；及搥提仁义，绝灭礼学，吾无取焉耳。”（《法言·问道》篇）又说：“庄扬荡而不法，墨晏俭而废礼，申韩险而无化，邹衍迂而不信。”（《法言·五百》篇）那么，周秦诸子的伦理学说，既均不足取，显然只有儒家堪作楷模，这是扬雄的自然的结论。所以他说：“或曰：人各是其所是，而非其所非，将谁使正之？曰：万物纷错，则悬诸天；众言淆乱，则折诸圣。或曰：恶睹乎圣而折诸？曰：在则人，亡则书，其统一也。”（《法言·吾子》篇）在扬雄看来，儒教的经典“诗书礼春秋，或因或作，而成于仲尼”（《法言·问神》篇），所以“说天者莫辩乎易，说事者莫辩乎书，说体者莫辩乎礼，说志者莫辩乎诗，说理者莫辩乎春秋”（《法言·寡见》篇）。因为“山峌之蹊，不可胜由矣；向墙之户，不可胜入矣。曰：恶由入？曰：

孔氏。孔氏者，户也”（《法言·吾子》篇），所以又说：“书不经，非书也；言不经，非言也；言书不经，多多赘矣。”（《法言·问神》篇）此扬雄的伦理学说，采取儒教的明证。

扬雄的宇宙观，乃是唯物论与唯心论的混合体。其唯物论要素，多导源于老子学说之正统的复述或拟作。他在《太玄》一书的《太玄莹》篇道：“夫作者贵其有循而体自然也。……故不攫所有，不疆所无。譬诸身，增则赘，而割则亏。……其可损益欤？”这一段话，有二点可以注意：第一，以自然——宇宙为研究的对象，便是扩大了儒教的人生哲学的关心的传统的领域，因“其所循也大，则其体也壮，其所循也小，则其体也瘠”，是知在扬雄看来，唯有由宇宙论出发，在宇宙观中有了根据的学说，才是伟大的体系；第二，自然是独立于人类意识而存在的客观实在的范畴，一切的学说，只有契合于自然的本质，才能成为科学的真理，如果系出于主观的歪曲，即或“攫”自然所本有，或“疆”自然所本无，而妄事增减，则非“赘”即亏，皆是错误。这两点，在基本精神上，都是唯物论的宇宙观的命题。其次，扬雄以为宇宙有一元的最高法则的存在，这就是他所说的

"玄"。《太玄》中《太玄图》有云"夫玄也者，天道也，地道也，人道也"，即是此义。他的作为宇宙最高法则的"玄"，实际上就是老子所说的"道"的同义语。请看他说："玄者，幽摛万类而不见其形者也。仰而视之在乎上，俯而窥之在乎下，企而望之在乎前，弃而忘之在乎后；欲违则不能，嘿则得其所者，玄也。……知阴知阳，知止知行，知晦知明者，其惟玄乎。"（《太玄·太玄摛》篇）可见扬雄所谓"玄"与老子的"道"同样，虽是超感觉的范畴，同时又是规定着万物的发生、运动及其秩序的最高的原动力。这样，扬雄以玄为宇宙的最高法则，更杂以阴阳家的历法（如《太玄图》篇所谓："一与六共宗，二与七共明，三与八成友，四与九同道，五与五相守"），遂构成了神秘倾向的宇宙间架。这就是说，扬雄认"玄"在空间上分为一方二方三方，共为三"方"；每方又各分为一州二州三州，共为九"州"；每州又各分为一部二部三部，共为二十七"部"；每部又各分为一家二家三家，共为八十一"家"。在时间上，玄又综合了"方""州""部""家"四者如𝌆（一方一州一部一家）𝌇（一方一州一部二家）等为"首"，共为八十一"首"；

每首附九“赞”，共为七百二十九“赞”；每二赞为一日，此七百二十九赞，共合三百六十四日半；此外，另加两赞，凑成了一年三百六十五日半之数。扬雄以为在这样的宇宙间架中，便“旁通上下”，万物可得而有；“九营周流”，岁时可得而成。扬雄更进一步，仿《易纬》及《孟京易学》中的卦气说，以代表每州第一部第一家的首，为一“天”，共为九天。他说：“九天，一为中天，二为羡天，三为从天，四为更天，五为睟天，六为廓天，七为减天，八为沈天，九为成天。”（《太玄数》篇）在《太玄图》篇又申述其理云：“诚有内者存乎中，宣而出者存乎羡，云行两施存乎从，变节易度存乎更，珍光淳全存乎睟，虚中弘外存乎廓，削退消部存乎减，降队幽藏存乎沈，考终性命存乎成。是故一至九者，阴阳消息之计邪。反而陈之，子则阳生于十一月，阴终十月可见也；午则阴生于五月，阳终于四月可见也。生阳莫如子，生阴莫如午。西北则子美尽矣，东南则午美尽矣。”这就是说，阳始于亥，生于子；阴始于巳，生于午，一岁始于十月，十一月为中首，此时万物萌动，蕴蓄未发；终于十月，十月为成首，此时万物命终，成熟收藏。并且，人类既是太玄支配下的一小玄，则其发展的阶段，也自然是九个。所以扬雄接着便论到了人类的九个发展阶段，他说："故思心乎一，反复乎二，成意乎三，条畅乎四，著明乎五，极大乎六，败损乎七，剥落乎八，殄绝乎九。生神莫先乎一，中和莫盛乎五，倨剧莫困乎九。夫一也者，思之微者也；四也者，福之资者也；七也者，祸之楷者也。三也者，思之崇者也；六也者，福之隆者也；九也者，祸之穷者也。二五八，三者之中也。"又说："自一至三者，贫贱而心劳；四至六者，富贵而尊高；七至九者，离咎而犯灾。五以下作息，五以上作消。数多者见贵而实索，数少者见贱而实饶。息与消纠，贵与贱交。"又说："一与六共宗，二与七共明，三与八成反，四与九同道，五与五相守。"这样，只要理解了太玄之理，则未来的吉凶祸福，便皆可预卜。所以我们有充分的根据，认扬雄的宇宙观，是《周易》与老子的唯物论要素及阴阳家或今文派的宗教化的唯心论要素之奇妙的结合体。

至于扬雄的伦理学说，大体上除了复述儒教的传统教条（例如五伦说与五常说）以外，无甚积极的建树。惟其主张"人之性也，善恶混。修其善则为善人，修其恶则为恶人”(《法言·修身》篇),以加重人为的自我修养的必要性,是其特色。此外,因其与今文派宗教化的唯心论对立的结果,在伦理问题范围内,尝能严守孔子经验论的立场,以反驳今文派所吸收的宗教迷信观念。例如《法言》的《吾子》篇云:“古者扬墨塞路,孟子辞而辟之,廓如也;后之塞路者有矣,窃自比于孟子。”扬雄以孟自命,所批判的对象,正是这些迷信。例如(一)“或问:五百岁而圣人出,有诸?曰:尧舜禹,君臣也,而并;文王武王,父子也,而处;汤孔子数百岁而生。因往以推来,虽千一(即千岁一圣,或一岁千圣)不可知也。”(《法言·五百》篇)(二)“或问:圣人占天乎?曰:占天地。若此,则史也何异?曰:史以天占人,圣人以人占天。”(同篇)(三)“或问:星有甘石何如?曰:在德不在星……”(同上)(四)“象龙之致雨也,难矣哉……”(《法言·先知》篇)(五)“或问黄帝终始。曰:托也。昔者姒氏治水土,而巫步多禹。扁鹊,卢人也,而医多卢。夫欲雠伪者,必假真。禹乎!卢乎!终始乎!”(《法言·重黎》篇)(六)“或问:赵世多神,何也?曰:神怪茫茫,若存若亡,圣人曼云。”

（同上）（七）“或问：人言仙者，有诸乎？吁！吾闻伏羲神农殁，黄帝尧舜殂落而死，文王毕孔子鲁城之北，独子爱其死乎？非人之所及也！仙亦无益子之汇矣。”（《法言·君子》篇）（八）“或曰：圣人不师仙，厥术异也。圣人之于天下，耻一物之不知；仙人之于天下，耻一日之不生。曰：生乎！生乎！名生而实死也。”（同上）（九）“或曰：世无仙，则焉得斯语？曰：语乎者，非器器也与？惟器器，能使无为有。”（同上）（十）“或问仙之实。曰：无以为也。有与无，非问也；问也者，忠孝之问也。忠臣孝子，偟乎不偟。”（同上）（十一）“有生者，必有死；有始者，必有终；自然之道也”（同上）。这些命题，俱有充分的无神论的倾向。这种前进的唯物论无神论要素的获得，自然与扬雄的改革现实的积极性（虽然不彻底）的实践态度，有不可分离的关联。扬雄的政治立场的积极性，表现在他的反无为主义的见地上。《法言》的《问道》篇有云：“或问无为。曰：奚为哉？在昔禹夏袭舜之爵，行尧之道，法度彰，礼乐著，垂拱而视天下民之阜也，无为矣；绍桀之后，纂纣之余，法度废，礼乐亏，安坐视天下民之死，无为乎？”只要我们知道了无为主义是汉代黄老思想及基于黄老思想的求长生不死的方士迷信的政治原理，则扬雄的反无为与无神论的联系的枢纽，将更加鲜明。

总之，扬雄并非富于独创性的哲学家，他的《太玄》一书，不但在内容上系拾前人牙慧，羌无新见，即其全书的结构，也全然摹拟《易经》而成。日本渡边秀方氏关于此点有扼要的叙述。他说："《易》为二元论，它(《太玄》)为三元论，……《易》的大成卦成于六爻，《太玄》则成于方州部家四重；易八卦相重，成六十四卦，《太玄》则以一二三杂于方州部家四重内，成八十一首；《易》每卦合六爻，成三百八十四卦，《太玄》则每首合九赞，成七百二十九赞；……其他《易》有元亨利贞，它（《太玄》）则有罔直蒙冥酋五德；《易》大衍的数五十，其用四十九，它则天地的策各十八，合为三十六，而它虚其三，因为三十三策；《易》揲之以四，它揲之以三；《易》有七九八六，呼为四象，它则有一二三，称为三摹；《易》有彖，它有首；《易》有爻，它有赞，《易》有象，它有测；《易》有文言，它有文；《易》有系辞，它有摛莹挽图告五辞；《易》有说卦，它有数；《易》有序卦，它有冲；《易》

有杂卦，它有错——诸如此类，两两相对模合而成的。”（《中国哲学史概论》中世哲学第一编第八章第二节此处所引，系据商务出版的刘侃元译本）至于他的《法言》一书，也是摹拟《论语》体裁而成，所以《前汉书·扬雄列传》云：“扬雄……以为经莫大于《易》，故作《太玄》；传莫大于《论语》，作《法言》。”而且其唯物论与无神论的思想，也仅止是一种萌芽的形态，而缺乏体系性，甚至此等断片，也非出自创见，所以扬雄的哲学，虽然字面上非常古奥晦涩，而其思想的内容，和诸子时代的哲学比较起来，依然是十分贫弱的。这种形式艰深与内容贫乏，正是一切折衷主义哲学的共同特征。不过，他身处阴阳家方士思想弥漫社会的汉代，竟能揭出历史上的唯物论无神论的遗产，以对抗当时今文派的“非常可怪之论”，实在是非常值得特别纪念的。

第二节　作为汉代哲学的异例的王充的唯物论

汉代哲学的最一般的特征，即哲学发展的停滞，思维力的衰弱化；其唯一的例外，就是王充的唯物论。王充的哲学，在哲学史上的功绩，在于他复活了老子、杨朱与荀子哲学中的唯物论要素，实际上属于杨朱荀子的唯物论的传统；其在汉代哲学中的位置，则持其唯物论而与儒教的唯心论的宗教思想相对立，一一予以批判，建立了汉代哲学最高峰——实为一种异例——的战斗的唯物论。因此，我们应尽可能的加以详细的叙述，以便批判的承继此宝贵的哲学遗产。

（甲）王充的时代特征及其阶级性

据《后汉书·王充传》及《论衡·自纪》篇所载，王充的生年，当在纪元二七年至九八年之间（《自纪》篇云："〔光武帝〕建武三年充生"，本传云："〔昭帝〕永元中病卒于家"），此时代的特征，是西汉末年的奴隶及农民暴动初平，王莽的改革政策倒台，东汉的王朝在西汉奴隶制矛盾的旧有基础上重新建立，同时又是纪元一〇七年（即安帝永初元年）以降的长期农民暴动的前夜。所谓东汉时代，本质上乃是西汉的延长，在经济领域中，非惟看不见发展，反而显示着衰退；中央集权的官僚的专制主义，全然陷于腐朽境地。一般的社会——政治的危机，表现在商业的退化，农民经济的破坏，官僚豪贵之下的土地集中，贫富悬殊之尖锐的加深，农民大众的赤贫化及流亡化等等上面。以此为基础，哲学的思维力，乃大形衰落；以客观主义的机械唯物论为特征的古文派经学，或陷于被压迫地步，或向宗教化的唯心论投降，而隳落成今文派经学的一个支流。例如东汉的古文派的正统巨子桓谭氏，在其上光武帝的《疏陈时政》一文中曾云："今诸巧慧小才技数之人，增益图书，矫称谶记，以欺惑贪邪诖误，人主焉可不抑远之哉？臣谭伏闻陛下穷折方士黄白之术，甚为明矣，而乃欲听纳谶记，又何误也！其事虽有时合，譬犹卜数只偶之类，陛下宜垂明听，发圣意，屏群小之曲说，述五经之正义，略雷同之俗语，详通人之雅谋。"这样的疏凡三上，初则"失旨不用"，再则"奏书不省"，三则"帝省奏愈不悦"。终于招来了严重的压迫。这就是下面所载令人惨痛的事实："其后有诏会议灵堂所处，帝谓谭曰：吾欲谶决之，何如？谭默然良久，曰：臣不读谶。帝问其故，谭复极言谶之非经。帝大怒曰：桓谭非圣无法！将下斩之。谭叩头流血，良久乃得解。出为六安郡丞，意忽忽不乐，道卒。”（俱见《后汉书 · 桓谭传》）其所著新论二十九篇，不见于世，想亦与东汉的压迫古文派学说的文化政策，不无关系。因此，古文派乃逐渐丧失其党派性，到贾逵的手中，更至自贬其立场，而完全投降于今文派经学的神学的说教。据《后汉书》本传所载，第一，他说：“臣谨摘出左氏三十事尤著明者，斯皆君臣之正义，父子之纪纲；其余同公羊者十有七八，或文简小异，无害大体”；这是曲解左氏与公羊为同质的著作。第二，他说：“至光武皇帝奋独见之明，兴立左氏、《穀梁》，会二家先师，不晓图谶，故令中道而废”；“五经家皆无以证图谶，明刘氏为尧后者，而左氏独有明文。五经家皆言颛顼代黄帝，而尧不得为火德；左氏以为少昊代黄帝，即图谶所谓帝宣也。如令尧不得为火，则汉不得为赤，其所发明补益实多。”这显系曲解左氏为图谶之学。他如“神雀集宫殿”，他解为“降胡之征”，也同样古文派自背其客观主义的机械唯物论，而投降于今文派宗教化的唯心论的特征。至此后马融、郑玄等的训诂学、神仙说、谶纬说等神秘的迷信思想，也不过是贾逵所开始的古文派向宗教化的唯心论投降的堕落倾向的完成而已。

王充的时代特征，既如上述；现在我们且根据《论衡》的《自纪》篇及《后汉书》的《王充传》，来考察王充的阶级性。王充的出身和经历，与汉代一般的哲学者相反，他既不是巨大商人资本家，也不是显官或地主，从其祖父时代起，就是钱塘县兼业农桑的小商业经营者，至其父王诵，因与当地的豪族丁伯对立结怨，移家于上虞。充及长，虽曾一度师事洛阳的班彪，然因“贫无一亩庇身”、“贱无斗石之秩”，也只得本其“居贫苦而志不倦”的雄心，常借国都洛阳的书店阅读，幸其天才过人，有一见成诵的记忆力，所以在艰苦的自学中，终于得到了“遂通诸子百家之说”的成果。而且也正因如此，王充才能在汉代的儒学修养以外，完成其独特的体系。纪元八十八年（章帝章和二年），罢州归里，“年渐七十，仕路隔绝”，“贫无供养”，乃于“志不娱快”之余，闭户著书，绝庆吊之礼。他自己也说：“充，细族孤门。或啁之曰：宗祖无淑懿之基，文墨无篇籍之遗，虽著丽鸿之论，无所禀阶，终不为高。夫气无渐而卒至，曰变；物无类而妄生，曰异；不常有而忽见，曰妖；诡于众而突出，曰怪。吾子何祖？其先不载。况未尝履墨涂，出儒门，吐论数千万言，宜为妖变。”这样看来，王充的家世，本属于被压迫的贫苦农民阶级，其自身也自学成功而终生不遇的农民哲学者，在这一点上来讲，王充可以说是“中国的狄慈根”。

王充既生于东汉社会的诸矛盾日益发展，并宗教化的唯心论成为支配的思想的时代，其自身又是自学成功的农民大众的哲学者，所以便对角线的揭出了唯物论与无神论，深刻的批判了当时腐朽的社会，各种形态的迷信与宗教的神秘的思想。王充著作的动机，其《自纪》篇说得非常明白。兹节引如下:（一）讥俗节义——“俗性贪进忽退，收成弃败。充升擢在位之时，众人蚁附；废退穷居，旧故叛去。志俗人之寡恩，故间居作讥俗节义十二篇，冀俗人观书而自觉。故自露其文，集以俗语。”（二）政务——“充既疾情，作讥俗之书；又闵人君之政，徒欲治人，不得其宜，不晓其务；愁精苦思，不睹所趋。故作政务之书。”（三）论衡——“又伤伪书俗文，多不诚实，故为论衡之书。”（四）实论——“夫圣贤殁而大义分，蹉跎殊趋，各自开门。通人观览，不能钉铨。遥闻传授，笔写耳取，在百岁之前，历日弥久，以为昔古之事，所言近是。信之入骨，不可自解，故作实论。其文盛，其辩争，浮华虚伪之语，莫不澄定；没华虚之文，存敦庬之朴；拨流失之风，反宓戏之俗。”（五）养性——“章和二年，罢州家居，年渐七十，时可悬舆。仕路隔绝，志穷无如；事有否然，身有利害，发白齿落，日月逾迈，俦伦弥索，鲜所持赖。贫无供养，志不娱快。历数再再，庚辛域际，虽惧终徂，愚犹沛沛。乃作养性之书，凡十六篇。”是知王充的著作五种，均一贯的渗透了变革的精神；惟所谓《讥俗》、《政务》、《实论》、《养性》等书，今皆失传，无从研究其思想的内容。今就其仅存的《论衡》一书而论，已可充分理解其战斗的意义。日本的武内义雄氏，关于此点，曾扼要的说道：“他（王充）在他的《书虚》、《变虚》、《异虚》、《感虚》、《福虚》、《龙虚》、《雷虚》、《道虚》等八篇上，指摘出灾异祸福吉凶之说，很多是虚妄的；在《论死》、《死虚》、《论鬼》诸篇上，申斥灵魂不灭的思想；在《讥日》、《卜筮》、《辨祟》、《难岁》等诸篇，排击一般世俗的迷信；在《讲瑞》、《指瑞》、《是应》等篇，申论并没有瑞兆这回事。更在《语增》、《儒增》、《艺增》三篇，证实在文献中有妄增窜改的事；末后在《非韩》上非难《韩非》，在《说天》、《说日》上，非难邹衍和天文家的学说；在《问孔》、《刺孟》上，说明孔子孟子的学说里也有矛盾，有应刺的地方，全篇到处努力打破迷信。”（见《中国思想史》一七八页）这种革命的著作，自然要被统治阶级视为危险思想而遭受禁止。所以《后汉书》注解云：“袁山松书曰：充所作《论衡》，中土未有传者；蔡邕入吴始得之，恒秘玩以为谈助。其后，王朗为会稽太守，又得其书；由是遂见传焉。抱朴子曰：时人嫌蔡邕得异书，或搜其帷中隐处，果得《论衡》，抱数卷持去；邕丁宁之曰；惟我与尔共之，勿广也。”此外，就《自纪》篇所云，当时的士大夫们，对于王充的著作，曾多方加以轻蔑的非难，更可知其战斗性的强烈与曝露性的彻底。

这样，王充不仅是汉代稀有的唯物论的科学的思想家，且为其死后不久所爆发的农民暴动的科学的先驱者。然而，最可惋惜者，即中国社会对于王充的唯物论，无神论，不曾提供使之成为蜂起的农民大众自身的哲学的条件，反而此等农民大众，在五斗米教的张道陵及黄巾的张角等的道教思想中，看出了他们的思想，以致农民大众的反抗的战斗精神，终于消失在此种道教的迷信的信仰之中；而王充的唯物论，无神论，通过了此后中国的长期全部历史，也永未能出现其后继者。一般看来，在汉代以降中国社会之亚细亚的停滞状态下，对于王充的唯物论，完全没有造出其可能发展的条件。王充的唯物论成立的社会根源，实在于东汉的阶级斗争，而为反抗的农民大众斗争之先驱的科学的代表者；近人吕振羽氏，竟企图由汉代社会的经济发达状态中，来说明王充哲学的成立（参照所著《中国政治思想史》三〇五至三二一页），殊为欠妥。

总之，王充的唯物论，是汉代哲学中的一个异例，因此，便规定了他的唯物论之暂时的生命。王充是杨朱、荀子所创立的中国唯物论的最后的一人。此后，王充的唯物论的精神，虽潜沈到了忘却的深渊，而现在随着中国民族解放运动的发展，则又以新的姿态而苏生，现实的成了民族解放运动的指导哲学。

（乙）王充的唯物论、无神论

王充否定了天——神的思想，而认天——宇宙为在其固有的自然法则支配下的全然物质的存在。他说：“或说以为天生五谷以食人，生丝麻以衣人；此谓天为人作农夫桑女之徒也，不合自然，故其义疑，未可从也。……何以天之自然也。以无口目也。案有为〔即有意志〕者，口目之类也：口欲食而目欲视，有嗜欲于内，发之于外，口目求之，得以为利欲之为也。今无口目之欲，于物无所求索，夫何为乎？何以知天无口目也？以地知之。地以土为体，土本无口目，……亦知天无口目也。使天体乎？宜与地同；使天气乎？气若云烟，云烟之属，安得口目！……天不欲动以生物，而物自生，此则自然也；施气不欲为物，而物自为，此则无为〔即无意志〕也。……观鸟兽之毛羽，毛羽之彩色，通可为乎？……春观万物之生，秋观其成，天地为之乎？如谓天地为之，为之宜用手；天地安得万万千千手，并为万万千千物乎？”（见《论衡·自然篇》）他这样便证明了天为自然的范畴，推翻了宗教化的唯心论（儒教思想）的神学的宇宙观。所以他又说：“儒家说夫妇之道，取法于天地；知夫妇法天地，不知推夫妇之道，以论天地之性〔按即不知据夫妇施气——性交——非欲以生子气施而子自生之理，以推演天地合气，万物自生的宇宙观，而仍持神学的上帝造物说〕，可谓惑矣！”（同上）如果我们还记得以董仲舒为代表的汉代经学者，曾有“天生五谷以食人”的命题，则王充在这里所指为“可谓惑矣”的谬见，系指什么对象而发，便昭然若揭了。并且王充所谓“天地合气，万物自生”的“气”，也全然是物质的范畴，而非意识的范畴。我们按《无形篇》所云“形、气，天性也；……形随为动。气性不均，则于体不同”等语来看，则知王充所说的“气”，就是“本质”，其所谓“形”，就是“现象”。所有事物现象（形）的差异，均由于构成该事物的本质（气）的不同而生。但无论如何千差万别，而归根结底，仍然都是物质的范畴；所以他说：“人，物也；物，亦物也。”（《论死篇》）又说：“人，禽，皆物也；俱为万物。”（《寒温篇》）王充以为宇宙间的事物，皆在宇宙自体之本质的运动过程中，由物质的自己原因而自然的成长，发展，没落，并非由超物质的外力所创造。所以说：“天之行也，施气自然也。施气则物自生，非故施气以生物也。不动，气不施；气不施，物不生。”（《说日篇》）又说：“天之动行也，施气也；体动气乃出，物乃生矣。”（《自然篇》）又说：“夫天覆于上，地偃于下，下气蒸上，上气降下，万物自生其中间矣。”（《自然篇》）在王充看来，事物的形成，不但由于自己运动，而且由于异性同气的反对诸要素的同时并存而相互联系，所以他在《谴告篇》说道：“凡物能相割截者，必异性者也；能相奉成者，必同气者也。是故离下兑上曰革，革，更也；火金殊气，故能相革。如俱火而皆金，安能相成？”这明明是辩证法的观点的萌芽。这样形成的事物，根据其固有的法则，必然又由发展而归于没落。所以自然篇有云：“天道无为。故春不为生，而夏不为长，秋不为成，冬不为藏。阳气自出，物自生长；阴气自出，物自成藏。”在《偶会篇》也说：“夫物以春生夏长，秋而熟老，适自枯死。……物有秋不死者，生性未极也。”

现在我们要更进一步来考察事物所于以运动发展的岁时季节的形成与区分的由来。在这里，可以看到王充的唯物论的宇宙观的成立，与其天文学的造诣之深度及一般自然科学知识的丰富性之间的紧密的结合。我们在前面的董仲舒——甚至扬雄的宇宙观中，已经分析过其天文学与神学——尤其阴阳五行术数等迷信观念的不可分性。王充的岁时季节变说，则完全充满了自然科学的科学精神。第一，王充认为春夏秋冬四季的变化，不是由于阴阳五行的盛衰消长，而是完全由于日月的周转运行轨道距离地面的远近所致。例如他说："儒者曰：冬日短，夏日长，亦复以阴阳。夏时阳气多，阴气少，阳气光明，与日同耀，故日出辄无障蔽。冬，阴气晦冥，掩日之光，日虽出，犹隐不见；故冬日日短，阴多阳少。与夏相反。如实论之，日之长短，不以阴阳。……以阴阳说者，失其实矣！实者，夏时日在东井，冬时日在牵牛。牵牛去极远，故日道短；东井近极，故日道长。夏，北至东井；冬，南至牵牛；故冬夏节极，皆谓之至。春秋未至，故谓之分。……然则，夏日之长也，其所出之星在北方也；冬日之短也，其所出之星在南方也。"（《说日篇》）这里的见解，虽仍为天动地静说所支配，但在当时神学的天文学支配之下，王充的学说，也不失为天才的创见。我们要顺便谈及的，即近人吕振羽氏，竟将王充的天文学说，夸大成"已达到转（？）正确的地圆说的见解"（《中国政治思想史》三一〇页），殊为溢美。

因为所谓地圆说，是明代以后欧洲科学输入的结果，在明代以前，均以地平说为天经地义，此周知的事实，勿庸置辩。王充之支持地平说，在《说日篇》中，原有明文。例如“天平正与地无异”，即其相信天与地皆平而均非圆的明证。第二，王充曾运用着力学及光学知识，来解释太阳的出入与运动。他说：“日出上入下者，随天运转，视天若覆盆之状，故视日上下然，似若出入地中矣。然则，日之出，近也；其入，远不复见，故谓之入。运见于东方近，故谓之出。……人望不过十里，天地合矣；远，非合也。今视日入，非入也；亦远也。当日入西方之时，其下，民亦将谓之日中，从日入之下，东望今之天下，或时亦天地合。……各于近者为出，远者为入，实者不入，远矣。临大泽之滨，望四边之际与天属，其实不属；远，若属矣。日以远为入，泽以远为属，其实一也。泽际有陆，人望而不见；陆在。〔日〕察之若望〔亡〕，日亦在。视之若入，皆远之故也。”（《说日篇》）王充在论太阳出没问题上的见解，因为不了解地圆说及地动说的关系，处处以日动立论，固不免陷于近代天文学所谓“视动”（Visual motion）的谬误；但其能直观的运用光学上的“视角”（Visual angle）的理论，证明所谓“日出上入下”及“临大泽之滨望四边之际”地与天合的现象，本质上乃是由于“远”，而非太阳真有入没，天地真相连属，以维持其“天平正与地无异”的命题，实不得不对于其自然科学知识的丰富性及其逻辑力的发达，表示佩服！第二，王充又从其天动地静的立场出发，用具体实例证明本质与现象的差别性，他说：“天行三百六十五度，积凡七十三万里也，其行甚疾，……去人高远，视之若迟。盖望远物者，动若不动，行若不行。何以验之？乘船江海之中，顺风而驱，近岸则行疾，远岸则行迟。船之行，一也；或疾或迟，远近之视，使之然也。……远则若迟，近则若疾。”（《说日篇》）又说：“日月行迟，天行疾。天持日月转，故日月实东，而反西旋也。”（同篇）在这里，如舍弃了他的天动说的谬误，便完全合致于相对性理论（Relativitats theorie）的力学原理。而且在其承认客观的真理独立于感觉而存在的观点上，更充满了唯物论的认识论的精神。第三，王充又运用着几何学的知识，来说明一日之中，太阳与我们距离最近的时候，在于正午。他说：“儒者或以旦暮日出入为近，日中为远；或以日中为近，日出入为远。其以日出入为近，日中为远者，见日出入时大，日中时小也；察物近则大，远则小，故日出入为近，日中为远也。其以日出入为远，日中为近者，见日中时温，日出入时寒也；夫火光近人则温，远人则寒，故以日中为近，日出入为远也。二论各有所见，故是非曲直，未有所定。如实论之，日中近而日出入远。何以验之？以植竿于屋下。夫屋高三丈，竿于屋栋之下，正而树之，上叩栋，下抵地，是以屋栋去地三丈，如旁邪倚之，则竿末旁跌，不得叩栋，是为去地过三丈也。日中时，日正在天上，犹竿之正树，去地三丈也；日出入，邪在人旁，犹竿之旁跌，去地过三丈也；夫如是，日中为近，出入为远，可知明矣。试复以屋中堂而坐一人，一人行于屋上，其行中屋之时，正在坐人之上，是为屋上之人，与屋下坐，相去三丈矣。如屋上人在东危若西危上，其与屋下坐人，相去过三丈矣。日中时，犹人正在屋上矣；其始出与入，犹人在东危与西危也。日中去人近，故温；日出入远，故寒。”（《说日篇》）这是他以天体与地面为上下两平行物，并以太阳在天体上运转为前提，运用几何学上两点的距离以垂直线为最近的定理，来证明“日中去人近，日出入时去人远”的论证法。第四，关于云雨的气象形成，王充也提出了惊人的唯物论的科学见解。他说：“儒者又曰：雨从天下。谓正从天坠也。如当‘实’论之，雨从地上，不从地下。见雨从上集，则谓从天下也；其实地上也。……雨之出山，或谓云载而行，云散水坠，名为雨矣。夫云则雨，雨则云矣。初出为云，云繁为雨。……月丽于上，山烝于下，气体偶合，自然道也。云雾，雨之征也。夏则为露，冬则为霜，温则为雨，寒则为雪。雨露冻凝者，皆由地发，不从天降也。”（《说日篇》）这种见解，与近代科学上所说云雨等的成因，大体亦相符合。总之，王充的学说，虽有其历史——社会的制限，但其既在当时具有了丰富的自然科学的知识，而且又能利用之以与其唯物论的宇宙观，认识论相结合，而建立起完整的科学化的体系，这一点，不惟在汉代的哲学发展一般停滞的时代，为绝无而仅有；即在其后或其前，也都是难能而可贵的不世劳作。

在王充这样的严密而彻底的唯物论的宇宙观与认识论的光芒之下，一切的唯心论及其究极形态的有神论与一般的宗教的迷信思想，当然都没有存在的余地。首先，我们来考察王充怎样的批判了“五行生胜论”。他说：“午，马也；子，鼠也；酉，鸡也；卯，兔也。水胜火，鼠何不逐马？金胜木，鸡何不啄兔？亥，豕也；未，羊也；丑，牛也。土胜水，牛羊何不杀豕？巳，蛇也；申，猴也。火胜金，蛇何不食猕猕？猕猕者，畏鼠也，啮猕猴者，犬也。鼠水，猕猴金也；水不胜金，猕猴何故畏鼠也？戌〔犬〕土也，申猴也，土不胜金，猴何故畏犬？东方木也，其星仓龙也，西方金也，其星白虎也；南方火也，其星朱鸟也；北方水也，其星玄武也。天有四星之精，降生四兽之体；含血之虫，以四兽为长；四兽含五行之气最较著。案龙虎交不相贼，乌龟会不相害。以四兽验之，以十二辰之禽效之，五行之虫以气相刻，则尤不相应。”（《物势篇》）王充以为，“人”决非“天地故生”的被创造物，如果不然，则应“令其相亲爱”，而不应有人剥削人的“相贼害”的制度存在。所以他说：“如天故生万物，……自当以一行之气生万物，令相亲爱；不当令行之气，反使相贼害也。”（《自然篇》）在王充看来，由生物到人类，是一个所谓“且物之生长，无卒成暴起，皆有浸渐”（《道虚篇》）的由量到质的转化过程，即《奇怪篇》所谓“天施气于地以生物，人转相生”。然而，人类的生存，同样受自然法则的支配，和其他生物比较起来，并无什么神秘。所以说：“人生于天地也，犹鱼之于渊，虮虱之于人也；因气而生，种类相产；万物生天地之间，皆一实也。”（《物势篇》）那么，支配着人类与生物的共同法则，是什么呢？王充答道：“凡万物相刻贼，含血之虫则相服，至于相啖食者，自以齿牙顿利，筋力优劣，动作巧便，气势勇桀。若人之在世，势不与适，力不均等，自相胜服，以力相服，则以刃相贼矣。夫人以刃相贼，犹物以齿角爪牙相触刺也。力强角利，势烈牙长，则能胜；势微爪短，诛；胆小距顿，则畏服也。人有勇怯，故战有胜负，胜者未必受金气，负者未必得木精也。孔子畏阳虎，却行流汗，阳虎未必色白，孔子未必面青也；鹰之击鸠雀，鸮之啄鹄雁，未必鹰鸮生于南方，而鸠雀鹄雁产于西方也；自是筋力勇怯相胜服也。一堂之上，必有论者，一乡之中，必有讼者，讼必有曲直，论必有是非，非而曲者为负，是而直者为胜；亦或辩口利舌辞喻横生为胜，或诎弱缀跆，蹥蹇不比者为负。以舌论讼，犹以剑戟斗也；利剑长戟，手足健疾者，胜；钝刀短矛，手足缓留者，负。夫物之相胜，或以筋力，或以气势，或以巧便。小有气势，口足有便，则能以小而制大；大无骨力，角翼不劲，则以大而服小。鹊食蝟皮，博劳食蛇，蝟蛇不便也；蚊虻之力，不如牛马，牛马困于蚊虻，蚊虻乃有势也；鹿之角足以触犬，猕猴之手足以搏鼠，然而鹿制于犬，猕猴服于鼠，爪牙不利也。故十年之牛，为牧竖所驱，长仞之象，为越童所钩，无便故也。故夫得其便也，则以小能胜大；无其便也，则以强服于羸也。”（《物势篇》）很显明的，王充以为生物的生存法则，为自然范畴的优胜劣败，而与一切的神秘迷信，毫不相干；其处处从物质的力的对比中，探求统治与被统治的根源，尤为对于当时压迫者剥削者的一大威胁，并对于农民大众的一强有力的启示。至其以人类的工具使用为生物生理器官的延长，以理论斗争的最后胜利，属于与客观真理合致的思想的支持者，更是光耀千古的变革的唯物论的精神！

其次，王充关于有鬼无鬼的见解，也最富于唯物论、无神论的科学教示。在《论死篇》曾云：“世谓人死为鬼，有知能害人。试以物类验之，人死不为鬼，无知，不能害人。何以验之？验之以物。人，物也；物，亦物也；物死不为鬼，人死何故独能为鬼？世能别人物不能为鬼，则为鬼不为鬼，尚难分明；如不能别，则亦无以知其能为鬼也。人之所以生者，精气也；死，而精气泄。能为精气者，血脉也；人死，血脉竭。竭而精气灭，灭而形体朽，朽而成灰土，何用为鬼？！……夫人死不能为鬼，则亦无所知矣。何以验之？以未生之时，无所知也。人未生，在元气之中；既死，复归元气。元气荒忽，人气在其中，人未生无所知，其死归无知之本，何能有知乎？人之所以聪明智慧者，以含五常之气也；五常之气所以在人者，以五藏在形中也。五藏不伤，则人智慧；五藏有病，则人荒忽；荒忽，则愚痴矣。人死，五藏腐朽，则五常无所托矣，所用藏智者已败矣，所用为智者已去矣。形须气而成，气须形而知；天下无独燃之火，世间安得有无体独存之精？……人之死，犹火之灭也；火灭而耀不照，人死而知不慧，二者宜同一实。论者谓死有知，惑也！人病且死，与火之且灭何以异？火灭光消而烛在，人死精亡而形存；谓人死有知，是谓火灭复有光也。隆冬之月，寒气用事，水凝为冰；踰春气温，冰释为水，人生于天地之间，其犹冰也。阴阳之气，凝而为人，年终寿尽，死还为气。夫春水不能复为冰，死魂安能复为形？”这和他在《辨祟篇》所说：“人，物也，万物之中有智慧者也。”同样，都以人类的意识为物质的范畴。如王充能更深刻的由唯物论的方法论来阐述这种见解，则意识与存在的关系，将亦可获得的唯物论的说明。可惜他受着历史的制限，终于不能百尺竿头，再进一步。

此外，如所谓《九虚三增》以及《谴告》、《订鬼》、《奇怪》、《四讳》、《解除》、《卜筮》、《明雩》、《纪妖》等篇，对于汉代宗教化的儒者与一般的迷信思想，一一引征，加以穿微入细的批判，不但在无神论者看来，有轻快之感，同时亦是研究中国宗教史者的无上宝贵资料。希读者自行参照，兹不赘引。以下我们要探讨一下王充如何将其唯物论的宇宙观，适用于历史的发展并社会的批判的实践领域。

（丙）王充的社会批判及其历史观

我们知道，王充不但主张着唯物论，无神论，以反对支配的意识形态的支柱——天的宗教及一切的迷信，而且也根据其唯物论的立场，批判了当时的社会，并曝露了社会的矛盾。他对于社会混乱的原因，曾提出了如次的唯物论的说明："夫世之所以乱者，不以盗贼众多，兵革并起，民弃礼义，负畔其上乎？若此者，由谷食乏绝，不能忍饥寒。夫饥寒并至，而能无为非者寡；然则温饱并至，而能不为善者希。传曰：仓廪实民知礼节，衣食足民知荣辱。让生于有余，争起于不足；谷足食多，礼义之心生；礼丰义重，平常之基立矣。故饥岁之春，不食亲戚；穰岁之秋，召及四邻。不食亲戚，恶行也；召及四邻，善义也；为善恶之行，不在人质性，在于岁之饥穰。由此言之，礼义之行，在谷足也。"（《治期篇》）他并且反转来批判儒家的倒因为果的欺骗与愚昧的说教。他说："传曰：仓廪实知礼节，衣食足知荣辱。让生于有余，争起于不足。今言'去食'，'信'安有成？春秋之时，战国饥饿，易子而食，析骸而炊；口饥不足，不暇顾恩义也。夫父子之恩'信'矣，饥饿弃'信'，以子为'食'。孔子教子贡去'食'存'信'，如何？夫去'信'存'食'，虽不欲'信'，'信'自生矣；去‘食’存‘信’，虽欲为‘信’，‘信’不立矣。”（《问孔篇》）在王充的见解，就是《非韩篇》所谓：“故礼义在身，身未必肥，而礼义去身，身未必瘠而化衰，以谓有益，礼义不如饱食。”他这样彻底的批判了儒教的唯心论的宗教的历史观，揭穿了宗教的假面具，而在其中曝露了阶级对立的本质，所以他在《艺增篇》中说道：“夫周之民，犹今之民也。使今之民也，遭大旱之灾，贫羸无蓄积，扣心思雨。其若富人，谷食饶足者，廪囷不空，口腹不饥，何愁之有？”在《命禄篇》也说：“故夫富贵若有神助，贫贱若有鬼衬。命贵之人，俱学独达，并仕独迁；命富之人，俱求独得，并为独成。贫贱反此，难达、难迁、难成，获过受罪，疾病亡遗，失其富贵，贫贱矣。是故，才高行厚，未必保其富贵；智寡德薄，未必信其必贫贱。”可见王充关于社会问题及历史发展的见解，一贯的观点，系就阶级对立及社会的经济变化上立论，在中国哲学史上，乃是最富于唯物论的历史观意味的第一人。所以沙发洛夫氏，在其《中国社会发展史》中曾说：“王充阐明了社会矛盾的阶级根源。……其所以获得了唯物论的见解，恰巧表示出在他的时代，社会的矛盾的异常尖锐。王充，作为唯物论的历史观的思想的先驱者，断定了人类的行为直接依存于食粮，依存于生活预算，并由此而摘发了其自身所处的时代的阶级斗争的秘密。”（二〇九至二一〇页）

然而，王充这样的唯物论，根本上，和现代的辩证法的唯物论，史的唯物论的科学理论之间，仍具有着甚远的距离。首先，他的唯物论，并未曾作为实践的唯物论，由理论上加以完成，反而显示出自然主义的运命论的倾向。所以《命义篇》曾云：“性自有善恶，命自有吉凶。使吉命之人，虽不行善，未必无福；凶命之人，虽勉操行，未必无祸。”《命禄篇》又云：“凡人偶遇及遭累害，皆由命也。……命当贫贱，虽富贵之，犹涉祸患矣；命当富贵，虽贫贱之，犹逢福善矣。……仕宦贵贱，治产贫富，命与时也。命则不可勉，时则不可力。”并且在王充看来，不但个人先天的具有运命，终生莫可摆脱，即国家的治乱盛衰，亦皆由“国命”所预定，而绝非人力所挽回。所以《命义篇》有云：“宋卫陈郑，同日并灾。四国之民，必有禄盛未当衰之人；然而俱灾，国祸陵之也。故国命胜人命，寿命胜禄命。”《治期篇》又云：“居住治民，为政布教，教行与止，民治与乱，皆有命焉。”又云：“教之行废，国之安危，皆在命时，非人力也。”又说：“故世治非圣贤之功，衰乱非无道之致。国当衰乱，圣贤不能盛；时当治，恶人不能乱。世之治乱，在时不在政；国之安危，在类不在教。贤不贤之君，明不明之政，无能损益。”并且他所认为决定个人行动及社会治乱的原因的食粮，最后决定于所谓“案谷成败，自有年岁，年岁水旱，五谷不成，非政所致，时数然也”（《治期篇》）。至此，则宿命论的人生观与历史观相结合，人类便成了自然法则支配下的奴隶，而王充的唯物论，在实践的领域中，也丧失了它的战斗性。

此外，王充的“有善有恶”的人性论，在实践上是与其机械唯物论的环境决定论相结合的。所以他说：“楚越之人，处庄岳之间，经历岁月，变为舒缓，风俗移也。故曰：齐舒缓，秦慢易，楚促急，燕戆投。以庄岳言之，四国之民更相出入，久居单处，性必变易。”（《率性篇》）又说：“人间之水污浊，在野外者清洁。俱为一水，源从天涯，或浊或清，所在之势使之然也。”（同篇）又说：“譬犹练丝，染之蓝则青，染之丹则赤。十五之子，其犹丝也；其有所渐化为善恶，犹丹蓝之染练丝使之为青赤也。……人之性善，可变为恶，恶可变为善，犹此也。蓬生麻间，不扶自直；白沙入淄，不练自黑；故蓬之性不直，沙之质不黑，麻扶淄染，使之直黑。夫人之性，犹蓬沙也；在所渐染而善恶变矣。”（同篇）这样，环境既可转移人性，则教化的推行，实为首要的措施。所以王充又说：“论人之性，实有善有恶。善者固自善矣，其恶者故可教告率勉，使之为善。凡人君父，审观臣子之性，善则养育劝率，无令近恶；恶则辅保禁防，令渐于善。善渐于恶，恶化于善，成为性行。”（同篇）在这里，也和在荀子的唯物论中同样，都由环境决定论，转入了“人类依存于教育”的法兰西唯物者的命题。但是，荀子的唯物论，因为具有着征服自然的科学精神，所以尚能保持其战斗的意义；而在运命论者王充的学说中，则不惟变成了全然无力的赘瘤，而且也是跌入唯心论泥沼的根源。

但是，如果我们在这里，能把王充的时代特征——亚细亚的停滞性的社会构成既已确立，中央集权的官僚专制主义的反复性已成定型，“靠天吃饭”农业生产样式占绝对支配地位，而且官僚地主的残酷剥削虽已造成了社会的危机，但社会的变革过程，则尚停留在“客观条件成熟，主观力量不足”的阶段，即社会危机的加深与农民暴动浪潮的低落同时并存的阶段，以及西汉末年作为赤眉的农民及奴隶暴动政治上毫无结果的失败经验等等的特征，置诸念头，则王充的唯物论之所以结局成为非实践的——自然主义的——运命论的体系，亦实有历史的必然性，存乎其间。总之，王充之所以成为唯物论者，及其所以不能成为变革社会生产样式，使社会走向更高历史阶段的前进阶级的哲学者，统同是东汉时代阶级斗争状态的产物。

第十一章　六朝时代的哲学

第一节　儒教经学的衰微与老庄思想的勃兴

后汉灭亡以后至隋唐以后的六朝时代，虽为奴隶所有者的社会构成向封建制社会转化的长期过程，但此时期并未能解决后汉时代的社会矛盾，而为在奴隶制与农奴制的相互并存，相互规定的关系上的一个长期反复的时代。在此时代，社会的构成，根本上仍保持着停滞的性格，而看不见使社会从其矛盾中获得决定的解放的发展的条件。并且，由全体看来，此时期乃是复归于中国社会史上的自然经济的时代，一般的表现了生产诸力的衰退。这就是说，六朝时代，是中国社会的经济发展之一般的停滞，退步的时期；六朝社会的根本特征，在于社会发展之一般的停滞，社会的运动，在奴隶制与农奴制的相互制约中不断的反复。这样的生产关系，实际上便规定了六朝时代的哲学的发展，所以六朝时代的哲学，也显示中国哲学发展的停滞，退步。日本的渡边秀方氏称此时代为“中国思想上的黑暗时代”(《中国哲学史概论·中世哲学》第二编第一章)，在这种意味上来看，也颇有理由。

在后汉时代已经堕落成谶纬学的儒教经学，通过后汉末期的社会动乱，已经全然丧失了思想界中的指导地位；后汉灭亡以后的所谓经学，已衰微到拘泥于文字意义与笔法末节的毫无生气的境地。在鱼豢的《魏略》中曾说：“从初平元年（纪元一九〇年）至建安之末（纪元二二〇年），天下分崩，人怀苟且，纲纪既衰，儒道尤甚。……正始中（纪元二四〇至二四八年），有召议圜丘，普廷学士，是时郎官及司徒领吏一万余人，……而应书与议者，略无几人。嗟乎！学业沉陨，乃至于此！”又说当时的经学“不求说明大义，而问字指、墨法、点注之间”(《魏志》十二卷注引)。此时期，代替了儒教的经学而成为支配的思想者，是老庄思想。据范寿康氏的统计，此时代注释老庄的书籍，计有下列的各种："钟繇的《老子训》、董遇的《老子训》、张揖的《老子注》、何晏的《老子道德论》、阮籍的《道德论》、钟会的《老子注》、孟康的《老子注》、荀融的《老子义》、虞翻的《老子注》、范望的《老子注训》、王尚的《述老子》、程韶的《老子集解》、张凭的《注老子》、孙登的《老子集注》、崔撰的《庄子注》、向秀的《庄子注》、司马彪的《庄子注》、郭象的《庄子注》、李颐的《庄子集解》、张湛的《列子注》等等，不胜枚举，差不多可与儒家经传的注解讲注互相拮抗。"（《中国哲学通论》一七二页）所以刘勰的《文心雕龙》上曾说："魏正始中，何晏之徒，始盛玄论。于是，聃周当路，与尼父争涂。"但此时压倒了儒教的老庄思想家，则以王弼与何晏二人为代表。《晋书》卷四十三《王衍传》："魏正始中，何晏、王弼等祖述老庄立论，以为天地万物，皆以无为为本。无也者，开物成务，无往而不存者也。阴阳恃以化生，万物恃以成形，贤者恃以成德，不肖恃以免身；故无之为用，无爵而贵矣。"《三国志·魏志》卷二十八《钟会传·裴松之注》云："……弼幼而察惠，年十余好老氏，通辩能言。……于时何晏为吏部尚书，甚奇弼，叹之曰：

圣人称后生可畏，若斯人者，可与言天人之际乎！”何晏的代表作，为《道德论》与《论语集解》；王弼的著作，则以《易注》与《老子注》为代表。以下我们来略举数例，以明六朝时代老庄思想的本质。

《论语》“回也其庶乎屡空”句，何晏集解云：“一曰，屡犹每也，空犹虚中也。以圣人之善道，教数子之庶几，犹不能至于知道者，各内有此害也。其于庶几每能虚中者，唯回怀道深远。不虚心，不能知道。子贡无数子病，然亦不能知道者，虽不穷理而幸中，虽非天命而偶富，亦所以不虚心也。”（皇侃《论语义疏》卷六）何晏的见解，显系以庄子所谓“惟道集虚，虚者，心斋也”的命题为基础。王弼的《论语释疑》云：“道者，无之称也；无不通也，无不由也。况之曰道，寂然无体，不可为象。”（邢昺“正义”引《论语注疏》卷七）《易·复彖》“复，其见天地之心乎”句，王弼注云：“复者，反本之谓也；天地以本为心者也。凡动息则静，静非对动者也；语息则默，默非对语者也。然则，天地虽大，富有万物，雷动风行，运化万变，寂然至无，是其本矣。故动息地中，乃天地之心见也；若以其有为心，则异未获具存矣。”

（《易经》卷三）凡此数例，都是以老庄思想解释儒教经典的明证。自从何晏、王弼等创开此风，一时学者，大相效尤，如像沈居士、孙绰、郭象、顾欢、太史叔明等人，都曾以老庄思想来解释《论语》，终于形成了经学的老庄化，而儒教遂变为道家的附庸。但是，我们应该知道，六朝时代所兴起的老庄思想，已经不是老子的直观的辩证法、唯物论，而是庄子化了的老子思想，即相对主义的唯心论——现实逃避主义。所以这种思想普及的结果，乃形成了所谓“清谈”的风气。

六朝时代的所谓“清谈”，就是赵瓯北《二十二史札记》所说“口说浮华而不遵礼法”的学风。一般均以阮籍、阮咸、嵇康、山涛、向秀、王戎、刘伶等世称“竹林七贤”为代表。他们的思想的共同点，第一，均嗜酒，解音律，以玩琴为事；第二，蔑视世俗的礼节，奚落礼俗之士，惟以自己行为为高，即独善主义；第三，饮酒弹琴，在醉里忘却形骸，即现实逃避主义的一时的解脱。他们的现实逃避，实际上是一种快乐主义，他们虽追求着庄子的“坐忘放心”（解脱），然由于酒精的力量，其结果所得到的，则是无酒即感凡人的悲哀的暂时舒服主义。第一，阮籍的《达庄论》有云：“天地生于自然，万物生于天地。……自然者无外，……天地者有内，……当其无外，谁谓异乎？当其有内，谁谓殊乎？……是以重阴电阳，非异出也；天地日月，非殊物也。故曰：自其异者视之，则肝胆楚越也；自其同者视之，则万物一体也。人生天地之中，体自然之形，……以生言之，则物无不寿；推之以生，则物无不夭；自小视之，则万物莫不小；由大观之，则万物莫不大。殇子为寿，彭祖为夭；秋毫为大，泰山为小；故以生死为一贯，是非为一条也。……夫至人者，恬于生而静于死；生恬则情不惑，死静则神不离；故能与阴阳化而不易，从天地变而不移。生究其寿，死循其宜，心气平治，消息不亏。”（《汉魏六朝百三名家集》）这和庄子“天地与我并生而万物与我为一”的命题，如出一辙。其《大人先生传》也说：“夫大人者，乃与造物同体，天地并生。……且汝独不见夫虱之处于裈中？逃乎深缝，匿乎坏絮，自以为吉宅也；行不敢离缝际，动不敢出裈裆，自以为得绳墨也；饥则啮人，自以为无穷食也。然炎斤火流，焦邑灭都，群虱死于裈中而不能出。汝君子之处区内，亦何异夫虱之处裈中乎？”（《阮步兵集》）此可见其攻击君子之礼法，亦以庄子的学说为基础。第二，嵇康的《释私论》有云：“夫气静神虚者，心不存于矜尚；体亮心达者，情不系于所欲。……故能越名教而任自然。……君子之行贤也，不察于有度而后行也；仁心无邪，不议于善而后正也；显情无措，不论于是而后为也。是故傲然忘贤，而贤与度会；忽然任心，而心与善遇；傥然无措，而事与是俱也。”（《嵇中散集》卷六）嵇康这种以君子不以是非为念，但虚心率性而行，结果自然不违于道的见解，显系也出于老庄思想。第三，清谈派的放情恣意的颓废的人生观，以刘伶的《酒德颂》中，表现得最为完全，他说：“有大人先生，以天地为一朝，万朝为须臾，日月为扃牖，八荒为庭衢。行无辙迹，居无室庐，幕天席地，纵意所如。止则操卮执觚，动则挈榼提壶，惟酒是务，焉知其余。有贵介公子，缙绅处士，闻吾风声，议其所以；乃奋袂攘襟，怒目切齿；陈说礼法，是非锋起。先生于是方捧罂承槽，衔杯漱醪，奋髯箕踞，枕麹藉糟。无思无虑，其乐陶陶。兀然而醉，豁尔而醒，静听不闻雷霆之声，熟视不睹泰山之形；不觉寒暑之切肌，利欲之感情。俯观万物，扰扰焉若江汉之载浮萍；二豪侍侧焉，如蜾蠃之与螟蛉。”（《晋书》卷四十九《刘伶传》）观此可知，清谈家的理论，俱发源于庄子的唯心论，而以六朝时代的老庄哲学的勃兴，为其思想的地盘。这种庄子的唯心论之更进一步的发展，便导出了葛洪的神仙、炼丹等纯宗教的迷信及纵情肆欲到绝顶的“房中术”。

葛洪是道教理论的完成者，生平著述甚多（据《晋书》本传），其现存的却只有《抱朴子》七十二篇、《神仙传》十卷、《肘后备急方》八卷。其中以《抱朴子》一书最为著名。此书外篇专论政治得失及道德隆污，内篇则专论神仙之术，在道教之理上占最重的位置。在《抱朴子》中所表现的宇宙观，亦系将老子的思想唯心论化，使之与道教的宗教迷信相结合，即将老子所谓“玄之又玄，众妙之门”及“谷神不死，是谓玄牝，玄牝之门，是谓天地根”，作虚无飘渺的解释，由此而导出神仙、炼丹等迷信的观念。据近人吕振羽氏的统计，葛洪的思想，可归纳成下列三个要点：（一）“他仍是主张以道学为主的道儒学合一。这种见解立场，完全和前此的何晏、王弼以同样的阶级境遇为前提而相承袭的。”（二）“较何晏、王弼以来的清谈派更进一步，不但逃避现实的追求，而且更进一步的转入那陷于幻冥境界的所谓内心的修养，去追求延年益寿的福果。”（三）“从所谓内心修养的非非冥想境界而转到神仙方士长生术。”（《中国政治思想史》三三六至三三七页）我们知道，以庄子的相对主义的诡辩唯心论为特征的老庄思想，循其固有的逻辑，发展成露骨的宗教迷信，这正是必然的归结。

我们前面说过，六朝时代的哲学上的停滞与退步，是当时社会发展的停滞与退步的反映。现在我们要问：六朝时代的哲学特征之一——由何晏、王弼的老庄思想通过了竹林七贤的清谈，而到达于葛洪的方士迷信，这种哲学思想的巨大退化，究竟系以何种的社会条件为基础呢？只要一考察当时的社会特征，马上便可指出下列各点：第一，太康以后，社会的生产诸力，陷于破落；第二，蛮族的叛离，泛滥中国西北部的广大区域；第三，农民暴动的怒潮，日趋扩大。据近人陶希圣氏云：“太康（二八〇——二八九）以后，匈奴、羌、胡及饥民相继骚动。二九四年叛乱的有郝散，至二九六年立齐万年为帝。二九八年汉川亡民十万口入蜀。三〇三年义阳蛮张昌等招集江河间饥民三万起兵据夏江。三〇七年东莱王弥集流民起青徐，三〇八年与石勒之贫民军合兵。三〇九年颍川、襄城、汝南、河南流民数万响应王弥。三一〇年兖、冀农民九万余口从石勒；雍州流民入南阳，严嶷、侯脱等聚众与之合，以王如为首领，响应石勒。三一一年石勒、王弥破洛阳，西晋亡。”（《中国政治思想史》第三册一四二页）在这样的不安与动摇的时代，社会的运动之长期的反复、停滞的时代，作为奴隶及农奴的所有者的非实践的没落的中小地主，自然就变成了现实逃避的厌世思想的支持者。此时期盛行的名为老庄思想而实为庄子的“无为自然”的唯心论及其究极形态的神仙、炼丹说，正是这种产物。

第二节　佛教思想的中国化——“格义”的分析

佛教传入中国的时期，一般均以后汉明帝永平十年（纪元六七年）为发端。但是，中国人真正的理解佛教，使佛教思想在中国的土壤上发芽结实，则始于魏晋六朝的时期。在魏晋以前，不过是宫廷贵族的一种纯宗教的意识形态而非哲学性质的思想，尤其不是大众化的社会思想。例如王充的《论衡》，对于当时的各派思想，抨击不遗余力，而绝无一语涉及佛教，即是证明。

在我们未叙述佛教思想的中国化的具体形态以前，有一个根本的问题，须要解决。这就是佛教思想为什么能传入于中国并盛行于六朝时代？关于这个问题，许多的传播主义者，常举出求经及译经的事实过程，作为解答。实则这只是一个同义语的反复，丝毫也不曾涉及问题的所在。梁启超氏关于此问题的解答，提出了两点意见。他说："我国思想界，在战国本极光明，自秦始皇焚书，继以汉武帝之'表章六艺、罢黜百家'，于是其机始窒。两汉学术号称极盛，揽其内容，不越二途：一则儒生之注释经传，二则方士之凿谈术数；及其末流，二者又往往糅合。术数之支离诞妄，笃学者固所鄙弃；即碎义难逃之经学，又岂能久餍人心者？凡属文化发展之国民，'其学问欲'曾无止息。破碎之学既为社会厌倦，则其反动必趋于高玄。我国民根本思想，本酷信宇宙间有一种必然之大法则，可以范围天地而不过，曲成万物而不遗；孔子之“易”，老子之“五千言”，无非欲发明此法则而已。魏晋间学者，亦欲向此方面从事追求，故所谓‘易老’之学，入此时代而忽大昌；王弼、何晏辈，其最者也。正在缥缈彷徨若无归宿之时，而此智德巍巍之佛法，忽于此时输入，则群趋之，若水归壑，固其所也。季汉之乱，民瘵已甚；喘息未定，继以五胡；百年之中，九宇鼎沸；有史以来，人类惨遇，未有过于彼时者也。一般小民，汲汲顾影，旦不保夕，呼天呼父母，一无足怙恃；闻有佛如来，能救苦难，谁不愿托以自庇？其稔恶之帝王将相，处此翻云覆雨之局，亦未尝不自怵祸害；佛徒悚以果报，自易动听，故信从亦渐众。帝王既信，则对于同信者必加保护。在乱世而得保护，安得不趋之若骛？此一般愚民奉之之原因也。其在‘有识阶级’之士大夫，闻‘万行无常诸法无我’之教，还证已身所处之环境，感受深刻，而愈觉亲切有味；其大根器者，则发悲悯心，誓弘法以图拯拔，其根器小者，则有托而逃焉，欲觅他界之慰安，以偿此世之苦痛。夫佛教本非厌世教也，然信仰佛教者，十九皆以厌世为动机，此实无庸为讳；故世愈乱而逃入之者愈众。此士大夫奉之之原因也。前所论者为思想之伏流，此所论者为时代之背景；在此等时代背景之上，而乘之以彼种之思想伏流，又值佛法输入经数百年，酝酿渐臻成熟；此所以一二大德起而振之，其兴也，沛乎莫之能御也。”（《饮冰室专集》、《佛学研究十八篇》上册、《中国佛法兴衰沿革说略》三至四页）

上引梁氏的一大段议论，是从“时代之背景”及“思想之伏流”两方面来说明佛教盛行于六朝时代的原因的。这完全是实用主义的方法论之历史的运用，骨子里面，不外乎唯心论与机械论的二元论的混合。第一，在梁氏的见解中，完全看不见社会的经济构造及其发展阶段对于意识形态的决定意义，而只是非常抽象的用时代的混乱或人类惨遇之甚等概念作基础，以阐明某种特定意识形态——宗教——的确立；第二，脱离生产关系与生产诸力斗争的具体形势，单独的从“思想之伏流”的自体要求中，来寻求意识形态的交替发展的根源；第三，完全不知从中国与印度、即六朝时代的中国与佛教时代的印度的历史发展阶段的对比中，来探研作为印度思想的佛教所以被中国的思想界所吸收并消化的原因；

因而梁氏在这里的说明，无论适用到一国文化的发展上，或两个民族的文化的相互传播与影响上，都同样的没有法则性的意义与价值，而只是一种实用主义的牵强附会。

佛教思想何以能行于中国且至六朝而始盛？这个问题，在我们看来，只有从下列几点看，方可得到合理的解决。即：第一，先考察佛教思想发生于印度的什么历史发展阶段及其阶级性；第二，求出中印两民族的阶级斗争的历史性格的对比——其相似性及其差别性的所在。因为我们相信：一切的意识形态，皆为特定的历史阶段的特定产物——特定的阶级斗争的反映，脱离此点，即无从研究意识形态的发展史；两个民族文化上的接触，其相互影响的程度及相互传播的内容，常和该两民族历史发展阶段——阶级斗争性质的相似性成正比例，而和其差别性成反比例。

现在我们先来考察第一点。我们知道，原始的佛教思想，发生于纪元前三五〇至纪元一五〇年（中国东周显王一九年至后汉桓帝和平元年），此时代的印度社会，大体上是奴隶制已到穷途末路，而开始由奴隶所有者的过程向封建制的构成过渡的时期。此时代的印度社会，因商业及手工业的发达，所谓身份或族籍（Caste）的制度，已无力化；佛教也正是以这种社会状态，尤其以孔雀王朝的中央集权的国家统一为其地盘的。从佛教经典看来，我们可知佛教的支持者，多为商业的富者（长者），与商业发生关系的王族，波罗门的脱落分子。然而，在这里我们必须注意，此时的印度商工业都市，几乎完全和农村共同体相绝缘，而且也正是在这种分离之上，成立了亚细亚型的中央集权国家。商业，并不是使印度社会走向高级发展阶段的推进力；商业的富者，也不是变革印度生产关系的进步的集团，反而是依存于专制社会要素。在此时代，印度社会，已固定在特殊的亚细亚型之中，印度的奴隶制的矛盾，遂表现为社会的亚细亚的停滞性。像这样的，一方面是孤立的农村共同体的狭隘的自足的生活，另方面是脱离农村共同体，并脱离生产的直接指导的贵族，以及依存于贵族的商业的贵者之消极的生活，此二者的关系结合下的印度社会的停滞性，正是原始的佛教思想及一般的印度的解脱哲学的社会基础。及至纪元一五〇至四〇〇年（后汉桓帝和平元年至东晋安帝隆安四年），印度社会大体已走入封建制的发展阶段。但是，印度的封建制，是被农村共同体之强固的存续所制约的；在农村共同体之上成立起来的封建制，正是印度的——亚细亚的封建制。在这种以农村共同体为基础的印度封建制的支配之下，往往贵族“不是土地所有者，而表现为分取租税之一定成数的有权利的官吏或特权者”（*Cambridge History of India* Vol Ⅰ, *Ancient India* P.475），一般的“地代之自然物形态”，便形成着“租税的主要要素”。这样，生产领域内，“以自然的不变性而进行自己的再生产”，在自然经济的基础上，存在着纯消费的封建的剥削者与压迫者，于是佛教便开始了向小乘与大乘的分裂过程。因为所谓小乘佛教的学说，根本上是心物二元论或多元论的解脱哲学，当然不能满足封建阶级的要求，所以以意识一元论，或彻底的主观唯心论为特征的大乘佛教，便乘机大形发展。这种大乘佛教的哲学，被龙树（纪元一五〇至二〇〇年）、弥勒（纪元二七〇至三五〇年）、无着（纪元三一〇至三九〇年）、世亲（纪元三二〇至四〇〇年）等所体系化；更得迦腻色迦王朝的保护，遂得脱离印度的地盘，渐次作非印度的意识形态而发展起来，中国人之接受佛的思想，恰在这个时期。

如我们以前所述，中国社会由后汉末年至六朝时代，也正是因奴隶制的穷途末路，而转向于封建制的过渡期；但由于社会历史的亚细亚的停滞的性格，遂陷于奴隶制与农奴制相互并存，交互规定的状态，而看不出使社会脱离其传统的矛盾而飞跃的发展的条件，并招来了蛮族的侵入割据，在这种社会发展的停滞、退步的地盘上，形成了以老庄思想为特征的“中国思想史上的黑暗时代”。这种使无为自然的“老庄思想”发展的时代——社会的条件，同时也正是佛教思想在中国获得发展的物质的基础。

输入于中国的佛教，虽为大乘佛教，而中国所特别重视者，则是大乘佛教的般若思想。其根源自然是般若的教理与老庄的思想，有所近似，而老庄学的全盛，恰巧助长了对于般若思想的理解。所谓般若经典的内容，一句话说完，就是“诸法皆空”的理论；而般若思想的根本，也就是“空”的原理。当时中国的学者，皆以老庄之所谓“无”来解释般若之所谓“空”，此即所谓“格义”。所谓“格义”者，就是运用《老庄》、《周易》等书——外典的旧形式，以说明佛教教理的方法。据日本武内义雄氏的研究，道安以前的学者，为要说明般若的“空”，均以老庄学说为基础（参照所著《东洋哲学史》一〇六至一一〇页）。例如，（一）刘虬《无量义经序》云：“玄圃以东，号曰太一；罽宾以西，字为正觉。希无之与修空，其揆一也。”（二）范晔《后汉书·西域传论》论佛教云：“详其清心释累之训，空有兼遣之宗，道书之流。”（三）孙绰作的《道贤论》，曾以七僧比七贤，即以竺道潜比刘伶，以支遁比向秀，以于法兰比阮籍，以于道邃比阮咸，此谓道与贤为一类人物，皆可相比并论。（四）《高僧传》卷六有云：“释慧远，……雁门楼烦人也。……博综六经，尤善老庄。……年二十一，……时沙门释道安立寺于太行、恒山，……远遂往归之。年二四，便就讲说。尝有十客听讲，讲实相义，往复移时，弥增疑昧；远乃引庄子义为连类，于是惑者晓然。”（五）《高僧传》卷四有云：“法雅河间人。……少长外学，长通经义。……时依门徒，并世典有功，未善佛理；雅乃与康法朗等以经中事数，拟配外书，为生解之例，谓之格义。乃毗浮、相昙等，亦辩格义，以训门徒。雅风采洒落，善于枢机，外典佛经，递互讲说。”

这里，我们要再举数例，以见所谓“格义”的具体形态。第一，道安的《安般经注·序》云：“安般（即今所谓呼吸之意）者，出入也。道之所寄，无往不因；德之所寓，无往不托。是故安般寄息以成守（即坐禅时注意呼吸），四禅寓骸以成定（即坐禅时观身体不净）也。寄息故有六阶之差，寓骸故有四级之别；阶差者，损之又损，以至于无为；级别者，忘之又忘，以至于无欲也。无为，故无形而不因；无欲，故无事而不适。无形而不因，故能开物；无事而不适，故能成务。成务者，即万有而自彼；开物者，使天兼忘我也。彼我双废者，寄于唯守也。”这里所说的“损之又损”，是引用《老子》；“忘之又忘”，是引用《庄子》；“开物成务”，是引用《周易》。当时的学者，称《老子》、《庄子》、《周易》等书为“三玄”，这就是道安引“三玄”以讲说佛教的明证。第二，吉藏的《中观论疏》卷二有云：“……本无者，未有色法，先有于无，故从无出有。即无在有先，有在无微，故称本无。”这明明是用老子“天地万物生于有，有生于无”的命题以释释本无宗的“空”的原理。第三，僧肇的《宝藏论》云:“夫本际者，即一切众生无碍捏盘之性也。何谓忽有如是妄心及以种种颠倒者？但为一念迷也。又此念者从一而起，又此一者从不思议起，不思议者即无所起，故经云：道始生一，一为无为；一生二，二为妄心。以知一故，即分为二，二生阴阳，阴阳为动静也。以阳为清，以阴为浊，故清气内虚为心，浊气外凝为色，即有心色二法。心应于阳，阳应于动；色应于阴，阴应于静。静乃与玄牝相通，天地交合。故所谓一切众生，皆禀阴阳虚气而生；是以由一生二，二生三，三即生万法也。既缘无为而有心，复缘有心而有色。故经云种种心色。是以心生万虑，色起万端，和合业因，遂成三界种子。夫所以有三界者，为以执心为本，迷真一故，即有浊辱，生其妄气。妄气澄清，为无色界，所谓心也。澄浊现为色界，所谓身也。散滓秽为欲界，所谓尘境也。故经云：三界虚妄不实，唯一妄心变化。夫内有一生，即外有无为；内有二生，即外有有为；内有三生，即外有三界。既内外相应，遂生种种诸法及恒沙烦恼也。”这是僧肇引《老子》“道生一、一生二、二生

三、三生万物，万物负阴而抱阳、冲气以为和”的命题，来解释佛教思想的证明。

六朝时代的“格义”的提出，实质的意义，就是中国老庄思想与印度大乘佛教思想的接种关系的建立；换言之，即佛教思想的中国化之具体形态。我们由此可知，一国民之接收外来文化，常以其自己本有的文化遗产为基础，在“旧瓶装新酒”的姿态下，满足其可能与必要的限度。这不独中国一国为然，凡后进国吸取前进国文化而受其影响之际，均无不如此。例如日本在幕府末叶及明治初期，也是站在朱子学所谓“格物致知”的固有观点上，来吸收西洋自然科学 =“兰学”的。

但是，我们要特别注意：六朝时代，并不是中国社会发展的飞跃向上的时代，而是其停滞、退步的时代；因此，中国人虽以老庄思想为基础而接受佛教思想，甚至往往引用《老子》及《周易》中作为原始辩证法、唯物论的词句，而却绝未走上哲学的批判时代，其所建立的成果，并不是中国哲学的前进的发展，反而形成了中国哲学向主观唯心论的更深一步的堕落。这就是说，被六朝时代所引用的《老子》与《周易》的思想，实际上已经是庄子化了的主观唯心论，站在《庄子》的“道枢”=“天钧”=无差别者的原理上，将般若的“空”解释成为宇宙的本体；更进一步，般若的“空”、“人类”的“心”都在虚无的意味上加以解释，而完成其所谓“心无义”的命题。这种由所谓“格义”而产生的中国化的佛教主观唯心论，可以僧肇、支遁、道安、吉藏等四人为代表。第一，僧肇在前引《宝藏论》中有云：“夫迷者，无我立我，则内生我倒。内生我倒故，即圣理不通；圣理不通，故外有所立；外有所立，即内外生碍；内外生碍，即物理不通；遂妄起流诸〔法〕，混于凝照。万象沉没，真一宗乱；诸见竞兴，乃为流浪。”很明白的，这是说，宇宙本来是一无所有的空虚，徒因为一念之迷，乃妄立一我，因有我而遂有非我、遂有主观与客观的分岐对立。这样，以为由“我”=主观意识而产生“非我”=客观存在，主观与客观的对立存在=现象世界的多样性与差别性，悉起于“一念之迷”，正是主观唯心论的标准形态。第二，支遁在其《即色游玄论》中有云：“夫色之性，色不自色，不自，虽色而空。知不自知，虽知而寂。……夫色之性，不自有色，色不自有，虽色而空；

知不自知，虽知恒寂。……正以因缘之色，从缘而有；非自有故，即名为空。”（安澄《中论疏记》卷三，并参照《世说新语》卷上之下《文学篇》）。这是说，一切的现实世界——色——诸法——万物，虽然存在，但其本性，则均为单纯的现象范畴（虚妄）；我们所认识的诸法——万物之相，决非其本质。这是在现象论的主观唯心论的观点上，所表现的“空”的思想。第三，道安承继着支遁的思想，乃据般若建立了本无义，其徒慧远也祖述此说。吉藏的《中论疏》有云：“释道安明本无义，谓无在万化之先，空为众形之始。夫人之所滞，滞在未（末）有；若诧（托）本无，则异想便息。……一切诸法，本性空寂，故云本无。此与方等经论，什肇山门，本无异也。”慧远的《肇论疏》也说：“因缘之所有者，本无之所无；本无之所无者，谓之本无。本无与法性，同实而异名。以性异于无者，察于性也；以无异于性者，察于无也；察性者，不知无；察无者，不知性；知性之为无性者，其唯无察也。”据此可知，道安以为所谓“诸法皆空”或无的命题，并不否定现象的存在；而是说一切的现象，均为因缘和合所生的范畴，此种由因缘和合而生的万物之相，乃时刻变化永不休止的范畴，所以不是万物的本性。万物的本性为不变不易的范畴，所以便超越了人类的认识。这显然是由现象与本质的形而上学的分离，而导出了主观唯心论的认识论。像这样，到了支遁、道安时代，佛教般若的“空”，便从六朝时代的老庄思想中的作本体的无区别开来。关于儒教、老庄与佛教三者原理的不同，在隋代的吉藏所著《三论玄义》中，有系统的说明。但此系作为中国佛教的新宗之一——三论宗的内容分析，拟在下章（即第十二章隋唐时代哲学），与其他各宗的内容，一并予以批判的论述，此不涉及。

第三节　儒者道家对佛教斗争的社会、政治根源及范缜反佛理论中的唯物论、无神论要素

在六朝时代，儒者与道家曾以联合战线的战略，发动了反佛教的理论斗争。这一斗争的导火线，是梁范缜氏著《神灭论》，梁武帝乃诏臣下，著论辩驳，一时显宦、名士、高僧参与论战者达六十三人之多，直继续到隋代，

方才休止，前后约有一百年的期间。所有与此次的论争有关的文献，均搜辑在梁释僧佑的《弘明集》（十四卷）及唐释道宣的《广弘明集》中。据僧佑说："详检俗教，并宪章五经；所尊惟天，所代惟圣。然莫测天形，莫窥圣心；虽敬而信之，犹矇矇不了。况乃佛尊于天，法妙于圣；化出域中，理绝系表？肩互犹惊怖于河汉，俗士安得不疑骇于觉海哉？既疑觉海，则惊同河汉。一疑经说迂诞，大而无征；二疑人死神灭，无有三世；三疑莫见真佛，无益国治；四疑古无法教，近出汉世；五疑教在戎方，化非华俗；六疑汉魏法微，晋代始盛。以此六疑，信心不树。"（《弘明集》卷十四《弘明集·后序》）

右引僧佑所说，关于当时反佛斗争的六个基本命题，大致可信；至其以俗教——儒、道的联合线的缺乏理解力为爆发反佛教斗争的根源，则完全是佛教徒的偏见，不足依从。此外，近人王治心氏，则在其《中国宗教思想史》中，断定"这种争端，……乃是一般有权势的人借此以行使他的权威。……在佛教则张大其辞，自召其祸，如佛道《论衡》所记斗法等事，与《弘明集》所搜集的论文，类皆抑彼扬此，足以激起道教的反感。

在道教则利用帝王权威，表显其嫉妒的摧残。因此道佛两教，便发生了纷争，兹就三武一宗的历史事实略为说明……综上看来，佛道两教的相互水火，大多发动于道教的嫉妒”（一〇四至一〇五页）。这样，由心理的权势、夸张与嫉妒等情绪，来说当时反佛教的斗争的来源，显然是唯心论的撒谎，毫无一驳的价值。因其所谓权势、夸张与嫉妒等，都是斗争的构成要素，其自身是尚待说明的范畴。所以由我们看来，问题便全然两样。即六朝时代儒者道家与佛教斗争的发展，是以下列两点为基础的，第一，由于佛教是蛮族统治汉族的意识形态，而儒者或道教的思想，则是汉族反抗蛮族统治的斗争工具；第二，由于佛教庄园经济的发展，形成了大土地所有的特权阶级，因而与世俗的王权，发生了支配地位的争夺战。前者是民族性的争斗，后者是统治阶级争夺领导权的内部斗争。

西晋社会的奴隶制与农奴制的交互规定，招来了西北蛮族的侵入，及拓拔魏统治了北中国，佛教遂成了它的思想上的统治工具，以抵制中国固有的文化思想——儒教与道教的思想。于是偏安南朝的汉族政权，在对抗北朝的蛮族斗争中，便采用儒道合一的理论；从佛教非中国固有而导出严别夷夏的民族本位文化论，即文化上的排外主义。例如：（一）梁刘勰的《灭惑论》有云："或造'三破论'，……第一破曰入国而破国者。诳言说伪，兴造无费，苦刻百姓；使国空民穷，不助国，生人减损。况人不蚕而衣，不田而食，国灭人绝，由此为失。日用损费，无纤毫之益。五灾之害，不复过此。……第二破曰入家而破家。使父子殊事，兄弟异法；遗弃二亲，孝道顿绝；忧娱各异，歌哭不同；骨血生仇，服属永弃；悖化犯顺，无天之根。忤逆不孝，不复过此。……第三破曰入身而破身。人生之体，一有毁伤之疾，二有髡头之苦，三有不孝之逆，四有绝种之罪，五有亡体从诫。唯学不孝，何故言哉？令诫不跪父母，便竞从之；儿先作沙弥，其母后作阿尼，则跪其儿。不礼之教，中国绝之，何可得从！"（《弘明集》卷八）（二）宋顾欢的《夷夏论》有云："五帝三王，不闻有佛；国师道士，无过老庄；儒林之宗，孰出周孔？孔老非圣，谁则当之？道济天下，故无方而不入；智周万物，故无物而不为。其入不同，其为必异；乃成其性，不易其事。是以端委缙绅，诸华之容；万发旷衣，群夷之服。擎跽折磬，候甸之恭；狐蹲狗踞，荒流之肃。棺殡椁葬，中夏之风；火焚水沉，西戎之俗。全形守礼，继善之数；毁貌易姓，绝恶之学。虽车舟均以致远，而有川陆之节；佛道齐乎达化，而有夷夏之别。若谓其致既均，其法可换者，而车可涉川，舟可行陆乎？今以中夏之性，效西戎之法，……舍华效夷，义将安取！”（引自吕振羽著《中国政治思想史》三四七页）这显然是站在儒道的联合战线上，以民族至上主义为前提，寓民族斗争于反佛斗争之中。而另方面北朝蛮族统治的代言人，则以打破夷夏的界限观念来立论，例如谢镇之的《与顾道士书》、《重与顾道士书》，朱昭之的《难顾道士“夷夏论”》，朱广之的《咨顾道士“夷夏论”》，释慧通的《驳顾道士“夷夏论”》，戎华《论析顾道士“夷夏论”》，（见《弘明集》卷六及七）等文，其唯一的主题，即在于曲说蛮族统治的合理。

其次，佛教在六朝时代的北方蛮族统治的保护下，发展极为迅速，据《释老志》的统计，有如下表：

年代	寺数	僧尼数
承明元年（四七六）	六四七八	七七三五〇
延昌二年（五一八）	一二七二七	不详
兴和二年（五四〇）	三〇〇〇〇	二〇〇〇〇〇〇

是前后六十四年内，寺数由六千四百处增至三万处；僧尼数由七万七千人增至二百万。又据梁启超氏的研究，当时佛教的势力，有下列各特点："（一）有各种僧职，权力极大：最高者为'沙门统'，其下有'州统'，'都维那'，'维那'等。（二）僧有治外法权，非犯杀人罪，不到法庭。（三）挂名寺户，可免徭役。（四）犯罪者及奴婢，凭借教力，可免罪为良。（五）假立寺名，可以侵占田宅。猥滥横暴，至于此极。"（《饮冰室》专集《佛学研究十八篇》上册九页）佛教这种政治经济特权的获得，一方面是佛教发展的结果，另方面又是佛教发展的动力。佛教既拥有广大的群众与财产，自然要和世俗的王权发生冲突；所以当时沙门应否礼拜王者，已成彼此争执的大问题（参照《弘明集》卷五、卷十二及《广弘明集》卷二十五所载桓玄、释威秀等的文书）。在这种教权与王朝抵触的基础上，乃有后魏太武帝及北周武帝

的两次废佛事件——第一次兴大狱，诏坑杀僧尼，破毁经像寺塔；第二次寺观庙宇悉改为王公邸宅，僧侣悉充军民。儒者与道家，在这里是代表着世俗王权及非佛教信徒的一般公民的意识形态而出现的；因此，大体便包含了反宗教的反消费反剥削的唯物论、无神论要素。其中作为典型的反佛教斗争的理论家而出现的，是范缜氏。

范缜的妹丈萧琛，是范缜的论敌，他问范缜主张神灭论有何利用？范缜答他道:“浮屠害政，桑门（即沙门）蠹俗，风惊雾起，驰荡不休，吾哀其弊，思拯其溺。夫财以趋僧，破产以趋佛，而不恤亲戚、不怜穷匮者何耶？良由厚我之情深，济物之意浅；是以圭撮于贫友，吝情动于颜色；千钟委于富僧，欢怀畅于容发。岂不以僧有多余之期，友无秉遗之报？务施不关周给，立德必于在己。又惑于茫昧之言，惧以阿鼻之苦，诱以虚诞之辞，欣以兜率之乐；故舍逢掖，袭横衣，废俎豆，列瓶钵，家家弃其亲爱，人人绝其嗣续。至使兵挫于行间，吏空于官府，粟罄于惰游，货殚于土木；所以奸宄佛胜，颂声尚权；惟此之故也，其流莫已，其病无垠。若知陶甄秉于自然，森罗均于独化，忽焉自有，怳尔而无，来也不御，去也不追，乘夫天理，各安其性；小人甘其垄亩，君子保其恬素；耕而食，食不可穷也；蚕以衣，衣不可尽也；下有余以奉其上，上无为以待其下；可以全生，可以养亲，可以为己，可以为人，可以匡国，可以霸君，用此道也。"（《弘明集》卷九萧琛《难神灭论》），这明明是指摘佛教的消费及剥削的不合理性。

又，在范缜与萧琛、曹思文的论争中，关于神灭问题，曾有三十一条针锋相对的问答（俱见《弘明集》卷九前引萧琛的《难神灭论》及曹思文的《难神灭论》、《重难神灭论》，与范缜的《答曹舍人》等文）。我们归纳范缜的论据，不外下列五个基本命题：（一）灵魂不能离肉体而独存——"形存则神存，形谢则神灭。"（二）灵魂与肉体的关系，如利之于刀——"舍利无刀，舍刀无利；未闻刀没而利存，岂容形亡而神在！"（三）意识也是特定物质的所产而非神——"知虑是心器所主，心器为五脏之一，是神即形。"（四）无鬼——人死为鬼，皆属虚妄；大凡历史所载冤鬼索命等事，率不足信，人灭为鬼，鬼灭为人，决无此理。（五）伦理观念为祭祀存在的根本——古人为宗庙祭祀，乃圣人从孝之心，所以设教，非谓有鬼。范缜这五个命题，和荀子《天论篇》“君子以为文、百姓以为神”及王充《论死篇》“谓人死有知、犹谓火灭复有火”，有同一的无神论、唯物论意义。如果根据范缜的理论，则佛教以生死轮回为苦作前提而建立的经论及教条，便根本丧失了存在的余地。所以《梁书》卷四十八《范缜传》关于神灭论的影响曾云：“此论出，朝野喧哗，子良集僧难之，而不能屈。”范缜此论，除当时受到六十余人的反驳外，其后沈约氏亦作《神不灭论》及《难范缜神灭论》二文（《广弘明集》卷二十二），以谋对抗，可看其对于佛教所加的威胁的深刻程度。

总之，在六朝时代中国哲学的发展，一般已隳落到了宗教化的主观唯心论的境地，而形成了中国哲学史上的黑暗时代，竟以儒者与道家对佛教的理论斗争为动力——即以当时的民族与阶级的二重性的矛盾为动力，由范缜的神灭论，将古代荀子及汉代王充的唯物论、无神论，予以部分的复活，实为此时代唯一值得特书的事件。至于范缜的无神论、唯物论之所以缺乏体系性以及在与佛教的斗争中竟有狭隘的文化排外主义和《老子化胡经》（王浮所作）一类的神话观念，夹杂出现，这完全是当时奴隶制与农奴制交互规定的社会构成中，根本上没有使社会飞跃发展的前进阶级的存在以及社会生产诸力退化的必然的结果。并且，范缜所建立的命题，一方面是西晋以来反佛理论（如慧远的《沙门不敬王者论》及《形尽神不灭神论》中所提出解答的怀疑论）的总括的表现形态，另方面又是唐代儒者韩愈、李翊等反佛斗争的理论的先驱；在间接方面，宋儒的反佛理论，也是以范缜的思想为基础，加以发展，而形成了包含着唯物论、无神论要素的所谓“宋学”的体系。

第十二章　以佛教思想为中心的隋唐时代的哲学

第一节　佛教思想中国化的完成——印度旧有各宗在中国的新发展及中国独创新宗的建立

中国接受佛教思想的过程，大体上可分为三个发展阶段。第一个阶段，由后汉魏晋，以纯粹的翻译为中心，是为单纯的注入期；第二个阶段，在六朝时代，以格义的理解为中心，是为开始消化期；第三个阶段，在隋唐时代，印度佛教旧有各宗在中国既有新的发展，中国自身也建立了新宗，而形成了中国特有的独创的佛教哲学。这三个阶段，如果用农业的生产进程作比喻，则第一个阶段为播种期，第二个阶段为中耕期，第三个阶段为收获期。每有一阶段的渡越，就是一个由量到质的飞跃；这就是说，在魏晋以前，佛教尚非中国哲学史上独立的流派；在六朝时代，即形成了与儒道对峙的一个有力的思想系统；在隋唐时代，则更进一步占据了中国哲学的王座，其他的学派均以佛教为中心而运动发展。如果将隋唐前后佛教各宗在中国发展的事迹，统计起来，应如下表：

宗　派	印度远祖	中国完成时代及完成或开创者	中印发展状态比较
毗昙宗	马鸣、坚慧、龙树	陈·杜顺大师	印度为独立宗派，在中国六朝而后即行衰落
俱舍宗	世亲菩萨	唐·玄奘	印度为独立宗派，在中国研究亦盛，但仅处供他派参考地位
成实宗	诃梨跋摩	东晋·鸠摩罗什	印度创独立宗派，在中国研究亦盛，但亦为供他宗参考地位
三论宗	龙树、提婆	隋·吉藏嘉祥大师	印度有而不盛，中国极盛
四论宗	龙树、提婆		印度为独立宗派在中国转化为天台
禅宗		唐·慧能	印度所无、中国独创极盛
涅槃宗	世亲菩萨		印度为独立宗派，在中国转化为天台
天台宗		隋·智颛智者大师	印度所无，中国独创，极盛
地论宗	世亲菩萨		印度为独立宗派，在中国转化为华严
华严宗		唐·法藏贤首大师	印度所无，中国独创，极盛

续表

摄论宗	无著、世亲		印度为独立宗派，在中国合并于法相
法相宗	无著、世亲	唐·玄奘、窥基	印度极盛，中国亦极盛
净土宗	马鸣、龙树、世亲	唐·善导大师	印度极盛，中国次盛
戒律宗	昙无德	唐·道宣	印度极盛，中国次盛
密宗	龙树、龙智、	唐·善无畏、金刚智	印度极盛，中国甚微

据此表可知，中国佛教十一宗，有九宗系隋唐时代所完成，而且如毗昙宗在印度有极长久的历史，在中国则只盛行于六朝；如四论、涅槃、地论、摄论四宗，在印度皆蔚为独立大宗，在中国则全然丧失了独立的地位，仅供给了中国新宗——禅宗、天台、华严等的创立及法相宗在中国发展上的营养；他如俱舍、成实二宗，也是中国佛教自身发展过程中的参考资料；三论与法相二宗，在中国也各有新的独创的发展，而不同于印度的本来的理论构成。此中损益消长的关系，便是中国社会与印度社会对比中差别性的存在——即印度的亚细亚的生产样式的强度超过中国的直接产物。近世的佛教研究者，往往将中国的佛学作为一个独立的部门，和印度及日本的佛学相对待，其根本的意义，实在于此。

在这里，为争取读者的便利起见，特先就佛教各宗的成立过程及其主要的典籍宗师，予以极端简略的说明。至于理论的批判分析，则留待下节作比较详细的叙述。

（一）毗昙宗——所谓“毗昙”即“阿毗昙”的略称，又译作“阿毗达磨”，其原义为“对法”，就是指对于佛法的解释而言。普通这种解释佛经的著作，叫做“论”，解释“论”的叫做“毗婆沙”，中国有时译作“广论”。这一毗昙宗的兴起，系由于小乘佛教的正统派解释佛经的工作而得名。毗昙宗所依据的经典（即修多罗，或素坦览），就是作为佛教最原始的文献的《阿含经》——《增一阿含经》（五十一卷），《中阿含经》（六十卷），《长阿含经》（二十二卷），《杂阿含经》（五十卷）等所谓“四阿含”。按“阿含”亦作“阿笈摩”或“阿含暮”；其意义应译作“法归”（《长阿含经序》云：“谓万法所归趣也。”）或作“教”作“传”，系指佛教所辗转传来的教法而言（《一切经音义》卷二十四）。毗昙宗所依据的律（即毗尼或毗奈耶），为萨婆多律；所谓萨婆多，意思是“一切有部”，因毗昙宗虽承认我说＝我空，但是，却又主张一切诸法俱为实有，故亦名有部宗；此有部律或萨婆多律，普通亦称为“十诵律”。至于毗昙宗所依据的论（阿毗昙或阿毗达磨），主要的就是所谓《六足论》及《发智论》——即阿毗达磨集异门足论（舍弗利说），阿毗达磨法蕴足论（目莲造），阿毗达磨施设足论（迦旃延造），阿毗达磨识身足论（提婆设摩造），阿毗达磨界身足论（世友造），阿毗达磨品类足论（世友造），及阿毗达磨发智论（迦多衍尼子造）。此《发智论》一书最关重要，因此印度的许多学者——所谓五百大阿罗汉等又在迦腻色迦王的召集之下，对于《发智论》集体的作成了渊博的解释——即所谓“广论”（毗婆娑），这就是阿毗达磨《大婆娑论》。上述“四阿含”，为东晋姚秦及刘宋时代，先后由罽宾僧迦提婆及印度佛佗耶舍求、那拔陀罗等，译为中文;《十律诵》的翻译，也在苻秦及姚秦时代;《六足论》及《发智论》，在由后汉、魏、南北朝，即不断翻译，至唐代的玄奘，始完全译出；至于大毗《婆娑论》，则先后有两个译本；一系刘宋时代西域人佛陀跛摩译的《阿毗昙婆娑论》一百卷，今已失传；其次即现存的唐玄奘译的《阿毗达磨大婆娑论》二百卷，这是小乘佛教的一部最完全的哲学大辞典。

（二）俱舍宗——俱舍宗在印度的开山祖是世亲菩萨，其所著的《阿毗达磨俱舍俱论》，为此宗的最高经典。所谓“俱舍”，原义为“藏”，故俱舍论的意译，应作“藏论”。俱舍宗成立的经过，据一般的传说，世亲本来也是毗昙宗的学徒，嗣因对于毗昙宗的“一切诸法均为实有”的命题，发生疑问及异议，乃另创立俱舍俱宗。所以俱舍宗大体上可视为毗昙宗的修正派。俱舍论的翻译，计有两次；第一次为六朝末年由名家真谛所译，真谛的弟子智恺并为之作注，但真谛译至二十二卷，智恺注至业品（共六十卷），即先后病死，此八十二卷的旧译本，今已不传；现存的《俱舍论》三十卷，为唐玄奘所译。中国佛教学者关于《俱舍论》的著作，以玄奘的弟子普光的《俱舍论记》及法宝的《俱舍论疏》，最为著名，号称“光记”“宝疏”，此外，圆晖的《俱舍论颂疏》与遁麟的《俱舍论颂疏记》，也是研究俱舍宗的重要文献。

（三）成实宗——成实宗的创始者诃梨跋摩，最初也信仰毗昙宗，后因对于毗昙宗“一切诸法均为实有”

的命题，发生怀疑，并认俱舍宗的修法命题——即尚承认色法心法为实有的主张——也缺乏彻底性，有失佛教之真，他为要恢复佛教的真实教义，乃作《成实论》一书，阐明“一切万有皆为空虚”的命题。此宗既立，有部的学者乃出而对抗，如众贤论师的著作即其代表。诃梨跋摩的《成实论》，在姚秦时代，已由鸠摩罗什译出，共二十卷一百二品，更由罗什的弟子昙影分为发聚、苦谛聚、集谛聚、灭谛聚、道谛聚等五段。至于成实宗的反对论者众贤论师的著作，由唐玄奘译为中文的，也有《顺正理论》八十卷及《显宗论》四十卷，颇供我们比较对勘的研究。

上述毗昙、俱舍、成实三宗，均属于小乘佛教，其理论的发展过程，及其分裂斗争的哲学意义，此地不拟细述，惟为清楚眉目起见，特制定简表如下：

经（四阿含）→论（六足发智）→广论（大毗婆娑）→顺正理论及显宗论（心物二元论）
俱舍论（不彻底唯心论）
成实论（绝对唯心论）
（以上三者）小乘佛教的内容

（四）三论宗——三论宗所直接依据的佛典，即龙树著的《中论》与《十二门论》及龙树的弟子提婆所著的《百论》，此三论俱由鸠摩罗什译为中文。印度学者注释《中论》的著作，如无著的《顺中论》（二卷）、青目的《中论》（四卷）、安慧的《大乘中释论》（九卷）等，也由鸠摩罗什、瞿昙般若流支、惟净等先后译出。所以中国的三论宗，可以说在六朝时代已由鸠摩罗什开其端倪；至隋代的吉藏（嘉祥大师）著作了《中论疏》、《百论疏》、《十二门论疏》三部独创的集大成名著以后，三论宗之在中国，遂以青出于蓝的姿态完成其发展。此外，唐代的华严宗完成者法藏（贤首大师）为对抗法相宗所著的《十二门论宗义记》（四卷），也是著名的杰作。此所谓三论，其基本的命题，不外“破邪”与“显正”二门。所谓破邪，即“一摧外道，二折毗昙，三排成实，四呵大执”；“初一为外，后三为内；内外并收。毗昙明有，成实辨空，空有俱摄，斯二为小；方等称大，大小该罗，略洗四迷，则纷累都耳”。“外道不达二空，横存人法；毗昙已得无我，而犹执法有性；跋摩具辨二空，而照犹未尽；大乘乃言究竟，但封执成迷，自浅至深，四宗等级。”（吉藏《三论玄义》卷上一至二页）而所谓显正，即明显大乘正义。并且，在三论中，破邪与显正是一个命题的两方面，所以吉藏又说："总说破显，凡有四门：一破不收，二收不破，三亦破亦收，四不破不收。言不会道，破而不收；说必契理，收而不破；学教起迷，亦破亦收，破其能迷之情，收取所惑之教；诸法实相，言忘虑绝，实无可破，亦无可收。泯上三门，归乎一相，照斯四句，破立皎然。"（同书卷上二页）此破邪与显正交互为用，其所要阐明的唯一的命题，就是所谓"空"的原理。佛教经典中的所谓般若经——如《大品般若经》、《小品般若经》、《金刚般若经》等，以及《仁王般若》、《般若心经》，其主旨即在于"空"的原理的建立；所以三论宗的思想，实直接导源于般若部诸经，例如三论宗的始祖龙树曾著《大智度论》一百卷，来解释《大品般若经》（共六百卷），即是明证。

（五）天台宗——隋代智𫖮（智者大师，亦称天台大师）所完成的天台宗，其思想的来源，大体上可以说是印度的三论宗、四论宗（《中论》、《百论》、《十二门论》与《大智度论》）与涅槃宗；尤其龙树所著、鸠摩罗什所译的《大智度论》，不但将《中论》及《十二门论》的破邪、显正诸问题，逐一加以更展开的论证，而且又用《法华经》(即《妙法莲花经》)解释《大品般若经》，由般若部诸经所包括的“空”的原理中，引出了“中道实相，会三显一”的命题，而断定了“法华最胜”(鸠摩罗什的弟子僧叡的主张)。所以天台宗的主要的理论基础，实在于《大智度论》一书。该宗的著作，计有智𫖮的《法华玄义》、《法华文句》、《摩诃止观》(此三书为完成天台宗教义的代表作)；智𫖮的弟子灌顶(章安大师)，本为智𫖮著作的笔记者，另著有《涅槃经疏》三十三卷；唐代的湛然(荆溪尊者)又著有《玄义释签》、《文句记》、《止观补行》等三大著作，对于天台宗的中兴再造，实有决定的意义。

(六)华严宗——华严宗的创始者为杜顺禅师，中间通过智俨，至法藏(贤首大师)而趋于完成。法藏的弟子慧苑曾修正师说，但澄观(清凉大师)则对于慧苑努力批驳，终复华严的正统。禅宗的信徒宗密，因受澄观的影响，遂弃其所学，改信华严宗的教义。该宗的著作，计有杜顺的《五教止观》、《法界观门》，智俨的《搜玄记》、《孔目章》、《五十要问答》、《十玄章》，法藏的《华严探玄记》、《华严五教章》、《金狮子章》、《华严经旨归》、《十二门论宗致义记》、《大乘起信论义记》，慧苑的《华严刊定记》；此外，澄观本人的著作，即有《华严法界玄镜》等四百余卷，宗密的《原人论》一书，不但流行一时，且对宋学有深刻的影响。至于华严宗所依据的经典，则为世亲的《十地论》，及法藏译的《八十华严经》（未完成）。该宗的教义，系“立一恒常不变之真心，为一切现象之根本，其说为一客观的唯心论”（见冯友兰《中国哲学史》七四九页），和法相宗所主张的“一切唯识”的主观唯心论，自有不同。故法藏判法相宗为“始教”（即初步或低的意思）；其所作《十二门论宗致义记》及《大乘起信论义记》等书，也是对于当时玄奘所提倡的法相宗的一种批驳或对抗。

（七）法相宗——法相宗为玄奘所传来，其思想的内容，除承继印度法相宗的命题以外，又吸收了摄论宗的内容，遂形成了中国的法相宗。玄奘的弟子窥基（慈恩大师），对于因明唯识，更作了深刻的研究，使中国的法相宗完成了新的发展。就玄奘所译七十六部一千三百四十七卷的佛经中，其与法相宗有关系的，计有下列各种:《显扬圣教论》二十卷,《摄大乘论无性释》十卷,《解深密经》五卷,《因明入正理论》一卷,《瑜珈论》百卷,《唯识三十论》一卷,《识身足论》十六卷,《般若心经》一卷,《摄大乘论世亲释》十卷,《大乘掌珍论》二卷,《因明正理门论》本一卷,《称赞净土经》一卷,《无垢称经》六卷,《广百论释论》十卷,《俱舍论》三十卷,《显宗论》四十卷,《顺正理论》八十卷,《大毗婆娑论》二百卷,《法蕴足论》十二卷,《发智论》二十卷,《品类足论》十八卷,《辨中边论》三卷,《唯识二十论》一卷,《异部宗轮论》一卷,《界身足论》三卷,《大般若经》六百卷,《集异门足论》二十卷等。在法相宗中，中国人的代表作，则有玄奘的《成唯识论》十卷，窥基的《成唯论述记》二十卷及《因明大疏》三卷。法相宗的教义，就是主张宇宙万有均为心之所变或所造，而以站在自我人格背后的“阿赖耶识”（第八识）为显现万有的心的本体，本质上不外是纯粹的主观唯心论。

（八）戒律宗——佛教对于信徒修养时所制定的种种应守的戒条，就是戒律。因佛教教理的发展，各派对于传统的戒律的解释，也就分出了许多个派别；这就是说，在戒律方面，不但有大小乘之分，而且在大乘与小乘的内部，又各有许多的支派。但是，一般所谓戒律宗，多系指小乘的戒律而言；这种戒律完全译为中文的，计有《十诵律》六十一卷、《四分律》六十卷、《僧祇律》四十卷、《五分律》三十卷等四种。此四种戒律中，以《四分律》最为通行，自地论宗的高僧慧光的研究将《四分律》加以完成之后，更促进了其他三种戒律的没落。但是，到了唐代，《四分律》又分成了三派，第一派是终南山的道宣律师，第二派是相州日光寺的法砺律师，第三派是洛阳西太原寺的怀素律师。此三派中，以道宣派有独占的势力，号称南山宗。道宣曾在玄奘的译场，任译文润色的工作，所以他对于《四分律》的解释，辄援用法相宗的教理。正因如此，所以该宗在哲学上，便无独立的意义。

（九）净土宗——净土宗因教人信奉念佛法门发菩提心往生极乐世界清净佛土而得名。该宗的传承关系是：菩提支流→昙鸾→道绰→善导。其所依据的经典，计有《无量寿经》、《阿陀佛经》、《观无量寿经》，即普通所谓“净土三经”。中国人关于净土宗的代表作，则为《往生论注》二卷（即昙鸾对于世亲的净土论所作的解释），《安极集》二卷（道绰著）及《观无量寿经疏》四卷（善导著，又称《四帖疏》)。净土宗的哲学性格，系据大乘经论，阐明“三界众生”为“虚妄相”，因“法身无相”，所以“多依相求决得往生”，都是“凡夫之智”，惟赖纯主观性的先验的虔诚——菩提心的“称念”，罪恶深重的众生，均可往生西方极乐世界。所以也是宗教化了的主观唯心论。

（十）禅宗——禅即梵语“禅那”的音译，其意义为坐禅或静虑。禅宗在梁武帝时由菩提达磨传入中国。他以为文书的研究及学说，用文书来表现，是为赘瘤，惟人类内在的内心是正确认识的唯一的源泉；并寺院或圣典也作为一切“影”而加以排斥。这就是说，真正的佛教，在于空的把握；而此空的把握，乃是内在的过程，其特性不能用言语文字来表现，而只有静默的体验，才有领悟，由此便引出了禅宗的“直观人心”“不立文字”“教外别传”的心理的直觉说，体验主义。禅宗由菩提达磨之后，五传而至弘忍，在第五祖弘忍的时候，又分成南北二宗，慧能承法统为第六祖，亦称南宗之祖；

另方面神秀为北宗之祖。禅宗在中国佛教史上，本具有重要的意义，但其极隆盛之致，则在唐代以后——尤其到了宋代。中国的禅宗学者，因受“不立文字”的家法的支配，故著作极少；惟慧能的弟子石头希迁，曾著有《参同契》一篇，共二百余字，足以代表禅宗的哲学思想。我们就《参同契》考察，确系以庄子的相对主义的主观唯心论中的对立性的抹杀，具体性的否定或一般性——同一性——统一性的片面夸张命题为基础，并以之与大乘佛教的灭视主观与客观的差别，对立命题相结合，而形成的反辩证法唯物论的思想；而李石岑不察，竟误认“差别和一致两相契合”，为辩证法的基本特征的“对立的统一”（《中国哲学十讲》第七讲禅家的哲学），殊为谬误之至！

（十一）密宗——密宗又称真言宗，自唐玄宗开元以降，始传入中国。此宗先分大日经与金刚顶经两派，至惠果阿阇黎（密宗传法师之称，乃梵语的音译，意为轨范），又合而为一。其传承关系，略如下表：

大日经派	善无畏 → 一行
金刚顶经派	金智刚 → 不空 → 惠果 → 义操 → 义真

密宗的经典译为中文的，计有《大日经》七卷（善无畏译），《金刚顶经》三卷（不空译）；中国人的著作，则以一行的《大日经疏》二十卷为代表。金刚顶经派，在于阐明金刚界曼荼罗（即主观范畴中智的轮圆具足）；大日经派，则在于阐明胎藏界曼荼罗（即客观范畴中理的轮圆具足）。质言之，所谓智即与道合一的自我的本质，而所谓理即与我一体的宇宙的本体。金刚顶经派，从主观方面出发，先以自我的精神作用为中心，渐次扩大，把宇宙看成主观内的范畴；大日经派，则从客观方面出发，先以宇宙全体为中心，渐次缩小，把精神或心看成宇宙的一部分。因此，大日经派与金刚顶经派的对立，在某种意味上，可视为唯物论与唯心论的对立。但是，惠果等则依其“释大一致”说，认主观与客观、心与物是互为表里合成一体的，决不是根本上完全异体的存在。这种一致性，在密宗的惠果看来，不论物质现象或精神现象，宇宙间的一切，都是佛陀；他如菩萨、神、天等，也都是佛陀的化身，这样，便完成了一种宗教化的绝对唯心论的标准体系。一般的大乘佛教，均认众生本具佛性，而密宗则更进一步，主张我们的肉体手足，也就是佛陀的肉体手足。这就是作为密宗的根本原理的“即事而真”的命题成立的由来。

第二节　佛教哲学的批判

在前面，我们为叙述便利起见，大体上只是简单的说明了中国佛教各宗的成立过程及其所依据的经典与代表人物的著作，关于各宗哲学的内容，在多数的场合，则故意的略而未述，或语焉不详。现在，我们要更进一步，对于各宗的哲学思想，予以批判的解明。

我们前面曾说，毗昙、俱舍、成实三宗，为小乘佛教，其余各宗，皆是大乘佛教。兹表示如下：

- 各宗教乘
  - 小乘佛教
    - 毗昙宗
    - 俱舍宗
    - 成实宗
  - 大乘佛教
    - 三论宗
    - 禅宗
    - 天台宗
    - 华严宗
    - 法相宗
    - 净土宗
    - 戒律宗
    - 密宗

各宗所属教乘，虽如上述，但是，无论大乘与小乘，均系由原始佛教所派生，所以我们要依照原始、小乘、大乘的顺序，开始批判的研究。

（甲）原始佛教的哲学及其批判

关于原始佛教的成立过程及其社会基础，我们在本书第十一章第二节中，已经说过，在这里我们的课题，则系以阿含经为根据，来分析原始佛教的哲学性格。首先，阿含经中所表现的原始佛教意识形态之思想的特质，乃是自己潜沉的解脱的唯心论哲学与万有灵魂论（Animism）、图腾主义（Totemism）、祖先崇拜、自然崇拜等氏族、种族的宗教要素，奇异——神秘——幻想——神话诸表象的杂乱的混合，并且又表现了原始佛教与国家结合以后所加入的国家主义，阶级协调主义，慈善主义，救济主义等思想的诸要素。此等原始佛教的思想内容，正如一般的印度解脱哲学一样，根本上系被印度社会之亚细亚的停滞性所规定，尤其与印度型的奴隶制矛盾的特殊性，有不可分离的关系。

这样看来，我们对于原始佛教，固不得不强调其宗教的本质，然而，同时却又不能忽视其所包含的人生哲学的诸原理，即其作为宗教的哲学之一方面，所以原始佛教，也是哲学史的对象。如果我们从哲学的思想方面，来考察原始佛教，即可发现下列诸特征：

（一）苦恼的生存与涅槃——据《中阿含·罗摩经》所载，佛陀出家的动机目的，是要解脱苦恼的生存，而争取“无病无上安稳涅槃”、“无老无死无忧愁感无秽污无上安稳涅槃”。佛陀出家之后，立即访问吠舍离城的修道主义者跋伽婆仙人及弥楼山的阿罗逻仙人，从其后，实行修道，终于不得满足而去，赴伽耶的菩提树下，得净软草八束，敷之为金刚座，趺坐其上，端身正念，发大誓言“我今若不证无上大菩提，宁可碎是身终不起此座”。遂得漏尽通，洞观三界之因果，而达到了下面的结论：“无明灭故行灭，行灭故识灭，识灭的故色名灭，色名灭故六入灭，六入灭故触灭，触灭故受灭，受灭故爱灭，爱灭故取灭，取灭故有灭，有灭故生灭，生灭故老病死忧悲苦恼灭，如是如是，纯大苦聚灭。”（《杂阿含经》卷十一）这种以死前的人类为无力与不幸的思想，以生存为苦恼的思想，即所谓“无常观”，而脱出这种苦恼的生存，即原始佛教的解脱哲学的目的。但是，在这里我们应该注意，此所谓苦恼，并不是被压抑的大众现实生活的苦恼，而是意味着亚细亚停滞性下的贵族、富者消极生活中抽象的苦恼一般。由此，便证明了解脱哲学之一般的贵族的性质。

（二）原始佛教的反自然哲学的立场——作为解脱哲学的原始佛教，乃是反“形而上学”的（反宇宙论的）反自然哲学的立场上的体系；关于达到涅槃的方法，它既不满足于修道主义，也不采用苦行主义（心物二元论）。据《中阿含·罗摩经》所云，佛陀曾到鹿野园访问苦行主义的五比丘，即认“自烦自苦（即苦行主义），非圣贤之求法”，但是，原始佛教并未全然舍弃修道苦行的解脱方法，其本来的旨趣，乃是舍弃关于世界原理的形而上学的思辨、宇宙论、自然哲学，企图由此而解决生存的苦恼问题。在这一点上，原始佛教的哲学的主知性格，便埋没到宗教的实践之中。例如《中阿含·箭喻经》载，鬘童子向佛陀问世界有限无限，灵魂与肉体的异同，以及如来死后的状态等问题，而佛陀则以中毒箭而不求拔去的人为例，喻其为“愚痴之人”的质问，这样来非难形而上学的思辨。又如《长阿含·三明经》中，佛陀关于波罗门哲学的形而上学的立场，曾指摘它不见梵天，认三明波罗门所说，尽属虚妄，并且把他们的思辨，比喻成企图爬上极端黑暗房间而在空地上树立梯子的人。

（三）原始佛教的根本立场——原始佛教哲学的出发的前提，就是一切即无常，生存即苦恼；所以原始佛教的根本立场，可以要约成“诸行无常”、“诸法无我”、“一切皆苦”三项。所谓“诸行无常，即生存的一切范畴，皆刹那刹那的生灭变迁，其常住者，则全然没有；一般的生老病死的苦恼，均由此而生。在佛教的立场看来，所谓“我”，乃“常一主宰”之义，因此便否定了作为支配统制主宰的实体我；这就是“诸法无我”的原理。任何的场合，都没有我——常一主宰者的存在；其认定实体我的存在而要求其恒久不变性，乃是“爱”（Tanha）——欲望的产物。然而，因为诸行无常，所以这样的欲望，便到底不能满足，于是苦恼遂起，而形成了“一切皆苦”。人生的苦恼，即以此种欲望——爱为条件而生起，则只要无爱，只要无我彻底化，人生便也无苦。据此可知，原始佛教的根本思想，全然是消极主义，谛观主义。

（四）十二因缘——上述原始佛教的根本思想，在《杂阿含经》中，又作十二因缘，即缘起的理法。所谓十二因缘，即“无明、行、识、名色、六入、触、受、爱、取、有、生、老死”的缘起；而所谓缘，乃是条件之意。在原始佛教中，“老死”的条件是生，生的条件是有，有的条件是取，如此这般，而至于无明；或者反过来说，由无明至于老死的因果关系，这就是十二因缘。详细的来说，即老死的苦恼，无常转变的人生的苦恼，以生为条件，起于生的存在的场合。生的条件是有，而所谓有，就是我们的生存。此有的条件是取，即执着固执。此种一定事物中的执着固执的取，便预想到作为一般的根本欲望的爱。或以爱为基础；而此种爱，则又不得不以受，即印象的领受为前提。受是以指接触，感觉，感情等所谓触为其条件。触与眼、耳、鼻、舌、身、意等六入（六入处）发生关系，在各种形式中一一生起，因此，必以六入为条件；并且在六入中，已可涉及内外界的对立，这种对立，是谓名色。所谓名，即受、想、思、触作意，而所谓色，则是地、水、火、风四大种与由四大种所造成的色——身体。然而，这种对立，因为完全是在表现于心中的限度内的对立，所以可能被识所统一；此种被识所统一的名色，即一切世界。并且此种被认识所统一的名色，也不如我们的思想之编排，而各种各色之所以成立，实由于行；但是妄生区别的行，乃凡夫之所为，所以行以无明为条件；此所谓无明，即指不认识佛陀的根本思想的无知而言。此种十二因缘的关系，如果反过来说，即若无无明，则无老死的苦恼。总之，一切的存在，是无常而非常住性，是无我而非主宰性；然而，昧于此种“缘起”的凡夫，则据其无明的立场，迷惑于执着，由我执中心的作意，展开了无端的生死的苦界。在这里，洞明“缘起”的真法，断灭无明，解脱烦恼，而到达于无上安稳的涅槃的，即所谓佛教。

（五）四圣谛、八正道——所谓四圣谛，就是“苦、集、灭、道”之佛教的根本原理，也就是所谓三界为苦聚，而世界苦恼之因在于无明我执，灭此无明我执以超越苦乐的中道，方为真实的解脱。分别言之，苦谛是现实生存之相，所谓一切皆苦；集谛表示苦的理由根据；灭谛表示作为目的的无苦安稳的涅槃；道谛则表示作为实现无苦安稳涅槃的目的的手段方法的实践（参照《五分律》一五、《四分律》三二）。所谓“八正道”，乃是到达于苦恼灭除的道路的意味，就是“正见、正思、正语、正业、正命、正精进、正念、正定”。“八正道”又排斥乐行主义与苦行主义的两极端，而主张由“中道、眼明、智明、永寂休息、神通”等以完成沙门的涅槃（《五分律》一五、《四分律》三二）。

（六）无我的原理——原始佛教思想中最根本的原理，就是无我的原理。如前所述，所谓“我”，乃“常一主宰”之意，同时又意味着“灵魂”或“神”的观念：因此，人们每误认原始佛教“无灵魂”说，或“无神论”。然而，原始佛教在本质上，既非无神论，又不曾完全否定灵魂；而无我的原理，也决不是唯物论的命题。所谓诸法无我的思想，就是所谓如果觉悟到一切均为无常，恒久不变的范畴以及作为实体的我根本不曾存在的思想；因而所谓“诸法无我”，就是“诸行无常”的同义语。我们据《四分律》三十二卷所载佛陀在鹿野园访问五比丘时的议论，可知“无我说”的真谛，在于阐明下述的命题：如果对于我们的现身，尚有灵魂或神等常一主宰者的存在，则我们的生活，便应完全是自由的；然而我们所以常常渡着不完全不自由的生活，而在无常之中喘苦的原因，实在于我们的现身的内部与外部，均无常一主宰的我的存在。但是，真实的我既不存在，为什么尚有要求“涅槃”= 永远的生存的必要呢？在这里，便又以我的存在为前提，我的永远的生存遂成了问题。例如《增壹阿含经》第二十卷中，即一般的承认着轮回观念，由“业”的有余，来说明死后的生存；由“业”的断的程度，指示死后进入涅槃的过程，所以，“诸法无我”的命题，结局不过是到达于我的永远的生存，死后的生存的精神的基础。在《杂阿含经》第五卷，又说明如果自始即完全否定自我，则可以成为既无苦又无乐；这是绝对的消极主义，完全的现实逃避。然而，精神对于物质，本质上是第二次的范畴；因此，使精神从物质求得完全的解放，便是到底不可能的幻想。这样，如果把这种精神（自我，灵魂）与客观的世界，一块儿加以否定，则一切的问题，均化归无有，而苦恼亦随之断灭。但是，此种无我的思想，和纯粹的虚无主义（Nihilism），亦自有区别；原始佛教，并不是脱离无我的立场由自杀以说教入于解脱地的虚无主义。在《中阿含·法乐比丘尼经》中有云："死者寿命灭讫，温暖已去，诸根败坏。比丘如灭尽入定，寿不灭讫，暖亦不去，诸根不败坏。"这是因为原始佛教的无我的思想，是以永远的自我为根柢的主观的唯心论的缘故。

（七）原始佛教的主观唯心论及其夹杂物——《杂阿含经》第十三卷中云："一切谓十二处。眼与识，耳与声，鼻与香，舌与味，身与触，意与法，是名一切。"在第四十九卷又云："何等为世间？谓五受阴。何等谓五受阴？色受阴，受受阴，想受阴，行受阴，识受阴，是名世间。"很明白的这是说，一切的范畴，客观的世界，都是被识所统一了的名色，即所谓主观的意识内容；仅仅其所谓主观，不是个别的主观，而是主观的一般或抽象化了的主观。然而又应该知道，原始佛教，因受耆那教的心物二元论的影响，故其主观唯心论中，仍带有二元论的夹杂物，如"一切诸法均为实有"的命题，即其例证。正因如此，所以受到了作为小乘佛教的成实宗的责难。

总之，原始佛教的哲学，乃是未达充分成熟的主观唯心论，而不是唯物论；其无我的原理，是自己潜沉的绝对的消极主义，而绝非意味着辩证法的思想。这种思想，是佛教的根本思想；而同时和盛行于六朝时代的老庄哲学，也有共同的社会基础；即此已足证明佛教在中国成立，实质上并不能根据所谓文化传播论来说明。

（乙）大乘与小乘的区别及小乘哲学的批判

小乘与大乘本来称为声闻乘及菩萨乘。所谓声闻，原来是闻者或弟子之意，闻佛陀之声而决心修行，所以声闻乘，便是修行四谛之说，期得阿罗汉之果；而所谓菩萨，则是菩提萨埵之略称，菩提即实行努力于佛陀的智慧的完成实现的修行，萨埵即众生，总其意，即菩提是自行，萨埵是化他，自修佛道，又化他故；而菩萨乘，即以智上求佛道用悲下救众生，行六波罗密，期得佛陀之果。所以，小乘与大乘的区别，在修行上前者以自利为主，后者以利他为主；在得果上前者期得阿罗汉之果，后者期得佛陀之果。以上是一般的说法，然而在我们看来，这决不是正确的规定。本质上是因为原始佛教在纪元前一〇〇〇年顷，分裂成上座部与大众部两个系统，上座部系统是小乘佛教，大众部系统是大乘佛教，并且所谓小乘佛教的名称，乃是由于大乘佛教以其教理浮浅所加的名称。所以我们决不能以小乘浮浅、大乘深刻为特征，来着手此二者的区别。然而，此二者之间，又确有其区别存在，大体言之，小乘是观想的解脱哲学，是心物二元论；反之，大乘在根本上虽亦为解脱哲学，但却与小乘不同，而为意识一元论，并且全体上采取着所谓“普遍宗教”的形态。小乘佛教，以我为空而以法为有；反之，大乘佛教，则依照彻底的唯心论（主观的唯心论）的立场，定立了我法皆空的命题。

我们说明了小乘与大乘的区别以后，现在要更进一步对于小乘佛教的哲学，先予以批判的研究。前面曾说过，小乘佛教的学说，根本上是二元论，有时又是多元论。自然，小乘佛教前后经过了几多的变迁，因此，其学说也决不一样，然就其大体的特质言之，结局仍可以说是以心物二元论为基础的解脱哲学。其学说教理，大体系由下列的三个部分所构成：一、形成器世间，有情世间（即一切的世界、身心）的诸法的解说；二、有情的轮回相续的状态的详释；三、关于断惑证理的实践过程。

诸法分为色、心、心所、不相应、无为等五类。大乘以心为本以色为末，而小乘则以色为本以心为末；色是引起心的实体，包含着五根、五境、无表色等共十一种。色法中有形的范畴，全由极微——原子而成，这些极微，相互集合而存在，各具有坚、湿、暖、动等四种性质。此四种性质，名为四大种，以坚性为大地，以湿性为大水，以暖性为大火，以动性为大风。此四大种，又各具备其特有的力，是谓四大之用；由具有此用的极微，遂形成了色法中的色、香、味、触。所谓五根，即眼、耳、鼻、舌、身；所谓五境，即色、声、香、味、触；而所谓无表色，则为存在于身内的具有防善防非的功能的一种物质，虽非极微，却是由四大而起依四大而存的一种色。

诸法中第二类的心，即是心王；第三类的心所，即是伴随心王而起的被心王所有的范畴；此二者名为心法。在心王中，有眼识，耳识，鼻识，舌识，身识，意识；此五识以五根为依据而形成各自的境，意识由意根而成法境。其次，第四类的不相应，名为不相应行法，为非心非物的范畴，唯附于色心，始表现其力量，在这里又可区别成十四种。最后，第五类的无为法，乃对于前四类的有为法而言，是一种无生灭变化，离因缘而常住的实在，也可分为三种：第一，以虚空无碍为本性的宇宙的大空；第二，成为唯善无漏的常住法的涅槃；第三，用简择力＝智力，观四谛之理而断惑的灭。

以上的五类，是构成一切范畴的根本法；此等诸法，根据因果律结合集积而成的结果，就是器世间与有情世间。所谓器世间，就是世间，小乘根据着须弥山说的神话，来说明其所谓欲界、色界、无色的三界说。而所谓有情世间，就是我们的身心，小乘以为身心系由五蕴而成。

关于有情的轮回转生的情形，系由十二因缘来说明，而十二因缘，则用胎生学的方法，说明其为三世两重的因果。小乘佛教中这种轮回的说明，颇多牵强附会之点，全然是宗教的空想的产物。但是，在小乘对于十二因缘，据三世两重因果所作的轮回说明中，我们所要注意的，乃是将轮回作为惑、业、苦而加以解释这一点。

在十二因缘中，无明是惑，行是业，由识到受是苦；并且，受与取是惑，有是业，生老死是苦，结局，所谓轮回，便成了惑、业、苦的关系。苦是意味着生存，而生存的因为业，业又由惑＝烦恼而起。这样看来，业是最重要的范畴，器与有情的二世间的一切的差别，可以说俱由此业而起。

最后，所谓解脱，固为断绝烦恼而入于悟界，然断绝此烦恼者，则系由智而行。所谓修行，即以依据于定的智，断绝烦恼＝惑，而求得圣果；在修行中，又有由三贤及四善根而成的所谓七方便之说。佛教中的修行之道，一般的可区别为声闻乘，缘觉乘（亦称独觉乘，乃指不受教，观十二因缘，独悟、单独的进入解脱而言）及菩萨乘三种；小乘佛教，以前二乘为主，尤其以声闻乘为主。此点前已言及。

小乘佛教认三千世界，唯有一佛；佛陀之身，纵无烦恼和习气，仍不过为有漏，是为生身；反之，由佛陀所证的涅槃本身，则名为法身。这样，遂建立起生身与法身的二身观。

（丙）大乘佛教哲学的批判

中国的属于大乘佛教的宗派，如三论、禅宗、天台、华严、法相、净土、戒律、密宗等，其思想的来源，要不外乎龙树、马鸣、世亲、无着、提婆等人的理论体系的祖述与阐发；兹就此范围，略加以批判的叙述。

（A）龙树哲学的批判——在龙树哲学中，我们应就下列各点，予以批判：一、《般若经》与“空”的思想；二、龙树哲学中“空”的原理；三、中道；四、“空”的原理的秘密。兹分别的评述如下。

龙树（纪元一五〇至二五〇年）哲学的根本，是“空”的原理；而此“空”的思想，俱见于《般若经》中；所以我们批判龙树的哲学以前，应先将《般若经》的空观，略加考察。《般若经》，属于第一期的大乘经典，乃是以最特征的形式表现着大乘佛教与小乘佛教相对立的立场的著作；其中心的思想，就是“一切皆空”；此所谓“一切皆空”的根本命题，有时又表现为“诸法无自性不可得”或“假名无实体”。但此“一切皆空”的命题，也不是所谓一切皆虚无的虚无主义；我们看《般若经》又特别提出“空亦复空”的命题，以与“一切皆空”

相对立，即可知这是反对着虚无主义的主张，而确乎已经反省到自己的定立命题的自己矛盾的产物。然而，《般若经》的这种空观，结局并不能解决自己的矛盾；唯其由于将原始佛教的“无我”原理置诸首位，使自己和当时佛教以外的诸思想以及小乘佛教的立场，完成尖锐的对立，这在佛教思想的发达上，确乎是值得特别重视的现象。当时一般的诸学派，都承认人我（个人的实体——灵魂）及法我（宇宙的实体——神），小乘佛教，一面以我为空，一面以法（客观的实体）为有，一面承认人我为空无，一面却又主张心王心所皆别有实体的存在，结局便将人我（灵魂——心）看成了实体，而归着于心物二元论的见解。反之，《般若经》则主张一切皆空；但同时又反对着空而提出了“空亦复空”，甚至说明了“反复空无”。因之，这种“空”的原理，便已不是一切皆无；此所谓“空”的真谛，结局可认为是意味着无差别者。对于此点加以特别强调者，就是龙树其人。

龙树在其中论中，将“空”作为“非有非无”而加以说明。这样，所谓一切皆空的命题中的“空”，便成了既不是有，又不是无，而是非有非无的范畴，在这里，“空”的原理，就是使作为人与法的别体的相异对立，化为空无的原理，也就是将个别的存在融解到所谓全体的昏暗之中的原理；在这里，所谓“空”与所谓缘起或相依，便成了同一意味的范畴。所以，所谓“空”，就是主观与客观，个性（意识）与实体的对立的消灭，就是无差别的范畴。

因为“空”在本质上为非有非无的范畴，即不是任何的一极端，所以龙树便主张了“中道”的思想。此所谓中道，龙树曾如次的予以说明：“因缘所生法，我说即是空，亦为是假名，亦是中道义。”这就是说，一切的法虽皆是空，而此空却又不止于为空，所以便否定了空，使空亦归于空，而中道遂于以显现。

在这里，“空”的原理的秘密，已十分明白。这就是说，所谓“空”的本质，就是“无差别”，就是主观与客观，个别与实体之间的对立、区别的灭却，就是特殊的范畴的酩酊，就是科学思想之完全的抹杀；在这里，为要否定对象的世界之实在性，遂也否定了实在性一般。于是，一切的范畴——宇宙，便终于埋没到所谓“在那里一切的牝牛都在黑夜”的全体者＝“空”的昏暗之中。这种必要的所在，也和原始佛教中“无我”的原理同样，都是否定自我的个别性，以争取永远的生存；所以龙树站在主观唯心论的立场，而主张“三界唯心”＝三界的一切，皆心之所作。这决不是偶然而来的命题。

现在我们已经到达于结论，即“空”的原理，并不是辩证法；因为空是抽象的无差别者，在“空”的所在，一切的对立都被抹杀了的缘故。这就是说，空的意味的全体者，并不是由特殊的契机所媒介了的范畴，而比谢林格的“无差别者”更为抽象而且直观的范畴。在这里，全体者不是具体的范畴，而是抽象的范畴；结局，“空”的原理的秘密，实在于寻求抽象的否定了相对的绝对，与抽象的否定了个别的全体，这种非辩证法的态度。正因如此，便表现出作为非有非无的空，此种空的空，甚而至于此空的空的空，等等之类的无限的进行。伽那提婆与罗睺罗，都是龙树的思想的承继者，中国的三论宗，实以龙树、提婆等的“空”的原理，为其思想的基础而建立并发展的。

中国三论宗的完成者吉藏氏在其《三论玄义》中，关于空的原理，有如下的独创的说明。他说：“难曰：

夫有断有常，故名之为有；无断无常，目之为无，既其是无，何由离断？答：既断常斯寂，则有无等皆离，不应更复谓染于无。难曰：……夫有有无名之为有，无有无无始是大无；既其堕无，何由离断？答：本对有病，是故说无；有病若消，空药亦废；则知圣道未曾有无，何所滞耶？难曰：是有是无，名为两是；非有非无，名为两非；既堕是非，还同儒墨。答：本非二是，故有双非；二是既忘，双非亦息；故知非是亦复非非。难曰：非是非非，还堕双非，何由免非？答：二是生乎梦虎，两非还见空华；则知本无所是，今亦无非。难曰：若无是无非，亦不邪不正；何故……称破邪显正？答：夫有非有是，此则为邪；无是无非，乃名为正。……难曰：既有邪可破，有正可显；则心存取舍，何谓无依？答：为息于邪，强名为正；在邪既息，则正亦不留，故心无所著。难曰：若正邪并冥，岂非空见？答：正观论云，大圣说空法，为离诸见故：若复见有空，诸佛所不化。如水能灭火，今水还出火，当用何灭？断常为火，空能灭之：若复著空，即无药可灭也。难曰：既著空病，何故不服药而言息化？答：若以有化，还复滞有；乃至忘言，便复著断；如此之流，何由可化？问：心有所著，有何过耶？答：若有所著，便有所缚，不得解脱，生老病死，忧悲苦恼。……故有依有得，为生死之本，无住无著，为经论大宗。……天无两日，土无二王；教有多门，理唯一正。”（金陵刻经处光绪己亥开雕版卷上二十一至二十三页）据此可知，中国三论宗的“空的原理”，其最高的目的，仍归着于解脱哲学的建立。

但是，像我们在上章第二节中所说过的一样，“格义”到了吉藏的阶段，佛教哲学便与老庄思想，发生了原理的不同。例如《三论玄义》曾在“排震旦”的题目之下，将佛教哲学与老庄思想，作一对比的观察；他说：“凡夫之智，孟浪之言，言之似极，而未始诣也；推之似尽，而未谁至也；略陈六义，明其优劣；外（老庄思想）但辨乎一形，内（佛教哲学）则朗鉴三世；外则五情未达，内则说六通穷微；外未即万有而为太虚，内说不坏假名而演实相；外未能即无为而游万有，内说不动真际建立诸法；外存得失之门，内冥二际于绝句之理，外未境智两泯，内则缘观俱寂。以此详之，短羽之于鹏翼，坎井之于天池，未足喻悬矣。”（同版四页）在这里，可知老庄思想与佛教（三论宗）哲学的不同，至少有下列两点：第一，道家以万有的本体为太虚，并对于万有的有为，而认太虚为无为的范畴；佛教的三论宗哲学，则反对着区别万有与本体的见解，而主张假名（现象）即实相，诸法即真际的发现。第二，道家虽否认主观，而却尚不否认客观，故不免有所执着；而三论宗则根本上同时否定了主观与客观，所以便全无执着。

（B）无着哲学的批判——无着（纪元三一〇至三九〇年）本习小乘佛教，后因从弥勒（纪元二七〇至三五〇年）习大乘空观，遂有所悟而将唯识学说组织化，完成了法相宗的理论体系，所以我们应于叙述无着的思想以前，先将弥勒的哲学，略加批判。

我们知道，弥勒的学说，根本上属于般若系统，其唯识说，亦系以般若的“空”的思想为基础的。兹拟就（一）阿赖耶识说，（二）自性清净心的两方面，加以考察。

弥勒的唯识学说，就是关于阿赖耶识缘起的理论。所谓阿赖耶识，就是一切杂染的根本，同时又是可由善法而转灭的范畴。阿赖耶识，生出有情世间与器世间，在现在为苦谛之体；又因其生出未来的苦谛与现在的集谛，所以是一切杂染的根本。然而，同时由此阿赖耶识，又生出世间的一切善法，善根的种子亦因而增长，由于修行善法的结果，阿赖耶识，乃入于还灭。像这样，阿赖耶识既入还灭，未来的烦恼不善之因，自趋消灭；在未来五蕴不生，在现在凡夫性灭除，所以此身便成了所谓自由自在的状态。在这里，阿赖耶识，恰如无漏界（涅槃的世界）湖中的浮岛，而无漏界也被比作浮于天空之云；这样，阿赖耶识，实乃全然作种子识而看成了实体的个人的心。

弥勒的唯识学说的基础，就是自性清净心。据《庄严经论》卷十三、十八至十九偈所规定，清净的心就是真如，也就是自性清净心。此自性清净心，又名阿摩罗识，即所谓无漏法界。其特质有五：第一，非有非无；第二，非同非异；第三，不生不灭；第四，不减不增；第五，非净非不净。此种具有着非有非无、非同非异特质的自性清净心，显然是以龙树的“空”的原理为基础的思想。所以我们认为弥勒的根柢，与唯识说同时，均在于般若的空的思想。

承继着弥勒思想的无着，他把唯识的学说加以组织化，对于阿黎耶识（即阿赖耶识）与自性清净心，曾予以更进一步的说明。无着的思想，也可分阿黎耶识与三自性两方面来叙述。第一，无着所谓阿黎耶识，和弥勒的阿赖耶识为同一的范畴。无着认为：一切有生的不净品法，均隐藏于阿黎耶识中，而成为果；此阿黎耶识则隐藏于诸法中而成为因；一切的众生，亦隐藏于阿黎耶识中而获得我相。并且他主张：由于认识这样的阿黎耶识，才能成就烦恼不净品，业不净品，世间不净品与出世不净品等。第二，所谓三自性，即依他性，分别性，与真实性。无着以为只有据此三自性，才能说明万法唯识的理论。所谓分别性，相当于染汗分；所谓真实性，相当于清净分；而所谓依他性，则相当于染汗清净分。然而，依他性既为阿黎耶识，所以阿黎耶识便具有着染净二分。

但是，此三自性乃又形成着无性而为三无性。诸法因是这样的无性，所以便生了无生无灭，本来寂净，即自性涅槃。悟入此三者，为唯识观；在这里，三性就是三无性，就是白性清净真如。此三无性真如，是最后的归着点。例如在黑暗中误将藤看成蛇的场合，乃是因为不知三无性义所形成的黑暗，不能洞见依他性之藤，遂致仅能成为分别性的蛇。尚理解了三性三无性的真谛，则关于藤既有所知，成为蛇的乱智自灭，一般的人我实有的迷惑，亦化归乌有。这时候，依他性的藤的知识，虽已存在；然既悟入分别性的无相性，则自知不过为依他性的似现，而洞见于依他性的无生性；于是由无相性与无生性，遂到达于所谓真实性无性的最后的境界。这样看来，无着的学说，实不外要说明所谓三界一切皆心所作这一主观唯心论的命题。

（C）世亲哲学的批判——我们在本章第一节中曾说，世亲（纪元三二〇至四〇〇年）初习小乘佛教，著《俱舍论》，后因不满于小乘我空法有之说，乃得其胞兄无着的指导，转入大乘我法皆空的信仰。世亲的学说，可由其作为客观世界的否定的唯识思想及识的转变与三自性等方面加以批判。

据世亲所著的《十地经论》看来，客观的世界，就是意识内容；客观事物的实在性，也不外是感觉中的幻影。于是客观的对象与实在的世界，均存在于意识之中，而为心的幻想——构想。这就是有名的三界唯心说。

并且，在世亲看来，凡认客观的实在，外界的对象为离识而独存的主张，都像梦中认假作真一样，实际上三界皆梦，何尝为有。由此可知，世亲的哲学，乃是唯心论的妄想哲学。

世亲这种一切法唯识的思想，就是所谓色即识的似现的法无我（法空）及人无我（人空）的思想。然而，外部的世界虽为非存在或空虚，但在其作为外部世界，作为现象的限度以内，究如何可能呢？这却不得不加以说明。世亲对于此问题的解答是：由于识的转变似现为色等故。我及法＝一切，都是识的转变的产物；此所谓识的转变，可分为异熟、思量与了别境识等三种；此三种转变的识，即阿赖耶识、思量识（染汙识）与六识；原来为一种本识，这里乃转变成三种识。和此种转变同时，意识的对象，遂似现出来。所以，认为实有的外部的世界，不外乎执着我法的结果。

立于这样立场的世亲，又主张三自性。所谓三自性，系指识的转变自身而言，此三自性更进一步，即成了三无自性。分别性，在性的自身上即无自性；依他性，因为由于他缘而生，而非自动的自然生，所以是无自性；

真实性，根本上无生无相，所以也是无自性。因此，一切都是无自性，这是诸法的真如，或所谓作为识的本性的自性清净心。

（D）大乘佛教哲学的根本特征——由以上的考察，可知大乘佛教哲学之根本的特征，在于以唯识论与空的原理为其根本。

否定客观世界的实在性抹杀主观与客观的区别、对立，以一切均作为意识而说明的唯心论，意识一元论，或彻底的主观的唯心论，这便是大乘佛教的认识论。在这种认识论下面，完全排除了关于客观世界的科学的研究。它是以实在世界的一切事物皆为梦幻的唯心论，对于客观的世界，完全闭上了眼睛，一味任意的建筑观念的世界，而信之为唯一的世界——但非实际存在的世界。在这样的主观唯心论中，客观世界的实在性既被否定，所以主观与客观的区别、对立也随之消灭，因而到达于否定个人我的存在，乃当然之事。如果实在的一切，均可否定，则随一切而生的苦，将亦因此而消灭。然而，客观的世界，在观念中也许可能由此方法予以否定，但在现实中，则是丝毫不能否定的。宁是现实的世界，经常的威胁着比丘及比丘尼，因此他们便只好勉强的闭上了眼睛。然而，在现实世界的俨然的实在性之前，只限于作单纯的观念中的否定，而且甚至这种观念中的否定本身，也决非容易。所以凡人便不能够悟入于佛道。

这样的哲学，全然拒绝了认识的对象，本质上是哲学的堕落；它是成立在和社会的发展，生产的发达失掉了联系的社会阶层的消极生活地盘之上的非实践的哲学；在其中实在看不出任何的进步性。一般中国学者，以大乘佛教的唯识哲学，为最高深的哲学而加以赏赞；以中国大乘佛教的独开新宗与盛行一世，为中国哲学史上的光荣的篇章，然而，在大乘佛教的哲学中，实际上只有哲学——科学的思维的麻木酩酊，我们决不对它加以崇高的评价。

大乘佛教的唯识论，否定世界的实在性，认三界皆梦。然而这并不是康德哲学的立场，并不是现象与物自体的二元论的立场，而是彻底的主观唯心论的立场。但是，主观的唯心论本身，本来就包含着理论的自己矛盾。大乘佛教哲学的理论的自己矛盾，就是“空”的原理。所谓“空”是“非有非无”，而此“非有非无”，便表现主观唯心论中的主观性的矛盾。客观的世界受到了否定（非有），但同时主观的意识也被消灭（非无）；于是便表现为无差别者的意识一般（非有非无）。反之，又表现为“非无”，这样的过程，无限反复的延长着。

所以空的原理，与唯识论不可分的结合着。此空的原理，虽不是辩证法的原理（有即无），而事实上却是以极端抽象的方法，表示着有与无的辩证法的要素的范畴。在这里，因为顾及篇幅关系，对于中国的大乘佛教哲学的内容，已不能作具体的分析与批判；尤其法相宗的玄奘与窥基所主张的“双离空有”（《成唯识论述记》卷一）、“一切唯识”（《成唯识论》卷七），华严宗的法藏的“辩色空”（《金师子章》与《华严还原观示三遍门》），天台宗的智颛的“一切诸法依此心有”（《大乘止观法门》卷一），以及禅宗的石头希迁所主张的“非空非色，亦空亦色”的超越一切对立差别的“参同契”等等的命题，更有详加批判的必要。所幸，我们根据以上所述，大体上已可把握其哲学的性格，于此只好从略。

第三节　佛教思想支配下的儒、道哲学——韩愈与李翱的排佛论，柳宗元与吕才的无神论、唯物论思想的萌芽

佛教思想——尤其大乘佛教在中央集权的专制主义的官僚支配之下，作为脱离生产过程的消费阶级的非实践的解脱哲学，在隋唐时代虽已达于极盛；而适应于此时代政治领域的专制支配的需要，以论理学与政治论为特色的儒教思想，亦恢复其两汉时代的支配性格。隋代实行科举制度，以为提拔官僚干部的源泉，唐代亦因袭以制。此时作为制造典型官僚教科书的科举的科目，即系采用儒教的经学——即太宗朝孔颖达奉令所作的《五经正义》。但是，此时代的儒教，在思想方面，则没有新的发展可言，比起佛教的宗派林立，殊为贫弱。隋代的大儒王通（即文中子，著有《中说》十卷），本质上乃是儒道联合战线与佛教斗争的调解论者，而无自己独立的思想立场，固不必说；即颜师古、孔颖达，在思想方面，亦无若何新的建树；甚至如韩愈、李翱，虽以排佛著名，而其排佛的理论，一则仅限于政治伦理而未

尝涉及哲学领域，二则在根本思想上除了承袭旧说而外，也未能摆脱佛教思想的影响与支配。惟其排佛的态度与论据，尚能坚持儒家的立场，而且间接的形成了宋儒的先驱者，所以仍有略加叙述的必要。

至于道教思想，自后汉而降，即成为流行下层社会的宗教的迷信，屡次作为农民及奴隶大众暴动的思想基础，而帝王及官僚集团，也常利用其“无为”观念，作为大乱之后恢复社会生产诸力（连人口在内）的手段。唐初之际，因其利用民众力量的必要，唐室遂引老子为同姓，对道教加以保护，并一度用老子的《道德经》作为科举的科目。至武则天时代，因对唐代有反对命题的力的背驰性，遂伪作《大云经》，志武后受佛预言的因缘而君临天下，于是道教乃退居佛教之下。至武宗时代，又断行佛教，信奉道教。据清代赵翼《二十二史札记》所载，唐之太宗、高宗、宪宗、敬宗、武宗等，皆因服药而丧命，可见道教的炼丹修仙之术，在中央集权的支配阶级之间，亦有极大的势力。但是，唐代的道教学者，如李虚中（著有《命书》及《开元占经》）、孙思邈（著有《千金方》）、司马承祯（著有《坐妄论》）、张致和（著有《元真子》)、罗隐（著有《两同书》)、谭峭（著有《化书》)、司马子微（著有《天隐子》）等，他们的思想多承袭或推演前人荒唐迷信观念，毫无学术价值可言。惟柳宗元及吕才，则独能把握老子、荀子及王充的好思想，在当时历史制限之内，部分的复活了唯物论、无神论思想的要素，大有注意的价值。

所以，在本节中，我们要对于韩愈、李翱、柳宗元及吕才的思想，依次予以批判的研究。

（A）韩愈与李翱——唐代因中央集权的官僚的专制主义的确立，儒教的思想，于以复活。此种儒教思想的复活过程，由孔颖达的《五经正义》开其端，至韩愈与李翱而集其大成。按韩愈（纪元七六八至八二四年）著有《文集》四十卷、《外集》十卷。其中足作其思想代表者，计有《原道》、《原性》、《原人》、《谏佛骨表》、《与孟尚书书》等五篇。在韩愈的思想中，第一件可以注意的，就是他以儒教的原理，使唐代中央集权的封建制合理化；在韩愈这里，儒学才清楚的表现为封建支配的思想体系。其《原人》篇有云："人者，夷狄禽兽之主也，主而暴之，不得其为主之道矣。"又云："人道乱，而夷狄禽兽，不得其情。”那么，人类所以能成为夷狄禽兽的支配者的基础，既为“人道”，而所谓“人道”，又是什么呢？在韩愈看来，这就是作为儒教根本思想的仁义道德。在其《原道》篇中，关于此点曾云：“博爱之谓仁，行而宜之之谓义；由是而之焉之谓道；足乎己无待于外之谓德。”并且他认儒教是以完成人类相生相养为目的的学说，在这种学说之下，必须有君、臣、民三个阶级的存在，而民又分为“士、农、工、贾”四等；至于此三阶级的关系，则为君出令，臣传令于民，民从事农耕手工而贡租税于君，“民不出粟、米、麻丝作器皿、通货财以事其上，则诛”。他以为必如此始能达到人类相生相养的目的。这很明白的是对于社会发展中的中国型封建的秩序，由儒教的观点上加以拥护。第二件可注意的思想，即其排佛论的立场，系以承继尧、舜、禹、汤、文、武、周公、孔子及孟子的道统自居。在《原道》篇所确定的道统传承的谱系是：“尧以是传之舜，舜以是传之禹，禹以是传之汤，汤以是传之文、武、周公，文、武、周公以是传之孔子，孔子传之孟轲，轲之死不得其传焉。”在《与孟尚书书》中，更明白的说：“汉世以来，群儒区区补；百孔千疮，随乱随失，其危如一发千钧，绵绵延延，寝以微灭。于是时也，而唱释老于其间，鼓天之众而从之。呜呼！其亦不仁甚矣！释、老之害，过于杨、墨，韩愈之贤，不及孟子；孟子不能救之于未亡之前，而韩愈乃欲全之于已亡之后。呜呼！其亦不量力且见其身之危莫之救以死也！虽然；使其道由愈而粗传，虽灭死，万口无恨！”此道统之说，孟子本已言及，经韩愈这样以“虽灭死万万无恨”的坚决态度，加以提倡，并用作排佛的立场，遂启宋、明道学的端倪。第三件可注意的思想，即韩愈以荀子对道有“择焉而不精，语焉而不详”的缺陷，惟对孟子的“养心”、“寡欲”、“万物皆备于我”的神秘主义的唯心论，特加推崇，于是《孟子》一书，遂成宋、明道学家所根据的重要经典。其对于《大学》“明明德于天下”、“治国”、“齐家”、“修身”、“正心”、“诚意”的引用，又特别提出“古之所谓正心而诚意者，将以有为也，今之治其心而外天下国家”的命题，以示儒与佛的动机与结果的不同，亦与宋、明道学家重视《大学》一书的观念以有力的启发。总之，韩愈的排佛论的重要意义，在于它形成了宋儒思想的先驱，至其理论的本身，则异常贫弱。例如《原性》篇的人性论，分人性为上中下三品，本质上不外董仲舒的“性三品”说的抄袭，其《谏佛骨表》中的排佛理由，也不外乎顾欢“夷夏论”的狭隘种族主义的学舌。并且实际上韩愈的思想，第一，他是纯粹的唯心论者，此由上述各点，可以明证；第二，他是有鬼论者，此由其《原鬼》篇与《祭鳄鱼文》等作品中，可以明证。以韩愈这样的理论基础，与大乘佛教的含有辩证法要素的唯心论体系相斗争，自有反被俘虏的可能。而且韩愈也确乎在许多场合，往往不自主的跌入佛教的泥坑。例如（1）《与孟尚书书》有云：“潮州时有一老僧，号大颠，颇聪明识道理。……实能外形骸以理自胜，不为事物侵乱。与之语，虽不尽解，要自胸中无滞碍。”（2）《送高闲上人·序》有云：“今闲师浮屠氏，一死生，解外胶；是其为心必泊然无所起，其与世必淡然无所睹。”（3）古诗《忽忽》首更云：“忽忽乎；未知余生之为乐也！愿脱去而无因，安得长翮大翼如云生我身：乘风振奋出六合，绝浮尘，生死哀乐两相弃，是非得失付闲人！”这一切的一切，直与修行者的心情判断无异，那还有排佛的半点气息在内？

其次，我们再考察李翱（卒于纪元八四一年）的学说。按《新唐书》本传所载，李翱为韩愈的弟子，亦为排佛论者；著有《李文公集》十八卷，其思想的代表作，为《复性书》的上中下三篇。据冯友兰氏的研究，《复性书》的内容，“上篇总论性情及圣人，中篇论所以修养成圣之方法，下篇论人必须努力修养”（《中国哲学史》八〇五页）。在李翱的人性论中，和韩愈一样，均系以性为先验范畴的唯心论。其“性善情恶”说的逻辑的源泉，显然是出于佛教思想。即韩李所谓“性”等于佛教所谓“本心”——唯识家所谓“慧”，其所谓“情”，则等于佛教所谓“无明烦恼”——唯识家所谓“智”。李翱认为：“性与情不相无也。虽然，无性则情无所生矣。是情由性而生，情不自情，因性而情；性不自性，由情以明。”（上篇）性与情既不可分离，而此二者在质上又是互不相容的，即性本为善，而情则为灭性乱性的恶。他说：“人之所以为圣人者，性也；人之所以惑其性者，情也。喜怒哀乐爱恶欲七者，皆情之所为也；情既昏，性斯溺矣，非性之过也。……水之浑也，其流不清；火之烟也，其光不明矣；非水火清明之过。沙不泯，流斯清矣；湮不郁，光斯明矣；情不作，性斯充矣。……情之动弗息，则弗能复其性而烛天地为不极之明。”（上篇）这样，其复性的方法，即在于灭情。很明显的，此“灭情复性”的命题，本质上就是佛教断灭无明烦恼求返本心，或存慧去智的命题的再版。但是，李翱又是和韩愈一样的以儒教徒自命的排佛论者，所以问题逼到了这一步，遂陷于自己矛盾的境地。他在这里，乃大胆的对于儒教经典——《易经》、《诗经》、《中庸》、《大学》等作了一番穿凿附会的解释，定立了下述几条佛骨儒表的“灭情复性”方案：即第一步，“斋戒其心”，由“无思无虑”的“正思”，实现“情则不生”；第二步，要“知本无有思，动静皆离，寂然不动”，以达于“至诚”，使“邪思自息”；第三步，要“视听昭昭”，“不起于见闻”，“无不知”，“无弗为”，“其心寂然，光照天地”；第四步，要“物至之时，其心昭昭然明辨而不著于物”；最后第五步，即达到“知至故意诚，意诚故身修，身修而家齐，家齐而国理，国理而天下平”以至于“能参天地”（中篇）。我们看了这种主观幻想的“灭情复性”的五步方案，谁也会想起宗密所说的“真心无念，念即起觉，觉之即无”的“修行妙门”。然而，李翱却又说道：“呜呼！性命之书虽存，学者莫能明，是皆入于庄、列、老、释。不知者谓夫子之徒不足以穷性命之道，信之者，皆是也。”（上篇）这真有点近似于“阿 Q 的胜利”。用上述的方案，能否“灭情复性”，我们可不必深究，在这里所应特别注意的，就是李翱本人似乎也反省到实行这种方案，是有闲阶级的专有的工夫，而不能普及于勤劳大众——即韩愈所谓“出粟米、麻丝、作器皿、通货财以事其上”的“民”。所以他说：“昼而作，夕而休者，凡人也。作乎作者，与万物皆作；休乎休者，与万物皆休。吾则不类于凡人，昼无所作，夕无所作，作非吾作也，作有物；休非吾休也，休有物。作耶？休耶？二者离而不存；予之所存者，终不亡且离也。人之不力于道者，皆不思也。天地之间，万物生焉；人之于万物，一物也；其所以异于禽兽虫鱼，岂非道德之性乎哉？”（下篇）韩愈与李翱的唯心论学说的阶级性，已充分的暴露着。至于他们的排佛态度的由来，吕振羽氏以为是“世俗地主之不同于僧侣地主的一点社会特性所决定着的”（《中国政治思想史》三七六页），这似是颇为正确的论断。

（B）柳宗元与吕才——柳宗元（纪元七六三至八一九年）著有《文集》四十卷。我们根据其中的《送元十八山人南游·序》、《天说》、《封建论》、《曹溪第六祖赐谥大鉴禅师碑》、《南岳大明寺律和尚碑》、《送僧浩初·序》等文，可见其哲学思想的大概。柳宗元的哲学思想中最可注意者，首先就是他对于宗教神话的天道观念提出了唯物论、无神论的反驳。请看他说："彼上而玄者，世谓之天；下而黄者，世谓之地；浑然而中处者，世谓之元气；寒而暑者，世谓之阴阳。是虽大，无异果蓏、痈痔、草木也。假而有能去其攻穴者，是物也，其能有报乎？蕃而息之者，其能有怒乎？天地，大果蓏也；元气，大痈痔也；阴阳，大草木也；其乌能赏功而罚祸乎？功者自功，祸者自祸，欲望其赏罚者，大谬！呼而怨，欲望其哀且仁者，愈大谬矣！"（《全集》卷十六《天说》）这是说天本是"上而玄"的自然物，而非有意志好恶的神性的主宰，一切的祈祷呼怨，都是"大谬"之举。天既不能"赏功而罚祸"，社会历史中的一切，均为"功者自功，祸者自祸"，而不能"置存亡得丧于果蓏、痈痔、草木”，所以“君权神授说”当然不能取得柳宗元的相信。关于此点，他曾说：“彼其初〔人类之初〕与万物皆生，草木榛榛，鹿豕狉狉，人不能搏噬，而且无毛羽，莫克自奉自卫；荀卿有言：‘必将假物以为用者也。’夫假物者必争，争而不已，必就其能断曲直者而听命焉。其智而明者，所伏必众；告之以直而不改，必痛之而后畏，由是而君长刑政生焉。故近而聚者为群；群之分，其争必大，大而后有兵有德。又有大者，众群之长又就而听命焉，以安其属。于是有诸侯之列，则其争又有大者焉。德又有大者，诸侯之列又就而听命焉，以安其封；于是有方伯、连帅之类。则其争又有大者焉。德又有大者，方伯、连帅之类又就而听命焉，以安其人，然后天下会于一。是故有里胥而后有县大夫，有县大夫而后有诸侯，有诸侯而后有方伯、连帅，有方伯、连帅而后有天子。自天子至于里胥，其德在人者，死必求其嗣而奉之。故封建非圣人意也，势也。”（《全集》卷三《封建论》）在这里，柳宗元已经是根据其自然主义的宇宙观，完成了人为的阶级调和主义的历史观。由这种包含着唯心论的要素的历史观更进一步，便导出了理论斗争上的折衷、妥调的态度——儒佛道斗争的调和论。请看他说："儒以礼立仁义，无之则坏；佛以律持定慧，去之则丧。是故离礼于仁义者，不可与言儒；异律于定慧者，不可与言佛。……儒以礼行，觉以律兴；一归真源，无大小乘。"（《全集》卷七《南岳大明寺律和尚碑》）又说："太史公尝言：'世之学孔氏者，则黜老子；学老子者，则黜孔氏；道不同，不相为谋。'余观老子亦孔氏之异流也，不得以相抗。……太史公没，其后有释氏，固学者之所怪骇舛逆其尤者也。今有河南元生者，……悉取向之所以异者通而同之，搜择融液，与道大适；咸伸所长，而黜其奇邪；要之与孔子同道，皆有以会其趣。"（《全集》卷二十五《送元十八山人南游·序》）又说："浮图诚不可斥者，往往与《易》《论语》合；……不与孔子异道。……曰：'以其夷也？'果不信道而斥焉以夷，则将友恶来、盗跖而贱季札、由余？非所谓去名求实者矣！吾之所取者，与《易》、《论语》合；虽圣人复生，不可得而斥也。退之所罪者其迹也，曰：'髡而缁，无夫妇父子，不为耕农蚕桑而活乎人。'若是，虽吾亦不乐也。退之忿其外而遗其中，是知石而不知韫玉也。吾之所以嗜浮图之言以此；……吾之好与浮图游以此。”（卷同《送僧浩初·序》）在这里，柳宗元思想中的唯物论、无神论的要素，已完全解消，而成了佛教唯心论的应声虫。我们知道，形成柳宗元这样不彻底唯物论、无神论的真因，不外下列几点：第一，在唐代中央集权的专制主义下，由世俗地主与僧侣地主的双重压榨，而使广大农村小有产者破产。关于当时农民因失掉土地而逃亡、暴乱或沦为农奴以及地主与政府剥削的残酷，请参照《唐会要》卷八五、《新唐书》卷五四、《食货志》、《旧唐书·黄巢传》及蔡雪村著《中国历史上的农民战争》第二六二页、薛农山著《中国农民战争之史的研究》上册第一三四页、周谷城著《中国社会之结构》第二一二至二一三页与沙发洛夫著《中国社会史》（早川二郎日译本）二八二页，此不多述，惟由《旧唐书·德宗本纪》中，引出其“罪己诏”的一段，以见一端：“朕长于深宫之中，暗于经国之务，积习易溺，居安忘危，不知稼穑之艰难，不恤征戍之劳苦。……犹昧省己，遂用兴戎。征师四方，转饷千里，赋车藉马，远近骚然。……力役不息，田莱多荒，暴令峻于诛求，疲民空于杼轴，转死沟壑，离去乡里，邑里丘墟，人烟断绝。天谴于上，而朕不寤；人怨于下，而朕不知。”第二，这种现象的严重化，引起了作为失意官僚的柳宗元对于没落的小有产者的同情，并受了此等破产农民的阶级意识的影响。如前述的阶级调和观念及其《捕蛇者说》、《种树郭橐驼传》中所反映的政治要求，均为例证。此外《新唐书》本传亦载“柳人以男女质钱，过期不赎，子本均则没为奴婢。宗元设方计，悉赎归之。尤贫者，令书庸视直足相当，还其质。已没者，出己钱助赎。”又说他“既窜斥，地又荒疠，因自放山泽间。其堙厄感郁，一寓诸文，……读者咸悲恻”。据此可知，柳宗元一方面既同情于农民大众的痛苦，另方面又未放弃其官僚的身份，所以他的思想，便表现为唯心论与唯物论、无神论与宗教信仰的杂乱的混合。

其次，我们要考察这位比柳宗元较为彻底的作为农民大众意识形态代表的无神论者——吕才的哲学思想。据《旧唐书·吕才传》所载，吕才曾修撰《阴阳书》五十三卷、《旧书》四十七卷。但我们现在所根据的材料，则只有本传中的思想的片断。其《叙禄命》篇有云：“谨案《史记》宋忠、贾谊讥司马季主云：‘夫卜筮者，高人禄命以悦人心，矫言祸福以尽人财。'又案王充《论衡》云：'见骨体而知命禄，睹命禄而知骨体。' 此即禄命之书，行之久矣。多言或中，人乃信之。今更研寻，本非实禄。""今时亦有同年同禄，而贵贱悬殊；共命共胎，而夭寿更异。"案《春秋》，鲁桓公六年七月，鲁庄公生。今检《长历》，庄公生当乙亥之岁，建申之月。依此推之，庄公乃当禄之空亡。依禄命书，法合贫贱，又犯勾绞六害，背驿马三刑，当此三者，并无官爵。火命七月，生当病乡，为人尫弱，身合矬陋。今案《齐诗》讥庄公：'猗嗟昌兮，颀若长兮。美目扬兮，巧趋跄兮。'唯有向命一条，法当长命。依检《春秋》，庄公薨时计四十五年矣。此则不验一也……"这是他揭穿统治阶级的禄命生定论——命定论的表现。在其《叙宅经》中又有云："至于近代师巫，更加五姓之说。言五姓者，谓宫、商、角、徵、羽等；天下万物悉配属之；行事吉凶，以此为法。至如张、王等为商，武、庚等为羽，欲似同韵相求；及其以柳姓为宫，以赵姓为角，又非四声相管。其间自亦有同是一姓，分属宫、商；后有复姓数字，徵、羽不别。验于经典，本无斯说，诸阴阳书，亦无此语，直是野俗口传，竟无所出之处；惟按《堪舆经》云：'黄帝对于天老，乃有五姓之言。'且黄帝之时，不过姬、姜数姓；暨于后代，赐族者多，至如管、蔡、成、霍、鲁、卫、毛、聃、郜、雍、曹、滕、毕、原、酆、郇，并是姬姓子孙；孔、殷、宋、华、向、萧、亳、皇甫，并是子姓苗裔，自余诸国，准例皆然。因邑因官，分枝布叶。未知此种诸姓，是谁配属宫、商？又检《春秋》以陈、卫及秦，并同水姓；齐、郑及宋，皆为火姓。或承所出之祖，或系所属之星，或取所居之地，亦非宫、商、角、徵、羽共相管摄。此则事不稽古，义理乖僻者也。"这是他对于五德配合的政权神授说的否定，并对于迷信神秘思想的一种反驳。（以上关于吕才思想的叙述，系依据吕振羽氏《中国政治思想史》三八六至三八八页，特此声明。）

总之，唐代柳宗元及吕才的唯物论、无神论的要素，较之汉代王充的思想，殊为贫弱而不成系统。但在唐代佛教唯心论支配下，即此唯物论、无神论思想的片断，也是绝无仅有的遗产，故特为提出。

第四篇

经学发展的新阶段

——宋明时代的新儒教哲学

第十三章　宋学中的辩证法、唯物论的要素

第一节　宋学的根本特征及其成立与发展的社会基础

中国哲学到了宋代，与秦汉至隋唐期间的长期停滞状态不同，而表现出巨大的发展。中国哲学史上的宋代，实为春秋战国时代而后的值得特书的哲学思维的昂扬时代；这就是说，宋代已开始了中国哲学的第三个发展阶段，这个阶段由北宋至清末的期间，其哲学的特色，就是作为经学最高发展阶段的新儒教哲学的成立与发展。而一般所谓宋学，即是此种新儒教哲学的奠基石。更具体的来说，在宋代的中国哲学，已经不复停滞在儒教经典的干枯的训诂或注释以及老子哲学的卑俗的解脱的宗

教化（人生智）之中，而是从此种哲学的堕落解放出来，走入一个新的发展方向，在中国开拓了一个新的哲学发展的时代。固然，此时代在形式上尚以《四书》，特别以孔子、孟子的中国古代哲学思想为中心而从事研究，而其中则确已加入了新的思想的内容——佛教的辩证法要素与《易经》、《老子》的唯物论要素，使儒教在新的方法下面，完成了理论的体系化。这种儒教的新的改造，即所谓“宋学”（亦称“理学”或“道学”）。宋学的代表者，如一般所周知，就是邵康节、周敦颐、程明道、程伊川、张横渠以及朱熹等人；尤其朱熹的哲学（日本人称之为朱子学），表现为宋学全发展的最高峰，宋学的集大成的体系。

一般的说来，宋学的根本特征，在于其包含着辩证法、唯物论要素的科学的精神。宋学虽称为“穷理尽性”的哲学，但是，所谓“穷理”，乃是理气的研究——存在论；而所谓“尽性”，则是心性的研究——心理学的、伦理学的研究。在这里，我们要特别注意的，即其研究的方法，这正如二程子（明道及伊川）及朱子所表现的，乃是所谓“格物致知”的方法。此所谓“格物致知”，虽来自《大学》的“物格而后知至，知至而后意诚，意诚而后心正”等语，但我们根据宋儒的理解，却可认之为一种科学的方法，科学的精神。这就是说，在宋儒对于“格物致知”的理解中，实意味着一切的事物，一般均有其理法（法则）的存在。分析言之，所谓“格物”，就是关于各个事物都来发现其法则；而所谓“致知在格物”，则是说为要求得认识，便不得不检讨各个事物以发见其穷境的理法——普遍的法则。例如朱注《大学》传第五章有云：“所谓致知在格物者，言欲致吾之知，在即物而穷其理也。盖人心之灵，莫不有知；而天下之物，莫不有理。惟于理有未穷，故其知有不尽也。”这是十分清楚的科学的立场。在这里说明了我们的知识，科学的认识，就是存在的法则的认识，存在的法则的反映；我们的知识、认识，根本上依存于存在。如果能将此点贯彻到底，便是鲜明的唯物论的立场，宋学中的科学的成就，实可成立于此种立场之上。胡适之氏曾对二程子及朱子的“格物”，作为“归纳法”而加以解释（见日译本胡适的《中国哲学论》五页），然而，在此“格物”的思想中，并未明确的指示出“归纳法”，它根本上仅只意味着经验论的立场。正确的言之，其中也仅可以看做包含着归纳法思想的片断。

因为包含着此种科学的精神的缘故，所以宋学在中国哲学中成了可注目的思想体系之一。然而这种科学的精神，并未能彻底化，而且其唯物论的方向，也决未在其全体中表现出清楚的形态；结局便成了科学的精神既不充分、唯物论的方向也不鲜明的中途半端的思想体系。至于前乎程、朱的邵、周、张诸人思想中的辩证法要素，更是充满着唯心论的性质，而莫能自拔，不惟不能发挥辩证法变革现实的本性，反而成了伦理与政治上的保守主义的方法。凡此一切的理论的条件，早已存在于宋学的出发点本身之中；即首先宋学是以儒教的理论基础为出发点的，因而根本上便被儒教的父家长制的道德的政治学的立场所制约。宋学的科学精神，对于自然本身的真正科学的研究，存在及思维本身的科学的哲学的研究，并没有什么热忱；结局便成了被人生哲学的政治学的关心所制约的思想体系。这就是说，宋学虽以《大学》的“格物致知”为根据，但却被儒教的人生知的政治学的方向，几乎全然侵害了其科学的哲学的独立性。在《大学》所谓“物格而后知至”的格物致知的思想背后，接着就是“知至而后意诚，意诚而后心正，心正而后身修，身修而后家齐，家齐而后国治，国治而后天下平”。宋学始终未能脱离《大学》——儒教——的立场，而不过将儒教加以科学的理论的体系化，特别科学的开拓了儒教的不充分的存在论的领域，遂完成了儒教的科学的体系化。在这一点上，宋学实已获得了积极的科学的内容，表现了中国哲学的前进。而宋学当完成这种儒教的科学的体系化，哲学的前进的时候，实已综合并融和了儒教思想、道家思想及佛教思想。儒、道、佛从来的全思想的发展，在宋学中以独自的方法而获得了统一。所以从思想的内容上来看，宋学就是儒教哲学、道家哲学及佛教哲学的内面的综合。

在这里，我们要更进一步来考察宋学的成立与发展的社会基础。首先，我们要知道，唐宋二代的社会构成虽属相同，而其性格则又各异其趣。这就是说，唐代不仅在政治上为中央集权的专制主义，在经济与文化上也是中央集权的支配。反之，在宋代的特征，则为地方上经济与文化的显著的发展，尤其在都市上出现了自由的市民生活。这种现象，很明显的系以更高的经济发展为基础。

诚如哈克曼所说，宋代在政治上确乎颇为衰弱（*Chinesische Philosophie* S.313.），然而宋代在经济与文化上则完成了显著的发展。宋代因尚文轻武，虽已除去藩镇跋扈的害处，而另方面正由此而产生了国防兵力的衰弱，自建国初即蒙受辽与西夏等蛮族的压迫，常不得不采用退让和亲的政策。尤其神宗时因欲发扬国威而失败，乃招来了金人的侵略，以致北宋灭亡而成为南宋，仅保持了江南半壁的地方。但是，宋代在政治上尽管如此衰弱，而在经济上——尤其商工业，则颇为发展。具体言之，在宋代的经济发展，即手工业与手工业的大工场的发展，支付赁银的雇佣劳动者的增加，官用奴婢的显著的减少，一般的募兵制代替了征兵制，雇募制代替了徭役制而成立；以及伴此而来的商业、贸易的发展与大商人的成长。一句话说完，即商工业的自由的发展。以此为基础，遂有货币经济的发达，货币流通的盛行，结果，到南宋时代，竟至一般的使用了纸币。这样，像唐代对于商工业的专制主义的统制，到宋代已趋崩溃，代之而起的，便是商工业者自由的同业组合组织的发达。此种状态，当然要促进了民间文化的发达；所以宋代除了政府所建立的国学、府县学之外，民间自治的书院亦十分流行。

此种经济上的诸发展，尤其是商工业诸都市的自由的发展，市民生活的充实，正是宋学的成立与发展的物质的基础。宋学中的科学的精神——格物穷理的方法，乃是被商工业的发展所规定的意识形态。因而我们在宋学之中，便可以看见此时代的市民的力的反映；宋学一般的进步性，亦可由此而获得了理解。并且宋代的自然科学，也有显著的发达，如火药、罗盘针的发明，印刷术的集大成等，均在于宋代；其他如地理学的发达，《太平寰宇记》、《元丰九域志》、《舆地广记》、《方舆胜览》等优秀的方志、行记之类，固属此时代的产物；即在天文学方面，此时代也出现了几多的新历。凡此一切，均与宋学的成立与发展具有着不可分的关联。

然而，在这里，我们要举出两个不十分正确的意见。首先是哈克曼，他以为宋学发展的条件是佛教的影响与其时代的不安（*Chinesische Philosophie* S.312 – 313）。其次是李石岑，他以为宋学的发展条件，在历史方面，第一为统一的精神，第二为封建经济中的阶级分化，第三为儒道佛的调融；在环境方面为蛮族压迫下的汉族的忍辱苟安心理。并且李氏是纯粹以宋学为唯心论而加以考察的（见《中国哲学》十讲二八五至三四一页，第八讲“什么是理学”）。但是，实际上宋学发展的社会条件，是超越前代的自由的商工业的发展。一般看来，所谓“时代的不安”等等并不是哲学走向于更高级发展的必然条件。例如六朝时代的社会的不安，即反而形成了哲学堕落的条件。问题的中心，是社会的进步。

宋代商工业的发达，确乎是中国哲学发展的物质的基础。然而，同时应该注意者，即在宋代也表现着中国社会所固有的矛盾。也就是说，宋代商工业的发达，并不是打破中国封建制社会而使之进入新兴社会构成的发展的力量；在这里我们依然洞见着中国社会中的亚细亚的停滞性。纵然加上了所谓元人征服的外在要因，宋代的都市市民，商人资本，根本上未尝作为反封建的势力而活动。这种生产关系的特征，同时也就是规定着中国自然科学发达的不充分性的条件。因此，宋学结局便成了儒教的仁、义、礼、智的思想，而未能到达于如像欧洲近代哲学的变革哲学的阶段。

第二节　周敦颐、邵康节及张横渠哲学思想中的唯物论、辩证法要素

周敦颐（一〇一七至一〇七三年）是宋学的开山祖。建筑在儒道佛三派思想合一上的宋学的最初的体系形态，到了周敦颐的《太极图说》及《通书》中，才算完成。

按《道藏》的《上方大洞真元妙经图》中，本有“太极先天图”（《道藏》第一九六册），周敦颐乃据此而制成了他的“太极图”（《宋元学案》卷十二，《濂溪学案》下）如下：

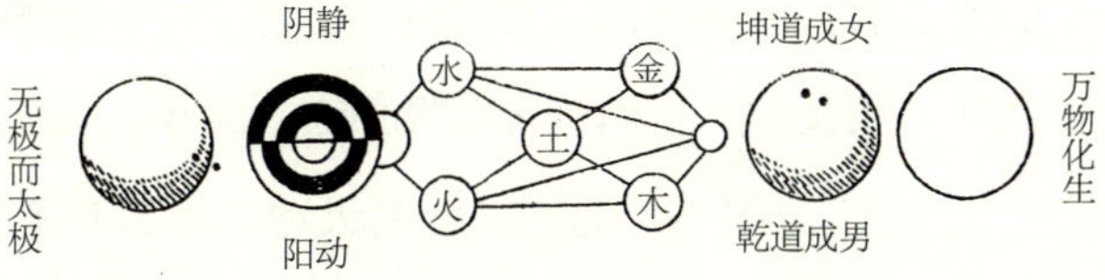

此图在形式上虽系直接取自道教略加修正而成，但其思想的内容，则表现着道教的否定与老子的直观唯物

论辩证法宇宙观的复活。这就是说，周敦颐的《太极图说》，已完全摆脱了道教的神仙修炼思想，而变成了充满着积极意义的唯物论辩证法的宇宙生成论。请看他说:“无极而太极。太极动而生阳，动极而静，静而生阴，静极复动。一动一静，互为其根；分阴分阳，两仪立焉。阳变阴合，而生水火木金土，五气顺布，四时行焉。五行一阴阳也，阴阳一太极也，太极本无极也。五行之生也，各一其性。无极之真，二五之精，妙合而凝。乾道成男，坤道成女。二气交感，化生万物。万物生生而变化无穷焉。”(《濂溪学案》下《太极图说》）在《通书》的性理命（第二十二）章又说:“二气五行，化生万物。五殊二实，二本则一。是万为一，一实万分。万一名正，大小有定。”这种宇宙生成论，实在颇接近于辩证法发展法则中所谓“对立物的统一”的命题的把握。

但是，我们应该指出周敦颐的宇宙观，并不是彻底的唯物论；相反的，它尚包含着唯心论的要素。他所谓“无极而太极”，固然是老子“无名天地之始，有名万物之母”的直接的借用，而实质上与佛教所谓“离言真如”（无）及“依言真如”（有），实有不可分离的关系；

因此，周敦颐所指宇宙本体的“太极”，便又带上了反唯物论辩证法的性质。他又根据着儒家的传统立场，将作为神秘主义唯心论的“天人合一”原理的所谓“诚”，看成了与“太极”为同一的范畴。所以他说：“大哉乾元，万物资始，诚之源也。……元亨，诚之通；利贞，诚之复；大哉易也，性命之源乎！”（《通书·诚上第一》）又说：“寂然不动者，诚也。”（《通书·圣第四》）这样，以“诚”为“寂然不动”的范畴，显然是援佛入儒的产物。周敦颐的太极一元论的宇宙观，由于和儒教的“诚”及佛教的“依言真如”相结合，遂堕落成形而上学的唯心论。他由此点出发，更导出了“主静立人极”的人生哲学，由“无欲”以达“静虚动直”的“学圣”个人道德修养论，以及由一人之“纯心”——“诚心”而实现儒教德治主义的政治哲学等等唯心论的说教。然而，凡此一切，正是周敦颐的“明天理之根源，究万物之终始”（《宋史》卷四二七“道学传”）的太极一元论哲学的不可避免的必然性的结论。作为宋学开山祖的周敦颐思想中的自己矛盾，由于中国社会的亚细亚的停滞性的存续，不但对宋儒，即对于宋至清的几乎全部的儒学者，也同样是不可解脱的烦恼根源。

邵康节（纪元一〇一一至一〇七七年），与周敦颐同时，著有《皇极经世书》、《观物内篇》、《观物外篇》、《渔樵问答》、《伊川击壤集》等书。其学说即所谓“先天学”。而所谓“先天学”者，系因邵康节认《易经》卦说所说的八卦方位，为文王的后天八卦，而认他自己由道家（陈抟）传来的“先天图”中所表示的八卦方位，为伏羲的先天八卦而得名，所以本质上乃是对于《易经》的一种“解释学”（Hermenutik）。他解释《易经》所根据的原理，即“系辞”所云“易有太极，是生两仪；两仪生四象；四象生八卦；八卦定吉凶”等语。在他解释的时候，比周敦颐的太极一元论更多出了一种花样。这就是说，邵康节的宇宙论，除了图像学的说明而外，又加上一种数理学的解释。所以他的哲学，又名为“图书数象之学”（《宋元学案》卷九，《百源学案》上黄百家按语）。

据《百源学案》所载，邵康节所用以说明宇宙原理的图像，计有（一）八卦次序图；（二）八卦方位图；（三）六十四卦次序图；（四）六十四卦图圆方位图；（五）方

图四分四层图；（六）卦气图；（七）经世衍易图；（八）经世天地四象图；（九）经世挂一图；（十）经世既济阳图；（十一）经世既济阴图；（十二）经世声音图等。他自己也说："图虽无文，吾终日言而未尝离乎是；盖天地万物之理，尽在其中矣（冯友兰《中国哲学史》八三一页引）。但是，我们要知道，邵康节的哲学的特征，在于他认为宇宙的发生次序，系由数而象，由象而形，亦即刘牧所谓"形由象生，象由数设"（《易数钩隐图·序》）。此所谓"形"，就是具体的事物；所谓"象"，就是象征具体事物的图式；而所谓"数"，则是尚未脱离"术数"意味的数理计算。他既以数理计算的原理为宇宙发生的最根源的范畴，所以这种哲学，可以认为数学的宇宙观，而与莱卜尼兹所创设的"论理计算"（Logistik；*Algebra der Logik*）说，或新康德派的"论理主义"（Logisms，*Logizismus*）的形而上学，以及现代马赫主义者蒲兰克、维兹垣休亭所企图完成的罗素与马赫——论理计算与马赫主义认识论相结合的所谓自然科学的世界观的体系，颇为近似。根本上，乃是一种唯心论。

邵康节的《观物外篇》有云："太极既分，两仪立矣。

阳下交于阴，阴上交于阳，四象生矣；阳交于阴阴交于阳，而生天之四象（按即日、月、星、辰）；刚交于柔柔交于刚，而生地之四象（按即水、火、木、石），于是八卦成矣。八卦相错，然后万物生焉。是故，一分为二，二分为四，四分为八，八分为十六，十六分为三十二，三十二分为六十四。故曰‘分阴分阳，迭用柔刚，易六位而成章’也。十分为百，百分为千，千分为万，犹根之有干，干之有枝，枝之有叶。愈大则愈少，愈细则愈繁；合之斯为一，衍之斯为万。是故，乾以分之，坤以翕之，震以长之，巽以消之；长则分，分则消，消则翕也。”（此段系据冯友兰《中国哲学史》八三四页所引，在《百源学案》中乃分别见于各处，而不相连属）在这里所谓“一”就是“太极”，数理上的“一”既然为宇宙根源的“太极”，那么所谓“一”或“太极”，又是什么呢？在邵康节看来，就是“道为太极”、“心为太极”（《观物外篇》），这样说来，宇宙的根源，就成了“心”。所以他又说：“先天学，心法也；图皆从中起。万化万事，生于心也。”（《先天卦位图》）又说：“神生数，数生象，象生器。”（《观物外篇》）又说：“古亦未必为古，今亦未必为今，皆自我而观之也。”(《观物内篇》) 这真是露骨的唯心论。

邵康节的唯心论的特征，在于他抛弃了五行说中的“五”的观念，而代之以“四”的观念。他以天的本体为日、月、星、辰，地的本体为水、火、木、石，宇宙运行的时间单位，小者为春、夏、秋、冬，大者为元、会、运、世；这是自然方面的“四”的观念。至于社会方面，人性中有仁、义、礼、智，政治上有皇、帝、王、霸，圣经中分《易》、《诗》、《书》、《春秋》等。此等“四”的观念，互相牵强附会，捏成一气，遂造成了一种神秘主义的唯心论。在邵康节的神秘主义唯心论中，并且又包含着低级迷信的鬼神崇拜主义(参照《渔樵问答》)，以及推背图式的预验天时、人事的得失的方士思想。《宋元学案》传略曾载：“于天津桥上闻杜鹃声，先生惨然不乐。曰：不二年南士当入相，天下自此多事矣！或问其故。曰：天下将治，地气自北而南；将乱，自南而北。今南方地气至矣；禽鸟得气之先者也。”云云。这更是十足的道士论理。然而，考察邵康节这种“四”的观念的由来，却与道教无关；恐与佛教所谓地、水、火、风“四大种”的思想，不无联系。尤其所谓元、会、运、世的宇宙循环消灭论，显然为佛教“俱舍论”颂中所说的世界的成、住、坏、空四阶段循环说——特别为华严宗的宗密所著《原人论》的“斥偏浅”章中成、住、坏、空四大劫说的直接援用。

邵康节又更进了一步，用其“四”的观念，来说明平、上、去、入四声及开、发、收、闭四音，以建立其音乐理论。在这里，无论谁也会看出在邵康节与毕达哥拉斯及其学派之间，存在着体系的近似性。即同样以“数”为“根源”，以“一”为根源数，由“数”导出音乐理论，同为唯心论，并同样为宗教拥护的哲学（参照秋泽修二《西洋哲学史》中译本，生活书店版七七至八〇页）。

邵康节的认识论，也和马赫主义的认识论同样，由感觉论出发而到达于唯心论。他说：“人之所以灵于万物者，谓其目能收万物之色，耳能收万物之声，鼻能收万物之气，口能收万物之味。声色气味者，万物之体也。”（《观物内篇》）这完全和马赫主义者以物质的本体为“觉感的综合”的见解相同。所以他又说：“道为天地之本，天地为万物之本。以天地观万物，则万物为物；以道观天地，则天地亦为物。道之道尽于天矣，天之道尽于地矣，地之道尽于物矣，天地万物之道尽于人矣。”（同上）这样，物质既无客观的独立性，而惟依存于人类的感觉，则不但物质被消灭，即感觉亦不可靠。于是又由感觉论一变而为觉感否定论。所以他说：“夫所以谓之观物者，非以目观之也；非观之以目，而观之以心也；非观之以心，而观之以理也。圣人之所以能一万物之情者，谓其能反观也；所以谓之反观者，不以我观物也；不以我观物者，以物观物之谓也。”（同上）所谓以物观物的境地，即“天地亦万物也，万物亦我也，我亦万物也。何物不我？何我不物？如是则可以宰天地，可以司鬼神”（《渔樵问答》）。亦即“其能以一心观万心，一身观万身，一世观万世者焉；其能以心代天意，口代天言，手代天工，身代天事者焉；其能以上识天时，下尽地理，中尽物情，通照人事者焉；其能以弥论天地，出入造化，进退古今，表里人物者焉”（《观物内篇》）。这样看来，邵康节的认识论，也同样是相对论——诡辩主义的抹杀主观客观差别对立的自己省察的神秘主义唯心论。和其宗教性的神秘主义宇宙观，实有相互依存，相互转化的不可分割的紧密关联。

然而，在邵康节的哲学中，不可否认的也包含着辩证法的要素。第一，他说："一动一静交，而天地之道尽之矣；动之始则阳生焉，动之极则阴生焉。一阴一阳交，而天之用尽之矣；静之始则柔生焉，静之极则刚生焉。"(《观物内篇》) 这就是所谓"到对立物的转化"法则的抽象的表现。第二，他又说："以今观今，则谓之今矣；以后观今，则今亦谓之古矣。以今观古，则谓之古古矣；以古自观，则古亦谓之今矣。是知古亦未必为古，今亦未必为今，皆自我而观之也。安知千古之前，万古之后，其人不自我而观之也？"（同上）这与黑格尔《大论理学》中关于"今"的辩证法的规定，几有同等理论意义；这就是说，邵康节的"今"观，完全是反形而上学的富有辩证法要素的思想。

张横渠（纪元一〇二〇至一〇七七年）是宋儒中最富于辩证法思想的哲学者，其著作有《正蒙》（包括"东铭"、"西铭"）、《经学理窟》、《易说文集》及《语录》等。就中尤以《正蒙》最为重要，他自己曾说："此书予历年致思之所得，其言殆与前圣合。"（见《伊洛渊源录》

卷六）可见《正蒙》为张横渠哲学思想的结晶。

张横渠与周敦颐同为宋学的开山祖，其哲学的造诣，则远出周敦颐以上。他认为宇宙的本体，是太虚一元之气；万事万物，皆由“太虚”而生。所以说：“气块然太虚，升降飞扬，未尝止息。……此虚实、动静之机，阴阳、刚柔之始。浮而上者阳之清，降而下者阴之浊。其感遇聚散，为风雨，为雪霜，万品之流形，山川之融洽。”（《正蒙·太和篇》第一）太虚又名太和，二者异名同实，都是宇宙万有的本源。所以他又说：“太和所谓道，中涵浮沉、升降、动静相感之性，是生细缊、相荡、胜负、屈伸之始。……语道者知此，谓之知道；学易者见此，谓之见易。”（同上）此所谓“太虚”，与老子所谓“无”同样为超感性的范畴。“太虚”为气的本体但又不是离气而独立的存在。所以说“太虚无形，气之本体”。“太虚不能无气，气不能不聚而为万物，万物不能不散而为太虚。”这样看来，“太虚”本身，是“一”又是“多”，是“有”又是“无”。所以说：“虚实也，动静也，聚散也，清浊也，其究一而已。”又说：“气之散于太虚，犹冰凝释于水。知太虚即气，则无无。……诸子浅妄，有有无之分，非穷理之学者。”又说：“气聚则离明得施而有形，气不聚则离明不得施而无形。方其聚也，安得不谓之客？方其散也，安得遽谓之无？故圣人仰观俯察，但云知幽明之故，不云知有无之故。”

张横渠在其作为宇宙本源的“太虚”中，既已发现其内部包含着“一”与“多”“有”与“无”的对立物统一的特性，乃以此为根据而定立了下述的富有辩证法意义的宇宙发展的普遍法则。第一，“到对立物的转化”——“自己否定”。《正蒙·太和篇》云：“气本之虚，则湛本无形，感而生则聚而有象。有象斯有对，对必反其为。……故爱恶之情，同出于太虚，而卒归于物欲。”第二，“事物在相互联系中保持其存在”，并“通过自己的对立物而显示其本质”。《正蒙·动物篇》有云：“物无孤立之理。非同异屈伸终始以发明之，则虽物非物也。事有始卒乃成。非同异有无相感，则不见其成；不见其成，则虽物非物。”第三，“自己原因的运动观”。《正蒙·参两篇》有云：“凡圜转之物，动必有机。既谓之机，则动非自外也。”第四，事物以自己的对立物的存在为自身存在的条件。《正蒙·太和篇》云：“两不立，则一不可见；一不可见，则两之用息。”“不有两，则无一。”第五，具体的差别性的把握。语录云：“人与动植之类，已是大分不齐。于其类中，又极有不齐，某尝谓天下之物，无两个有相似者；虽一件物，亦有阴阳左右。譬之一人身中，两手为相似，然而又有左右；一手之中，五指而复有长短，直至于毛发之类，亦无有一相似。至如同父母之兄弟，不惟其心之不相似，以至声音形状，亦莫有同者。以此见直无一同者。”（《张子全书》卷十二）第六，存在的事物必然消灭。“金铁有时而腐，山岳有时而摧，凡有形之物即易坏。”（《语录》）“有生者必有死，有始者必有终，此所以为常也。为释氏者，以成坏为无常；是独不知无常乃所以为常也。今天人生有百年者，常也；一有百年而不死者，非所谓常也。释氏推其私智所及而言之，至以天地为妄，何其陋也。”（《张子全书》卷十四）第七，动静差别的相对性。“地在气中，虽顺天左旋，其所系辰象，随之稍迟，则反徙而右尔。”（《正蒙·参两篇》）“天左旋，处其中者顺之；稍迟，则反右矣。”（同上）

此外，在《参两篇》中，关于自然现象如寒暑潮汐、日蚀月蚀（尤其依光学反射原理说明日月盈亏，最为卓见）、风雨雷霆（在《张子全书》卷十四中，表示不信“蜥蜴致雨”）等的解释，及《动物篇》关于物理学及生物学的所论，均足证张横渠研究领域的广大。但是，张横渠也和其他一般的宋学者一样，未能使其辩证法彻底化。例如《张子全书》卷十二《语录抄》中有云：“天地以虚为德。……虚者，天地之祖，天地从虚中来。”这里所说的“虚”，当然就是前述“太虚”的简称；但是，他却又离开了动的观点，以“太虚”为静止的范畴，所以说：“静者善之本，虚者静之本。”（同上）又说：“凡有形之物即易坏，惟太虚无动摇。”（同上）“太虚”这种静止不动的本性，与前述的“太虚”的辩证法的规定，显然不能两立。因为“太虚”的绝对性，形而上学性，所以在张横渠看来，辩证法的发展概念，并不是宇宙的最高范畴，即对立物的斗争是过渡的，相对的，暂时的，而对立物的和解，则是绝对的。所以他说：“有象斯有对，对必反其为有；反斯有仇，仇必和而解。”（《正蒙 · 太和篇》）这样，宇宙的辩证法的运动，既在“太虚”中复归于“和解”，则宇宙万物，不过是“太虚”的自己游戏或自己外化，所以他说：“盈天地之间者，法象而已。”（同上）这已经跌入了唯心论。他更进一步说道：“形而上者，得意斯得名，得名斯得象。”（《正蒙·天道篇》）又说：“凡天地之法象，皆神化之糟粕耳。”（《正蒙·太和篇》）这简直是最露骨的唯心论的命题。

张横渠既经放弃辩证法而跌入唯心论，即宇宙万物既不过是神化的糟粕，则其所主张的穷理——认识论的方法，自然要排斥经验感觉，而对于神秘主义的内心理性，加以极端的信赖。所以说：“有无一，内外合，庸圣同，此人心之所自来也。若圣人则不专以见闻为心，故能不专以见闻为用。无所不感者，虚也；感即合者，感也。以万物本一，故一能合异；以其能合异，故谓之感；若非有异，则无合。天性，乾坤、阴阳也：二端，故有感；本一，故能合。天地生万物，所受虽不同，皆无须臾之不感，所谓性即天道也。”（《正蒙·乾称篇》）又说：“安于见闻，则为下愚。”（《张子全书》卷十二语录抄）又说：“人谓已有知，由耳目有受也；人之有受，由内外之合也；知内外合于耳目之外，则其知也，过人远矣。”（《正蒙·大心篇》）又说：“天之明，莫大于日，故有目接之，不知其几万里之高也；天之声，莫大于雷霆，故有耳属之，莫知其几万里之远也；天之不御，莫大于太虚，故心知廓之，莫究其极也。人病其以耳目见闻累其心，而不务尽其心；故思尽其心者，必知心所从来而复能。”（同上）又说：“大其心，则能体天下之物；物有未体，则心为有外。世人之心，止于见闻之狭；圣人尽性，不以见闻梏其心，其视天下，无一物非我，孟子谓尽性则知性知天，以此。天大无外，故有外之心，不足以合天心。见闻之知，乃物交而知，非德性所知；德性所知，不萌于见闻。”（同上）由此种超感觉的——不萌于见闻的认识方法出发，结论遂导出《西铭篇》所标榜的“乾父坤母，民胞物与”的天人合一的宇宙观与人生观。并且张横渠又将德性之知与见闻之知对立起来，以前者与君子或上智的本然之性相结合，以后者与小人或下愚的气质之性相结合；而断定惟君子才能“视天下无一物非我”，所以张横渠哲学的封建性，是十分明白的。总之，张横渠哲学，虽包含有较丰富的辩证法要素，而其本质上，则完全是宋学的发端，结局遂成了所谓“为天地立心，为生民立命，为往圣继绝学，为万世开太平”的天人合一的唯心论。

第三节　二程哲学——唯心一元论与理气二元论中的辩证法、唯物论要素

宋学中所谓二程，即程明道（纪元一〇三二至一〇八五年）与程伊川（纪元一〇三三至一一〇七年）。他二人虽为兄弟，且同在宋学中占重要位置，但其哲学思想，则大不相同。质言之，程明道是一元唯心论者，程伊川是心物（理气）二元论者；前者是陆象山哲学——主观唯心论——的开山祖，后者是朱熹哲学思想的重要源泉。二程哲学，也和一般的宋学同样，包含着辩证法、唯物论的要素。兹分别予以考察。

程明道的著作，有《文集》及《语录》，因从前一般学者，皆认二程为一家，故均收入《二程全书》中。程明道的哲学思想，如前所述，是唯心的一元论。例如他说："天位乎上，地位乎下，人位乎中，无人则无以见天地。"（《河南程氏遗书》第十一）又说："天地设位，而易行乎其中，只是敬也。敬则无间断，体物而不可遗

者；诚敬而已矣，不诚则无物也。”（同上）又说，“天地只是设位，易行乎其中者，神也。”（同上）又说：“神无方，故易无体。若如或者别立一天，谓人不可以包天，则有方矣，是二本也。”（同上）又说：“人须知自慊之道。自慊者，无不足也；若有所不足，则张子厚（即张横渠）所谓有外之心，不足以合天心者也。”（同上）又说：“或问《系辞》自天道言，《中庸》自人事言，似不同。曰：同。《系辞》虽始从天地阴阳鬼神言之，然卒曰默而成之，不言而信，存乎德行；《中庸》亦曰鬼神之为德，其盛矣乎！视之而不见，听之而不闻，体物而不可遗，使天下之人，齐明盛服，以承祭祀，洋洋乎，如在其上，如在其左右。诗曰：神之格思，不可度思，矧可射思，夫微之显。诚之不可掩如此夫，是岂不同！”（同书第十四）又说：“《中庸》言诚，便是神。”（同书第十一）又说：“《中庸》之言，放之则弥六合，卷之则退藏于密。”（同上）又说：“天者，理也。”（同上）“言天之自然者，谓之天道；言天之付与万物者，谓之天命。”（同上）又说：“乐天知命吾何忧？穷理尽性吾何疑？皆心也；自分心迹以下一段皆非。”（同上）又说：“绥之斯来，动之斯和，圣人之神化，上下与天地同流者也。”（同上）又说：“天人无间断。”又说：“天地之间，只有一个感与应而已，更有甚事。”（《近思录集注》卷一）又说：“医书言手足痿痹为不仁，此言最善名状。仁者以天地万物为一体，莫非己也。认得为己，何所不至？若不有诸己，自不与己相干。如手足不仁，气已不贯，皆不属己。”（同上）这显然是极端唯心论——唯我论的宇宙观，与孟子所谓“万物皆备于我”及庄子所谓“天地与我并生，而万物与我为一”的命题，颇相类似。

但是，唯我论在本质上是不能彻底的，因为如果唯我论一旦使自己彻底化，则必致连“我”也被否定，而导出佛教法我皆空的原理。然而，佛教这种法我皆空的原理，自元缜韩愈以来，均由其与儒教伦理思想不相容之点，加以激烈的反对。程明道和一般的宋学者同样，也是代表着儒教立场的排佛论者；这就是说，程明道是由肯定人生及儒教关于人生的伦理规定出发，而导出与佛教对立的结论，并在反佛的斗争条件上，获得了哲学的若干程度的发展。请看他说：“道之外无物，物之外无道。是天地之间，无适而非道也。即父子而父子在所亲，即君臣而君臣在所严，以至为夫妇、为长幼、为朋友，无所为而非道，此道所以不可须臾离也。然则毁人伦、去四大者，其外于道也远矣。故君子之于天下也，无适也，无莫也，义之与比。若有适有莫，则于道为有间，非天地之全也。彼释氏之学，于敬以直内则有之矣，义以方外则未之有也。故滞固者入于枯槁，疏通者归于恣肆。此佛之教所以为隘也。吾道则不然，率性而已。斯理也，圣人于《易》备言之。"（《近思录集注》卷十三）又说："所以谓万物一体者，皆有此理，只为从那里来，"生生之谓易"。生则一时生，皆完此理。人则能推，物则气昏，推不得。不可道他物不与有也。人只为自私，将自家躯壳上头起意，故看得道理小了他底。放这身来，都在万物中一例看。大小大快活。释氏以不知此，去他身上起意思。奈何那身不得，故却厌恶。要得去尽根尘，为心源不定，故要得如枯木死灰。然没此理，要有此理，除是死也。释氏其实是爱身，放不得，故说许多。譬如负版之虫，已载不起，犹自更取物在身。又如抱石投河，以其重愈沈，终不道放下石头，惟嫌重也。"（同上）这样，程明道由于排佛所持出的"理"，虽系主观范畴的

“推”的产物，但是通过了“天人合一”的媒介，却又转化成客观的范畴。

关于由主观的“推”所产生而转化成客观范畴的“理”，在程明道看来，就是宇宙万有的普遍法则。所以他说:“诗曰：天生蒸民，有物有则，民之秉彝，好是懿德。故有物必有则，民之秉彝也，故好是懿德。万物皆有理，顺之则易，逆之则难。各循其理，何劳于己力哉？”(《河南程氏遗书》第十一）又说:“夫天之生物也，有长有短，有大有小。君子得其大矣，安可使小者亦大乎？天理如此，岂可逆哉？”（同上）又说:“服牛乘马，皆其性而为之。胡不乘牛而服马乎？理之所不可。”（同上）在这里，我们不禁要想起马克思、昂格斯在其《德意志观念形态论》的“序言”中所说:“人类从来关于自己自身，即关于自己是什么又应该如何，怀抱着错误的观念。……由他们的头脑所生出的观念一经壮大，便不服从他们的支配，而在其创造物之前，又作为被创造者虔诚跪拜。”

但是，程明道所谓“理”，既具有支配人类的力，则“理”的本身，又是如何呢？在这里，便显示出程明道哲学思想的辩证法的要素。例如他说："天地万物之理，无独必有对。皆自然而然，非有安排也。"（《河南程氏遗书》第十一）又说："言有无，则多有字；言无无，则多无字；有无与动静同。如冬至之前，天地闭，可谓静矣；而日月星辰，亦自运行而不息，谓之无动，可乎？但人不识有无动静尔。"（同上）又说："万物莫不有对。一阴一阳，一善一恶；阳长则阴消，善增则恶减。斯理也，推之其远乎！人只要知此耳！"（同上）这些议论，很明显的是颇富于辩证法性质的思想。然而，作为唯心一元论者的程明道，自然不能使辩证法彻底化。所以他说："人心莫不有知，惟蔽于人欲，则亡天德（一作理）也。"（同上）又说："学者须先识仁。仁者，浑然与物同体，义、礼、智、信皆仁也。识得此理，以诚敬存之而已；不须防检，不须穷索。若心懈，则有防；心苟不懈，何防之有？理有未得，故须穷索；存久自明，安待穷索？此道与物无对，大不足以名之，天地之用，皆我之用。孟子言'万物皆备于我'，须反身而诚，乃为大乐。若反身未诚，则犹是二物有对，以己合彼，终未有之，又安得乐？订顽（即张横渠的西铭）意思，乃备言此体。以此意存之，更有何事？‘必有事焉而勿正，心勿忘，勿助长’，未尝致纤毫之力，此其存之之道。若存得，便合有得。盖良知良能，元不丧失，以昔日习心未除，却须存习此心，久则可夺旧习。此理至约，惟患不能守。既能体之而乐，亦不患不能守也。”（同书第二上）程明道的意思，是说认识宇宙普遍法则——理的方法，只有内省的修养方法；在由修养方法把握到“万物皆备于我”之后，则“天地之用皆我之用”；而万事万物的差别对立，亦皆消灭。所以他认为“记诵博识为玩物丧志”（《近思录集注》卷二）。这样看来，理既为我心所固有，明理的方法又为内心的“存”“守”，理在自我的内心原来是有独无对的中和体，则人事中的一切，无论政治与伦理，便都成了绝对不可由人类意识的努力来加以变革的。所以他说：“君臣父子，天下之定理，无所逃于天地之间。”（同上）其他如反对王安石的变法（见《宋元学案》卷十三《明道学案》上）及其《陈治法十事》中所透露的封建主义的保守论，亦皆根源于此。

程伊川（纪元一〇三三至一一〇七年）是程明道的胞弟，而个性严峻，论议褒贬无所避顾，却与明道的从容浑厚，大异其趣。且非礼不动，以天下自任，卒与苏东坡等浪漫文士引起党争，既被谪于涪州，又尽逐其学徒。此种政治的经历，实规定了他的哲学的斗争的性格。宋学中所谓“洛学”一派，实为程伊川所完成。其著作计有《易传》、《文集》、《经说》、《遗书》、《外书》、《粹言》等五十九卷。

程伊川哲学的中心思想，是理气二元论。他说：“一阴一阳之谓道。道非阴阳也，所以阴阳者道也。”（《河南程氏遗书》第三）又说：“离了阴阳便无道；所以阴阳者是道也。阴阳气也；气是形而下者，道是形而上者。”（同书第十五）又说：“有理则有气，有气则有理。”（《程氏全书卷》四十一）由此可知，程伊川认为万物的形体是阴阳二气所生，万物的本性是道——理所成；这就是说，理是形而上的道，气是形而下的气，此二者虽不能相混同，但却相即而不相离，同为宇宙万有的根源，本无宾主先后的区别。关于此点，程伊川更明白的说道：“冲穆无朕，万象森然已具。未应不是先，已应不是后；如百尺之木，自根本至枝叶，皆是一贯；不可道上面一段是无形无兆，却待人旋安排引出来。教人入涂辙，既是涂辙，却只是一个涂辙。”（《宋元学案》卷十五《伊川学案》上）杨开沅关于伊川的理与气的关系，曾注释云：“往来屈伸是气，往而必来，屈而必伸处是理：其实离气无从见理。以为有前后际，便不是。”（同上）此种理气二元论的见解，显系受了佛教华严宗的“理事无碍”法界观的影响。

在程伊川的理气二元论的宇宙观中，也充满着辩证法的要素。例如他说：“天地之化，既是两物，必动已不齐；譬之两扇磨行，便其齿齐不得。齿齐既动，则物之出者何可得齐？从此参差万变，巧历不能穷也。”（《伊川学案》上）又说：“钻木取火，人谓火生于轧木，非也；两物相轧，用力极则阳生。今以石相轧，便有火出，非特木也。盖天地间无一物无阴阳。”（同上）又说：“有感必有应，凡有动皆为感，感则必有应，所应复为感，所应复有应，所以不已也。”（《近思录集注》卷一）又说：“物极必反，其理须如此。有生便有死，有始必有终。”（同上）又说：“自古儒者皆言静见天地之心，惟某言动见天地之心。”（《伊川学案》上）又说：“有一物而可以相离者，如形无影，有害其成形；水无波，不害其为水。

有两物而必相须者，如心无目则不能视，目无心则不能见。”（同上）又说：“静中便有动，动中便有静。”（同上）又说：“冬至一阳生，却须陡寒，正如欲明而反暗也。阴阳之际，亦不可截然不相接，厮侵过便是道理。天地之间，如是者极多。艮之为义，终万物，始万物，此理最妙，须玩索这个理。”（同上）又说：“道二，仁与不仁而已，自然理如此。道无无对，有阴则有阳，有善则有恶，有是则有非。无一亦无三，故易曰：三人行则损一人，一人行则得其友，只是二也。”（《河南程氏遗书》第十五）又说：“天地之间皆有对。有阴则有阳，有善则有恶，君子小人之气常停，不可都生君子。但六分君子则治，六分小人则乱，七分君子则大治，七分小人则大乱。如是，则尧、舜之世不能无小人。盖尧、舜之世，只是以礼乐法度驱而之善，尽其道而已。然言比屋可封者，以其有教，虽欲为恶，不能成其恶。虽尧、舜之世，然于其家乖戾之气亦生朱、均，在朝者则有四凶，久而不去。”（同上）又说：“医者不诣理，则处方论药不尽其性，只知逐物所治，不知合和之后，其性又如何？假如诃子黄、白矾白，合之而成黑，黑见则黄白皆亡。又如一二合而为三，三见则一二亡，离而为一二则三亡。既成三，又求一与二；既成黑，又求黄与白，则是不知物性（一作理）。古之人穷尽物理，则食其味，嗅其臭，辨其色，知其某物合某则成何性。天有五气，故凡生物，莫不具有五性，居其一而有其四。至如草木也，其黄者得土之性多，其白者得金之性多。”（同上）又说：“气自是有盛则必有衰，衰则终必复盛。若冬不春，昼不夜，则气息矣。”（同上）举凡这些见解，均在辩证法与自然认识的结合中，显示着程伊川哲学的科学精神。然而，我们知道，程伊川是理气二元论者，所以其哲学的科学精神，终于在其唯心论的倾向之下，遭受着严格的限定。例如他说：“心，生道也，有是心，斯有是形以生。”“亦无太虚，遂指虚曰皆是理，安得谓之虚？天下无实于理者。”这样，以具体的事物，为心的产物，而抽象的理，又为天下最实有——具有实体的范畴，已是鲜明的唯心论无疑。

由于宇宙观与认识论的统一性，程伊川的理气二元论，也规定了他的认识论的不彻底性。这就是说，程伊川的认识论——格物致知说，也同样是唯物论与唯心论的混合体。请看他说："凡一物上有一理，须是穷致其理。穷理亦多端：或读书讲明义理，或论古今人物，别其是非，或应接事物而处其当，皆穷理也。或问格物须物物格之还是只一件而万理皆知？曰：怎得便会贯通！若只格一物，便通众理，虽颜子亦不敢如此。须是今日格一件，明日又格一件，积习既多，然后脱然自有贯通处。"（《近思录集注》卷三）这显然是承认了真理的客观存在性，并已具备了归纳法的萌芽。又说："问观物察己，还因物反求诸身否？曰：不必如此说，物我一理，才明彼，即晓此，此合内外之道也。又问致知先求之四端如何？曰：求之性情，固是切于身，然一草一木，皆有理，须是察。"（同上）这是以全宇宙为认识的对象，而不局限于人生智的科学精神。又说："随事观理，而天之理得矣。天下之理得，然后可以至于圣人。君子之学，在于反躬而已矣。反躬在致知，致知在格物。格，犹穷也；物，犹理也。犹曰穷其理而已矣。穷其理，然后足以致知，不穷则不能致也。物格者，适道之始与！欲思格物，则固已近道矣。……今人欲致知，须要格物；物不必谓事物，然后谓之物也；自一身之中，至万物之理，但理会得多，相次自然，豁然有觉处。”“问人有志于学，然知识蔽锢，力量不至，则如之何？曰：只是致知。若致知，则知识当自渐明。不曾见人有一件事终思不到也。知识明，则力量自进。问曰，何以致知？曰，在明理。或多识前言往行，识之多则理明。然人全在勉强也。”（均见《宋元学案》卷十五《伊川学案》上）这是很明白的主知主义的认识论。关于行与行的关系，程伊川也是主知主义的见地。他说：“须是识在所行之先，譬如行路，须是光照。”（同上）又说：“且恁他说到底，须是知了，方能行事。……未致知，怎生得行？勉强行者，安能持久？除非烛理明，自然乐循。……知有多少般数，煞有浅深。向亲见一人，曾为虎所伤，因言及虎，神色便变。旁有数人，见他说虎，非不知虎之猛可畏，然不如他说了有畏惧之色；盖深知虎者也，学者深亦如此。且如脍炙，贵公子与野人莫不皆知其美，然贵人闻着便有欲嗜脍炙之色，野人则不然。学者须是真知，才知得便是泰然行将去也。”（同上）又说：“如眼前诸人，要特立独行，煞不难得？只是要一个知见难。人则被知见不通透，人谓要力行，亦只是浅近语。人既能知见，岂有不能行？一切事皆所当为，不待着意做。才着意做，便有个私心，只一点义气能得几时了。”（同上）又说：“知至则当至之，知终则当遂终之。须以知为本，知之深则行之必至，无有知而不能行者。知而不能行，只是知得浅。饥而不食乌喙，人而不蹈水火，只是知。人为不善，只为不知。”（《河南程氏遗书》第十五）黄宗羲氏，在此点上，曾说：“伊川先生已有知行合一之言矣。”（《伊川学案》上按语）然而，如果认程伊川与王阳明的知行合一为同意义的命题，则为大错。因为这场合的形势，恰如法兰西的谚语所云“说着同一句话的人，是两种意思”的缘故。这就是说，程伊川的知行合一是主知主义的，而王阳明的知行合一则是直觉主义的；换句话说，前者是唯物论的命题，后者是唯心论的命题。

但是，程伊川的认识论，决不是唯物论的彻底的主知主义。相反的，其中尚包含着鲜明的唯心论要素。第一，他承认有先验范畴的“生而知之”的认识。所以说：“观物理以察己，既能烛理，则无往而不识。天下物皆可以理照，有物必有则，一物须有一理。生知者，只是他生知义理，不待学而知。纵使孔子是生知，亦何害于学？如问礼于老聃，访官名于郯子，何害于孔子？礼文官名，既欲知旧物，又不可凿空撰得出，须是问他先知者始得。”（《宋元学案》卷十五《伊川学案》上）又说：“生而知之，学而知之，亦是才。问生而知之，要学否？曰：生而知之，固不待学；然圣人必须学。”（同上）第二，他也和程明道一样，在认识论上着重内心的反省而轻视感觉经验。请看他说：“闻见之知，非德性之知。物交物，则知之非内也；今之所谓博学多能者是也。德性之知，不假见闻。”（同上）又说：“致知在格物，非由外烁我也，我固有之也。因物而迁，迷而不悟，则天理灭矣，故圣人欲格之。”（同上）又说：“古之学者为己，其终至于成物；今之学者为人，其终至于丧己。学也者，使人求于内也。不求于内而求于外，非圣人之学也。何谓不求于内而求于外？以文为主者是也。学也者，使人求于本也。不求于本而求于末，非圣人之学也。何谓不求于本而求于末？考详略采同异者是也。是二者皆无益于吾身，君子弗学。”（同上）又说：“致知但知止于至善。如为人子止于孝，为人父止于慈，不须外面。只务观物理泛然，正如游骑无所归也。”（同上）

据上述可知，程伊川在认识论上也和在宇宙观中同样，是二元论的立场。好像康德的纯粹理性与实践理性一样，程伊川也将认识与实践，作二元论的考察。所以他说："涵养须用敬，进学则在致知。"（同上）但是，程伊川既是儒教哲学者，当然不能脱离伦理决定认识的传统方法论。所以他说："人道莫如敬，未有能致知而不在敬者。"（同上）到这里，程伊川已不是二元论者，而成了一元的唯心论者。所以说："视听言动，非礼不为，即是礼。礼即是理也。不是天理，便是私欲。人虽有意于为善，亦是非理。无人欲即是天理。"（同上）又说："一人之心，即天地之心；一物之理，即万物之理；一日之运，即一岁之运。"（同上）这样，便由于唯心论的形而上学性，导出了"性善说"，所以他说："性即理也，所谓理性是也。天下之理，原其所自，未有不善。喜怒哀乐未发，何尝不善？发而中节，则无往而不善。发而不中节，然后为不善。故凡言善恶，皆先善而后恶；言是非则先是而后非，言吉凶则先吉而后凶。"（同上）又说："性出于天，才出于气。气清则才清，气浊则才浊。……譬犹木焉，曲直者性也；可为轮辕，可以为梁栋，可以为榱桷者才也；才有善与不善，性则无不善。”（《河南程氏遗书》第十九）这种人性本善而气有清浊并由此而说明人类的善恶贤愚等差别的起源的思想，对于朱子学说，有决定的影响。

最后，程伊川在心理学方面，即关于梦的分析，也有其独特的说明。他说：“问日中所不欲之事，夜多见于梦，此何故也？曰：只是心不定。今人所梦见之事，岂特一日之间所有之事！亦有数十年前之事梦见之者。只为心中旧有此事，平日忽有事与此事相感，或气相化，然后发出来；故虽白日所憎恶者，亦有时见于梦也。譬如水为风激而成浪，浪既息，波犹汹涌未已也。若存养久的人，自不如此。圣贤则无这个梦，只有朕兆，便形于梦也。人有气清无梦者，亦有气昏无梦者。圣人无梦，气清也；若人困甚时，更无梦，只是昏气蔽隔，梦不得也。若孔子梦周公之事，与常人梦别。人于梦寐间，亦可以卜所学之深浅；如梦寐颠倒，是心志不定，操守不固。”（《宋元学案》卷十五《伊川学案》上）这种分析，倘能脱却玄学的用语，实与行为主义者及佛洛伊特主义者关于梦的见解相同。但是，此所谓玄学的用语，则不是程伊川所能脱却，因为他的唯心论思想，本质上是神秘主义的。所以关于梦，他又说：“梦说之事，是傅说之感高宗，高宗感傅说。高宗只思得圣贤之人，须是圣贤之人，方始应其感，若傅说非圣贤，自不相感。如今人卜筮，蓍在手，事在未来，吉凶在书策，其卒三者必合矣。使书策之言，不合于理，则自不验。”（《河南程氏遗书》第十五）在这里，虽以理为决定的范畴，但其所谓圣贤之人相感相应入梦云云，实为神秘主义唯心论的理性观，而与其唯物论的科学精神，殊不相容。

综合上述，由周敦颐、邵康节、张横渠，经过程明道而至程伊川，宋学的发展中，虽包含着较完整的体系性及丰富的辩证法、唯物论要素，但却始终未能脱离唯心论——儒教思想及形而上学的支配。总之，都不脱二元论的特色。这种特色，至朱子而集其大成。朱子的二元论，不但体系更为完整，其影响亦较上述五子为重大，事实上是中国哲学史上新儒教哲学的结晶，所以我们特辟专章，予以较详的批判的论述。

第十四章　作为宋学集大成的朱熹的理气二元论及朱陆对立的阶级与哲学意义

第一节　朱熹的时代背景及其阶级性

朱熹（纪元一一三一至一二〇〇年）的时代特征，可分为下列几点来说明。第一，庄园经济支配下阶级斗争的加剧。据《宋史》卷一七四《食货志》云“五代以来，……百姓失业，田多荒芜”，是知由唐末到五代，因战乱频仍，土地已由农民流入贵族、官僚、地主及商人手中，所以宋代的庄园经济，便异常发达。近人熊得山在其《中国农民问题之史的叙述》一文中曾说：“县（汜县）内由于逃田及户绝被没于官之田最多。……内有一李诚庄，方圆十里，河贯其中。……有佃户百家，年年纳租课。”(《读书杂志》第三卷第三、四期合刊)《宋史》卷一七三亦云:“势官富姓，占田无限，兼并冒伪，习以成俗，重禁莫能止焉。”“南渡以来，…… 强宗巨室，阡陌相望，且多无税之田。”(《食货志》) 强宗巨室的广大庄园，既多系无税之田，则政府财政的收入，当然只有取给于小有产者的农民。庄园制的大土地所有，不但将租税转嫁于小农，而且还进行着种种的剥削。例如万国鼎《中国田制史》有云:“在宋代，江浙的富豪，常筑堤围湖，开水洼为田，大的叫做圩田，有周围达数十里者。这是大大的妨害了农民的灌溉，致使农民易受水旱之灾。”(三二三至三二四页)其次,《宋史 · 食货志》亦云:“比年多稼不登，富者操奇赢之资，贫者取倍称之息。一或小稔，富者责偿愈急，税调未毕，资储罄然。”又说:“谷米未离场，帛未下机，已非己有。所食者糠粒而不足，所衣者绨褐而不完，直以世服田亩，不知舍此之外，有何可生之路！”即此可知，高利贷的剥削，亦十分严重。农民在这种状态之下，自然要发生骚动。最知名的事件，如宋江等三十六人的横行河朔，及方腊之乱，都在纪元十二世纪二三十年代，和朱熹的诞生，相距不过十余年。第二，外族侵略的深入及各阶层对抗战态度的分歧。按徽、钦二宗被金人掳去，高宗即位于南京，在纪元一一二七年，距朱熹诞生仅有四年；金人所制造的伪政权——北齐（刘豫）距朱熹诞生，则只有一年；不抵抗主义者秦桧为相，与朱熹诞生为同年；其他如韩世忠的抗战，岳飞的被杀，及宋代的对于金人的称臣纳贡等等，都是朱熹幼年时代的事件。关于宋代对金和战问题的社会基础，约而言之，主战派为商工业者、商业化的地主及农民与一般小有产者；主和派则为纯封建的庄园制的大土地所有者群（关于此点，请参照吕振羽氏《中国政治思想史》三九一至三九六页）。第三，在哲学遗产上，已有了一百余年来的宋学发达的成果（请参照本书第十三章）。第四，最后我们应该特别注意，即所谓南宋，也和北宋时代一样，都是社会生产力较前更为发达的时代。具体言之，在农业方面，政府（包括北宋与南宋）努力于麻、粟、豆、麦等农作物的普及，尤其大兴灌溉事业，免除耕牛税以求畜役的普及，奖励垦田制度以求耕地面积的扩大；并于牛犁以外，发明了一种人犁，而广泛的被使用。此等建设，虽无补于农民生活的改善，仅与富豪以兼并的机会，而农业生产力，却由此而大形发展。在工业方面，矿山收归国有，兼许民间自营，据《宋史》卷一八五《食货志》载，宋代有金、银、铜、铁、铅、锡等矿区、冶金所、监督所、矿务所等二百余所；此外，煤炭、造船、纺织、造纸、印刷、陶磁器、漆器制造及军火制造等工业，也十分发达。据日本改造社出版的《世界历史大系》卷六（一一二页）云，京师的兵器工场，曾雇用了四万余职工，更可见当时工业发达的一般。在商业方面，据说京师米商百余家的贩卖额，达一千数百万贯，江西路抚州宜黄县商人莫寅自造大船，曾带三百万一贯，往淮东路贩买盐，此足见国内市场的扩大及巨大商人资本的形成。宋代的国外贸易，特别发展，广州、泉州、明州、杭州等，皆当时国际贸易的商港。随着商工业的发展，人口的都市集中，非常发达；据《世界历史大系》卷六（二〇六页）所载，"南宋末年，国都临安城内外居民达三十万户，约一百五十万口。在货币上，纸币亦广泛的通行"。据日本佐野袈裟美氏的研究，当时通行市面的纸币，计有公据、关子、盐钞、茶引、交子、会子等种类（见《中国历史教程》中译本二六一至二六二页)。总之，朱熹的时代特征是社会经济发展下的民生问题的严重及民族危机的加深与文化——尤其哲学遗产的丰富。

生于此种时代的朱熹，其阶级性又为如何?这是我们研究朱熹哲学所不可忽视的前提条件之一。据《宋史·道学传》的《朱熹列传》及《宋元学案》的晦翁案所载，朱熹徽州婺源人，其父朱松，第进士，历官司勋、吏部郎，以不附和议忤秦桧去国；行谊为学者所师，闽延平、尤溪县尉，建炎四年罢官，寓尤溪城外毓秀峰下之郑氏草堂，生朱熹。朱熹十九岁中进士第，主泉州同安簿，三十九岁，出知南康府；历任浙东及江西提刑，并知漳州、潭州，又除武学博士、充枢密院编修官等职。由此可知，第一，朱熹的家世及经历，为官僚阶级；第二，其生地及游宦之区，由经济史上考察，皆商业资本最发达的地方。所以朱熹的阶级性，可认为是南宋商工业阶级的思想家。由于第一点，朱熹乃有余暇锻练其庞大的体系，由于第二点，朱熹在政治的实践上遂确立了比较前进的和纯封建地主不相容的态度。

关于朱熹哲学体系的庞大性，先就其著述的数量而言，计有《易本义》、《启蒙》、《蓍卦考误》、《诗集传》、《大学中庸章句》、《或问》、《论语孟子集注》、《太极图通书西铭解》、《楚辞集注》及《辩正》、《韩文考异》；其所编定的，则有《论语孟子集义》、《孟子指要》、《中庸辑略》、《孝经刊误》、《小学集注》、《通鉴纲目》、《宋名臣言行录》、《家礼》、《近思录》、《河南程氏遗书》、《伊洛渊源录》、《延平答问》、《仪礼经传通解》等；平生为文凡一百卷，生徒问答凡八十卷、别录十卷。如果就其思想的内容来看，则上自《论语》的言仁，《孟子》的言仁义性善，《大学》的言致知格物，《中庸》的言诚，汉儒的言阴阳五行；下至周敦颐的太极图说，张横渠的天人合一论，邵康节的先天易说，程明道的唯心一元论以及程伊川的理气二元论，甚至如佛老的哲学思想，亦莫不兼容并包，冶为一炉。

关于朱熹的政治态度的前进性，可从下列几方面来说明。第一，主张抗战到底，收复失地。《晦翁学案》载，孝宗即位（纪元一一六三年），诏求直言，朱熹奏云："修攘之计，所以不时定者，讲和之说误之也。夫金人于我，有不共戴天之仇，则不可和也明矣。愿闭关绝约，任贤使能，立纪纲，厉风俗，俟数年之后，国富兵强，徐起而图之。”隆兴元年，又应召奏云：“君父之仇，不共戴天。今日所当为者，非战无以复仇，非守无以制胜。”（均见《宋元学案》卷四十八）第二，主张限制兼并，耕者有其田。他在《井田类说》中曾说：“官家之惠，优于三代；豪强之暴，酷于亡秦。是上惠不适，威福分于豪强也。今不正其本而务除租税，适足以资富强。夫土地者，天下之大本也；春秋之义，诸侯不得专封，大夫不得专地；今豪民占田，或至数百千顷，富过王侯，是自专封也；买卖由己，是自专其地也。……宜以口占田，为立科限，民得耕种，不得买卖，以瞻贫弱，以防兼并，且为制度张本，不亦宜乎！”（《朱文公文集》卷第六十八）第三，设立社仓，以和缓高利贷的剥削。在《建宁府崇安县五夫社仓记》中有云：“山谷佃民，无盖藏之积，新陈未接，虽乐岁不免出倍称之息，贷食豪右，而官粟积于无用之地，后将朽腐不复可食。愿自今以来，岁一敛散，既以舒民之急，又得易新以藏。俾愿贷出息十二，又可以抑侥幸，广储蓄；即不欲者，勿强。岁或不幸，小饥则弛半息，大侵则尽蠲之。于以惠活鳏寡，塞祸乱原，甚大惠也。”（同书卷第七十七）并且在朱熹看来，社仓制度与王安石的青苗法本质上是同一的范畴，不过在办法上稍有不同而已。所以他在《婺州金华县社仓记》中曾说：“抑凡世俗之所以病乎此者，不过以王氏之青苗为说耳。以予观于前贤之论，而以今日之事验之，则青苗者，其立法之本意，固未为不善也。但其给之也，以金而不以谷；其处之也，以县而不以乡；其职之也，以官吏而不以乡人士君子；其行之也，以聚敛亟疾之意而不以惨怛忠利之心；是以王氏能以行于一邑，而不以行于天下。程子尝极论之，而卒不免于悔其已甚而有激也。”（同书卷第七十九）第四，主张增加生产。其《劝农文》有云：“窃惟民生之本在食，足食之本在农，此自然之理也。若夫农之为务，用力勤、趋事速者所得多，不用力、不及时者所得少，此亦自然之理也。本军田地硗埆，土肉厚处不及三五寸，设使人户及时用力以治农事，犹恐所收不及他处，而土风习俗，大率懒惰，耕犁种莳，既不及时，耘耨培粪，又不尽力；陂塘灌溉之利，废而不修；桑柘麻苎之功，忽而不务；此所以营生足食之计，大抵疏略。是以田畴愈见瘦瘠，收拾转且稀少；加以官物重大，别无资助之术，一有水旱，必至流移。下失祖考传付之业，上亏国家经常之赋。使民至此，则长民之吏，劝农之官，亦安得不任其责哉。”（同书卷第九十九）又在同书同卷及第一百卷中，仍有劝农文两篇，对于所有提高农业生产力的方法，均分条缕述，作详尽的叮咛告诫。在这里我们不禁会想起日本产业政策史。

凡此种种主张，总而言之，即朱熹这种对外抗战到底、对内由改善民生以求团结一致的实践态度，在当时的政治经济条件下，已经是历史制限内的最大可能性的前进思想。其哲学见解中的唯物要素的根源，正在于此。然而也正因为如此，所以不但在政治上受到了封建地主的主和论的反对，即在哲学上也被斥为“伪学”而遭遇了虐待。

第二节　朱熹的理气二元论及其根本的缺陷——对于唯心论的屈服

我们上面已经证明朱熹为宋代商工业阶层的思想家。但是，在中国亚细亚的停滞性的规定之下，商工业者虽较封建地主具有若干程度的进步性，而根本上则完全不是反封建支配的变革的社会要素。这一点，在朱熹的政治思想中，已有明确的表现，如像其以《大学》的“修齐治平”等儒教的德治主义为最高政治理想（见文集卷第四十四《答江德功》等文），即其例证。这种实践上的不彻底性，便决定了朱熹哲学的二元论的性格。

朱熹的二元论，和程伊川同样，都是理气二元论。朱熹的哲学体系，虽较程伊川的思想为完整而丰富，而本质上则为程伊川哲学的更进一步的发展形态。陈钟凡氏认程伊川所谓“涵养须用敬，进学则在致知”二语，为朱熹学术的基础（见所著《两宋思想述评》第一八四页），实为正确无误的论断。

在物质与精神的关系一问题上，朱熹的意见是一方面承认物质存在的客观性，另方面又坚持精神是独自存在的范畴，而同时以为物质与精神不分离而独存。在朱熹哲学中也和一般的宋学一样，以“气”为物质，而以“理”为精神。在《学的》中曾说:“天地之间，有理有气。理也者，形而上之道也，生物之本也；气也者，形而下之器也，生物之具也。是以人物之生，必禀此理，然后有性；必禀此气，然后有形。”又说：“天下未有无理之气，亦未有无气之理。”又说：“有是理必有是气，不可分说。都是理，都是气，那个不是理，那个不是气。”（《语类》）在《语类》中又有云：“某有疑呈先生曰：人物之性，有所谓同者，又有所谓异者。知其所以同，又知其所以异，然后可以论性矣。夫太极动而二气形，二气形而万化生。人与物俱本乎此，则是所谓同者；而二气五行，细缊交感，万变不齐，则是所谓异者。同者，其理也；异者，其气也。必得是理，而后有以为人物之性；则其所谓同然者，固不得而异也；必得是气，而后有以为人物之形，则其所谓异者，亦不得而同也。是以先生于大学或问因谓‘以其理而言之，则万物一原，固无人物贵贱之殊；以其气而言之，则得其正且通者为人，得其偏且塞者为物；是以或贵或贱，而有所不能齐’者，盖以此也。然其气虽有不齐，而得之以有生者，在人物莫不皆有理；虽有所谓同，而得之以为性者，人则独异于物。故为知觉、为运动者，此气也；为仁义、为礼智者，此理也。知觉运动，人能之，物亦能之；而仁义礼智，则物固有之，而岂能全之乎！今告子乃欲指其气而遗其理，梏于其同者而不知其所谓异者，此所以见辟于孟子。而先生于集注则亦以为：以气言之，则知觉运动，人物若不异；以理言之，则仁义礼智之禀，非物之所能全也。于此，则言气同而理异者，所以见人之为贵，非物之所能并；于彼，则言理同而气异者，所以见太极之无亏欠，而非有我之所得为也。以是观之，尚何疑哉?有以集注、或问异同为疑者，答之如此，未知是否？先生批云：此一条论得甚分明。昨晚朋友正有讲及此者，亦已略为言之，然不及此之有条理也。”以上均可见物质（气）与精神（理）的关系，在朱熹哲学中，完全是二元论的解决法；这就是说，他不理解精神依存于物质以及由物质自身内在矛盾的辩证法的发展而派生出精神的客观关系，反而使二者对立起来。这一点和康德同样，都陷于逻辑上的自己矛盾。

但是，二元论根本上不能脱离唯心论而存在。所以朱熹在理和气的先后问题上，便显示了唯心论的特色。例如他说：“此本无先后之可言，然必推却其所从来，则须说先有是理。然理又非别为一物，即存乎是气之中，无是气，则是理亦无挂搭处。气则为金木水火，理则为仁义礼智。”又说：“有是理便有是气，但理是本。”又说：“天道流行，发育万物，有理而后有气；虽是一时都有，毕竟以理为主。”（均见《语类》）又说：“太极只是天地万物之理。在天地言，则天地中有太极；在万物言，则万物中各有太极。未有天地之先，毕竟是先有此理。动而生阳，亦只是理，静而生阴，亦只是理。”（同上）又说：“看得道理熟后，只除了这道理是真实法外，见世间万事颠倒迷妄，耽嗜恋着，无一不是戏剧，真不堪着眼也。”（同上）又说：“世间万事，须臾变灭，皆不足置胸中，惟有穷理修身为究竟法耳。”（同上）在《语类》中又云：“问：所谓未有天地之先，毕竟是先有理如何？曰：未有天地之先，毕竟也只有理。有此理便有此天地，若无此理亦无天地无人无物。……有理便有气流行，发育万物。曰：发育是理发育之否？曰：有此理便有此气流行发育。问：有是理便有是气，是不可分先后？曰：要之也有理，只不可说今日有是理，明日都有是气，也须有先后；且如万一山河大地都陷了，毕竟理却只在这里。”（转录吕振羽著《中国政治思想史》第四三四页）在这里，我们已经看见朱熹以先验论者的态度，武断的认定了理先气后及理先天地而存在并为宇宙间唯一的真实法或究竟法，这实为柏拉图式的极端唯心论的宇宙观。

然而，我们决不能由此而断定朱熹的宇宙观为纯粹的唯心论。相反的，在其唯心论的另一面，尚同时存在着唯物论的要素。这就是说，朱熹所谓理，同时又意味着客观事物的内在的普遍法则——即所谓“理在事中”的“当然之则”。他在《学的》中有云：“天道流行，造化发育，凡有声色貌象而盈予天地之间者，皆物也。既有是物，则其所以为是物者，莫不各有当然之则，而自不容已；是皆得于天之所赋，而非人之所能为也。其至切而近者，则心之为物，实在于身，其体则有仁、义、礼、智之性，其用则有恻隐、羞恶、恭敬、是非之情；浑然在中，随感而应，如有悠主，而不可乱也。次而及于身之所具，则有口鼻、耳目、四肢之用；又次而及于身之所接，则有君臣、父子、夫妇、长幼、朋友之常。是皆有必然之则，而自不容已，所谓理也。外而至于人，则人之埋，不外于己也，远而至于物，则物之理，不异于人也。极其大，则天地之运，古今之变，不能外也；尽其小，则一尘之微，一息之顷，不能遗也。是乃上帝所降之衷，蒸民所秉之彝，列子所谓天地之中，孔子所谓性与天道，子思所谓天帝天命之性，孟子所谓仁义之心，程子所谓天然自有之中，张子所谓万物之一原，邵子所谓道之形体者。”在这里也和在一切的问题上同样，充分表现着朱熹哲学思想中唯物论的不纯粹性，不彻底性，不健全性，这就是说，他在肯定理为宇宙万物的客观性的普遍法则的场合，固为唯物论者；然而，当他将自然法则与社会法则混同一视的场合，则又表示出他是只见量而不见质的机械主义者，而且正由于这种将质还原为量的缘故，才恰恰替唯心论开放了门户，准备向唯心论屈服的逻辑基础。

现在，我们要把问题更进一步的具体化。第一，先考察朱熹由于肯定了理的客观存在及理在事中的具体性，而导出了格物致知的唯物论的认识论。他在《学的》中曾说："上而无极太极，下至于一草一木、昆虫之微，亦各有理。一书不读，则阙了一书道理；一事不穷，则阙了一事道理；一物不格，则阙了一物道理。须着逐一件，与他理会过。”又说："为学之道无他，只是要理会得目前许多道理，世间事无大无小，皆有道理。”又说：“凡事事物物，皆有一个道理。”又说：“有是物必有是理。理无形而难知，物有迹而易见。”又说：“万理只是一理，学者且要去万理中，千头万绪都理会，四面辏合来，见得是一理。”又说：“这道理须是见得是如此了，验之于物，验之于吾身又如此；以至见天下道理，皆端的如此了，方得。”又说：“《大学》不说穷理，只说格物，要人在事物上理会。”此外，在《大学章句》、《补格物传》中更说：“所谓致知在格物者，言欲致吾之知，在即物而穷其理也。盖人心之灵，莫不有知，而天下之物，莫不有理；惟于理有未穷，故其知有不尽也。是以《大学》始教，必使学者即凡天下之物，莫不因其已知之理而益穷之，以求至乎其极。至于用力之久，而一旦豁然贯通焉；则众物之表里精粗无不到，而吾心之全体大用，无不明矣。”又说：“格，至也；物，犹事也。穷至事物之理，欲其极处无不到也。”凡上所举“格物致知”的认识论（按冯友兰氏在其所著《中国哲学史》九二〇页上，特加注指明：“朱子所说格物，实为修养方法，其目的在于明吾心之全体大用，即陆王一派之道学家批评朱子此说，亦视之为一修养方法而批评之。若以此为朱子之科学精神，以为此乃专求知识者，则诬朱子矣。”云云。显系错误。因为儒教的认识论论理学及伦理学，经常的混为一谈，朱熹的哲学，虽本质上仍不免此倾向，但其格物致知说的认识论——论理学的性格，则异常鲜明，而不容抹杀。至其与伦理学的终于相混，则是其唯心论的思想所使然，此点下文仍有说明），实已充满着把握客观事物本质的科学精神。而且朱熹也确乎依此方法，在当时历史条件之下，获得了惊人的自然认识。请看他说："阴阳只是一气，阳之退便是阴之生，不是阳退了，又别有个阴生。"(《宋元学案》卷四十八《晦翁学案》"语要"）又说："天地始初，混沌未分时，想只有水火二者。水之滓脚便成地，今登高而望群山，皆为波浪之状，便是水泛如此；只不知因甚么事凝结了，初间极软，后来方凝得硬。问：想得如潮水涌起沙相似？曰：然。水之极浊，便成地；火之极清，便成风霆雷电昌生之属。"（同上）又说："天地初间，只是阴阳之气。这一个气运行，磨来磨去，磨得急了，便搜许多渣滓，里面无处出，便结成个地在中央。气之清者，便为天，为日月，为星辰，只在外常周环运转，地便在中央不动，不是在下。”（同上）又说：“问：自开辟以来，至今未万年，不知以前如何？曰：以前亦须如此一番明白来。又问：天地会坏否？曰：不会坏。只是相将人无道极了，便一齐打合混沌一番，人物都尽，又重新起。”（同上）又说：“方混沌未判，阴阳之气，混合幽暗。及其既分，中间放得开阔光朗，而两仪始立。邵康节以十二万九千六百年为一元，则是十二万九千六百年之前，又是一个大阖辟，更以上亦复如此。直是动静无端，阴阳无始。小者大之影，只昼夜便可见。五峰所谓一气太息，震荡无垠，海宇变动，山勃川湮；人声消尽，旧迹大灭，是谓洪荒之世。尝见高山有螺蚌声或生石中，此石即旧日之土，螺蚌即水中之物；下者却变而为高，柔者却变而为刚，此事思之至深，有可验者。”（同上）又说：“……日其光者，乃日加之光尔，他本无光也。”（同上）在朱熹这种自然认识上，我们首先看到了他以为宇宙的本体是气，由于气自身内在矛盾的发展，即阴阳的对演与水火的交感而形成了宇宙的起源；其次宇宙的生成顺序，是由气体而液体而固体，且周期的由形成而消灭（虽然是单纯的循环）；这一些的见解，和康德的星云说的宇宙生成论，颇为近似。至其以月本无光得日之光而始明的见解以及关于地质学的发现，均与今日的科学定论相符合。凡此，皆其格物致知说的唯物论的科学精神的直接产物。但是，朱熹所以特别注重格物致知，是由于他认为知识是行动的指针或决定的要素的缘故。所以他在《语类》中曾说："王子充问：某在湖南见一先生，只救人践履。曰：义理不明，如何践履？曰：他说行得便见得。曰：如人行路不见，便如何行？今人多教人践履，皆是自立标致去教人。自有一般资质好底的人，便不须穷理格物致知；圣人作个大学，便使人齐入于圣贤之域。若讲得道理明时，自是事亲不得不孝，事兄不得不弟，交朋友不得不信。"在《学的》中又说："穷理者，欲知事物之所以然与其所当然者而已。知其所以然，故志不惑；知其所当然，故行不缪。"此与程伊川的主知主义的认识论，乃是互有关联的思想。

第二，再考察朱熹由于忽视自然法则与社会法则的本质的不同，而陷于唯心论的过程。如上所述，朱熹所谓理，乃是宇宙万物的普遍法则；但是，在朱熹的认识中，此种作为普遍法则的理，则为极端抽象的范畴，而绝无具体性。在他那里，人类的心理——意识及一切的伦理道德，和作为自然范畴的一切客观事物，甚至对象与表象，都是理的现显形态，而无所谓差别或对立的存在。这样一来，则理在事中就成了理在心中，格物致知便成了涵养省察或居敬修养。所以他说："孔子说非礼勿视听言动，出门如见大宾，使民如承大祭，言忠信，行笃敬；孟子又说求放心，存心养性；《大学》又教人格致诚正；程子又发明一敬字。各自观之，似乎参错不齐，千头万绪，其实只一理。"（《学的》）又说："以理言之，则天地之理至实，而无一息妄；故自古至今，无一物之不实，而一物之中，自始至终，皆实理之所为也。以心言之，则圣人之心亦至实，而无一息之妄；故从生至死，无一事之不实，而一事之中，自始至终，皆心之所为也。"（同上）又说："心包万理，万理具于一心。不能存得心，不能穷得理；不能穷得理，不能尽得心。"（《语类》）又说："问：心是知觉，性是理，心与理如何得贯通为一？曰：不须去著贯通，本来贯通。如何本来贯通？曰：理无心则无着处。"（同上）又说："心熟后自然有见理处。熟则心精微，不见理只缘是心粗。”（同上）又说：“理只在一心。此心一定，则万理毕见。”（《学的》）又说：“人之所以为学，心与理而已矣。心虽主乎一身，而其体之虚明，足以管乎天下之理；理虽散在万物，而其用之微妙，实不外乎一人之心；初不可以内外精粗而论也。”（同上）又说：“天下虽大，而吾心之体无不该；事物虽多，而吾心之用无不贯。盖必析之有以致其精而不乱，然后合之有以尽其大而无余。”（同上）又说：“一人之心，在外者要收入来，如求放心是也；在内者又要推出去，如扩充四端是也。大抵一收一放，一阖一辟，道理森然。”（同上）又说：“心者，人之知觉，主于身而应于事者也。”（同上）又说：“以一心而穷造化之原，尽性情之妙，达圣贤之蕴；以一身而体天地之运，备事物之理，任纲常之责。”（同上）这样看来，人类的知觉既包该万理，万理既备于一身，则与巴克莱所谓“存在即知觉”或马赫主义者所谓“物理的世界即感觉的综合”，实同为唯心论者的呓语。

造化之原既在吾心，事物之理既在吾身，则格物致知与即物穷理，便从认识论论理学而转化成为伦理学与道德论。所以朱熹在《大学或问》中曾说："敬之一字，圣学之所以成始而成终者也。为小学者不由乎此，固无以涵养本原，而谨夫洒扫应对进退之节与夫六艺之教；为大学者不由乎此，亦无以开发聪明，进德修业，而致夫明德新民之功。是以程子发明格物之道，而必以是为说焉。"又说："敬者，一心之主宰，万事之根本也。"又说："俨然端庄，执事恭恪时，此心如何？怠惰颓靡，涣然不收时，此心如何？试于此审之，则内外未始相离，而所谓庄整齐肃者，正所以存其心也。"又说："敬之一字，万善根本。涵养省察，格物致知，种种工夫，皆从此出，方有据依。"又在《语类》上说："但知有营营逐物之心，不知有真心，故识虑皆昏，观书察理，皆草草不精；眼前易晓者，亦看不见；皆由此心杂而不一故也。所以前辈语初学者必以敬；曰：未有致知而不在敬者。今夫未知反求诸心，而胸中方且丛杂错乱，未知所守，持此杂乱之心以观书察理，故凡工夫皆一偏一角做去，何缘会见得全理？某以为……莫若且收敛身心，尽扫杂虑，令其光明洞达，方能作得主宰，方能见理。不然，亦终岁而无成耳。"这样子，持敬既是格物致理的根本，则伦理的实践，便又成了决定自然认识的前提，到这里，朱熹便成了纯粹的唯心论者，正统的儒教学徒，而前述唯物论的要素，便成了他体系中的赘瘤。然而，朱熹哲学的缺陷，固在于此，其积极的价值，也正由于这种唯物论要素的赘瘤的存在。

第三节　朱陆对立的社会根据及其哲学意义

我们前面说过，朱熹是宋代商工业阶层的思想家。但是，由于当时商工业者对于封建支配的从属性，所以他无论在政治实践上及哲学思想上，都未能成为真实的变革的存在；而不过是在政治上提出了部分改良的主张，在哲学上建立了理气二元论的体系。因此便处处陷于自己矛盾。这种矛盾的性质，其哲学史乃至社会史的性格，恰和康德在德意志古典哲学发展上所处的地位同样；即在朱熹与康德的哲学体系中，都具有着进步的方面与反动的方面，而同时也都遭受着两方面的批判——即列宁所谓由左面来的（唯物论者的）批判与由右面来的（唯心论者的）批判。在中国哲学史上，从唯物论（自然不是彻底的唯物论）的观点批判朱熹哲学的，计有颜习斋与戴东原等；其从唯心观点批判朱熹哲学的，则为陆象山与王阳明等。关于各种的朱子哲学的批判论，以下我们要分别由专章叙述，现在所要叙述的，只是朱陆对立这一有名的问题。并且因为陆象山与王阳明在哲学上为同一的学派（即所谓陆王哲学），所以在本节中尚没有详细分析陆象山哲学内容的必要；在这里所成为问题的，即陆象山与朱熹对立的社会根据及其哲学的意义。

一切思想及哲学的对立，都是其时代阶级斗争在意识形态中的反映或延长。所以我们要想从本质上把握朱熹与陆象山在哲学中的争辩，就必须先来考察其阶级的——社会的根据。据《宋元学案》卷五十七《梭山复斋学案》及卷五十八《象山学案》与《象山先生全集》卷三十六《年谱》所载，可知陆象山（九渊，纪元一一三九至一一九一年）的家世，为一最典型的封建地主的贵族家族。其证明如下：第一，其八世祖希声，相唐昭宗；六世祖德迁，五代末避乱居抚州（据吕振羽氏在所著《中国政治思想史》四四二页云“抚州在当时亦为封建贵族的故乡之一”）；父贺，以学行为里人宗。象山兄弟六人，九思、九皋、九韶、九龄等与象山同为一时学。第二，“其家累世义居，一人最长者为家长，一家之事听命焉。岁迁子弟，分任家事。凡田畴租税，出内庖爨宾客之事，各有主者。先生（即九韶）以训戒之辞为韵语，晨兴，家长率众子弟谒先祠毕，击鼓诵其辞，使列听之。子弟有过，家长会众子弟责而训之；不改，则挞之；终不改，度不可容，则言之官府，屏之远方焉。”第三，“初，先生之父，采温公冠昏丧祭仪，行之家，先生（九龄）又绎先志而修明之。晨昏伏腊，奉盥请衽，觞豆饎爨，阖门千指，男女以班，各共其职。友弟之风，被于乡社，而闻于天下。束书入太学，太学知名之人，闻声愿交，摒所挟，北面称弟子者甚众。”第四，“其家象山时，家中贫苦，其一兄九叙，经营药店以为生。九韶（即梭山）常以其入，留十之二三，备水旱丧葬不测，虽忍饥而毋变。宗族乡党有吉凶事，苟财力不足以助之，惟助以力。如众人而往，后众人而归。而劳为之服之。毋毁所蓄，以变定规。如此力行，家至不废。”综合上述的记载，我们可以认定陆象山的阶级性，与朱熹不同，而为开始没落的典型贵族。其生平尝言“六经注我，我注六经”，故著作甚少。今存者，有《象山先生全集》，内《遗书》三十三卷、《语录》二卷、《年谱》一卷，共三十六卷。

陆象山与朱熹的争辩，其正式开始为淳熙十五年（纪元一一八八年）关于周敦颐的《太极图说》中“无极而太极”一语，双方书信往返数次（见《象山先生全集》卷二及《朱子大全》卷三十六），彼此诘驳至烈，终至说出“日斯迈而月斯征，各尊所闻，各行所知亦可矣，无复可望于必同也”，无结果而休战。在此以前即淳熙二年（纪元一一七五年）吕东莱氏，曾发起鹅湖寺之会，在大会上，又复发生辩论。当时的争论焦点，系由于朱熹主张从观博览而后归之约，象山则主张先发明人之本心而后使之博览，结果朱以陆为太简，陆以朱为支离，以此不合。象山又更欲诘朱熹以“尧舜之前所读何书”的难题，经其胞弟九龄（即复斋）劝阻，亦无结论而罢。这一件朱、陆之间的论争公案，不但在宋学上甚为知名；即在中国哲学史其后的发展上，也有很大的影响，所谓“朱、陆异同”，将永远是中国哲学史研究者的重要课题之一。

由此观之，朱、陆之间的对立，完全是当时商工业者阶层与封建贵族的地主之间的冲突的反映；即朱熹代表着前者，陆象山代表着后者。现在我们且考察一下朱、陆哲学的差别性的所在。我们前面已经说过，由于宋代商工业者对于封建支配的从属性，所以作为宋代商工业者思想代表的朱熹，在哲学上虽然已经显示着丰富的唯物论要素，而结果则仍然不免流为唯心论的体系。好像朱熹在政治领域内的部分改良主张会使封建贵族地主阶级不满一样，其哲学的二元论中所包含的唯物论辩证法要素，也要使封建贵族地主阶级认为是不必要的赘瘤。陆象山一再斥朱熹的哲学思想为支离混杂，其本质的意义，要不外乎企图从朱熹哲学中割去其唯物论要素，而使之成为纯粹的唯心论。陆象山这种企图，是朱熹所完全明白的。请看他们下列一段针锋相对的辩论文字。陆象山说："直以阴阳为形器，而不得为道，此尤不敢闻命！易之为道，一阴一阳而已。先后始终，动静晦明，上下进退，往来阖辟，盈虚消长，尊卑贵贱，表里隐显，向背顺逆，存亡得丧，出入行藏，何适而非一阴一阳哉？奇偶相寻，变化无穷，故曰：其为道也屡迁，变动不居。周流六虚，上下无常，刚柔相易，不可为典要，惟变所适。……今顾以阴阳为非道，而直为之形器，其孰为昧于道器之分哉？”（《象山先生全集》卷二《与朱元晦二》）朱熹答陆象山云：“若以阴阳为形而上者，则形而下者，复是何物？更请见教！若熹愚见与其所闻，则曰：凡有形有象者，皆器也；其所以为器之理者，皆道也。如是则来书所谓始终、晦明、奇偶之属，皆阴阳所为之器，独其所以为器之理，如目之明、耳之聪、父之慈、子之孝，乃为道耳。”（朱熹又自注云：“此一条亦极分明，切望略加思索，便见愚言不为无理。而其余亦可以类推矣。)”（见《朱子大全》卷三十六《答陆子静》）很显然的，陆象山系站在唯心论的立场来反驳，而朱熹则由理气二元论的观点来答辩。其次，陆象山说：“以子贡之达，又得夫子而师承之，尚不免多学而识之之见。非夫子叩之，彼固晏然而无疑。……尊兄之才，未知其与子贡如何？今日之病，则有深于子贡者。”（《全集》同上）这是以主观唯心论的见解，来反对朱熹的“格物致知”的客观主义的科学方法。朱熹的答辩则是：“老兄却是先立一说，务要突过有若子贡以上，更不数近世周、程诸公。故于其言不问是非，一例吹毛求疵，须要讨不是处。正使说得十分无病，此意却先不好了；况其言之粗率，又不能无病乎？夫子之圣，固非以多学而得之，然观其好古敏求，实亦未尝不多学；但其中自有一以贯之处耳。若只如此空疏杜撰，则虽有一而无可贯矣。”（《大全》同上）这里的焦点，实颇具有演绎法与归纳法相持的意味。更其次，陆象山说：“某窃谓尊兄未曾实见太极。若实见太极，上面必不更加‘无极’字，下面必不更着‘真体’字。上面加‘无极’字，正是叠床上之床；下着‘真体’字，正是架屋下之屋。虚见之与实见，其言固自不同也。……老氏以无为天地之始，以有为万物之母；以常无观妙，以常有观窍，直将无字搭在上面，正是老氏之学，岂可讳也？……太极……所指之实，岂容有二！充塞宇宙，无非此理。……尊兄两下说有说无，不知漏泄得多少！如所谓太极真体……等语，莫是曾学禅宗所得如此！”（《全集》同上）朱熹答云：“太极固未尝隐于人，然人之识太极者则少矣。往往只是于禅学中认得个昭昭灵灵能作用底，便谓此是太极；而不知所谓太极，乃天地万物本然之理，亘古亘今颠扑不破者也。迥出常情等语，只是俗谈，即非禅家所能专有，不应儒者反当回避；况今虽偶然道著，而其所见所说，即非禅家道理，非如他人阴实祖用其说，而改头换面，阳讳其所自也。如曰私其说以自妙而又秘之，又曰寄此以神其奸，又曰系绊多少好气质底学者，则恐世间自有此人可当此语，熹虽无状，自省得与此语不相似也。"（《大全》同上）最后，陆象山劝朱熹"百尺竿头，进取一步，莫作孟子以下学术"，而朱熹的答复则是"各尊所闻，各行所知亦可矣，无复可望于必同也"。是知朱熹与陆象山的对立，其哲学的性格，乃是心物二元论与主观唯心论的对立。但是，我们知道，心物二元论因其自身的不彻底性及妥协性，往往不能征服主观唯心论。所以在朱熹挂出免战牌以后，陆象山又以挑战的姿态说道："不谓尊兄遽作此语，甚非所望！君之过也，如日月之食焉，过也人皆见之，及其更也皆仰之；通人之过，虽微箴药，久当自悟。谅今尊兄必涣然于此矣。愿依末光，以卒余教。"（《全集》卷二与《朱元晦三》）在这里，我们必须认清，朱熹所以不能征服陆象山，并不是由于其体系中包有唯物论要素，而是由于其唯物论之不充分不彻底，而是由于其结论上仍表显着对于唯心论的屈服，而是由于其二元论的特质已替唯心论开放了门户。这一点，其社会的根据，自然在于宋代商工业者对于封建支配的从属性。

以上我们是以朱熹哲学的分析为主题，而附带的论及陆象山的阶级性及其主观唯心论，并未对于陆象山哲学从事详尽的逻辑检讨。实质上陆象山哲学，乃是所谓阳明哲学的发端，故必须在其与阳明哲学的联系中，另章论述。

第十五章　作为陆象山哲学（主观唯心论）发展形态的阳明哲学及其学派

第一节　陆象山的主观唯心论

没落的封建贵族陆象山氏，由于对现实的社会变革失望或恐怖，遂一味追求内心的精神满足，而丧失了对客观存在的把握的能力与勇气；于是便完成了主观唯心论的哲学思想。据《全集》卷三十三所载杨简的《象山先生行状》云："先生……丱角时闻人诵伊川语，自觉若伤我者。亦尝谓人曰：伊川之言，奚为与孔子、孟子不类？"这是他不满足于理气二元论的起点。同书卷三十六《年谱》云："先生自三四岁时，思天地何所穷际，不得，至于不食。宣教公呵之，遂姑置，而胸中之疑终在。

后十余岁，因读古书，至宇宙二字，解者曰：上下四方曰宇，往古来今曰宙。忽大省曰：元来无穷！人与天地万物，皆在无穷之中者也。乃援笔书曰：宇宙内事，乃己分内事；己分内事，乃宇宙内事。又曰：宇宙便是吾心，吾心即是宇宙。”从这里我们可以知道陆象山由于家世的影响，自幼便确立了主观唯心论乃至唯我论的基本命题。

陆象山不但以“宇宙便是吾心，吾心即是宇宙”，而且认定了心——理——宇宙都是超越时空而绝不发展的范畴。所以他说：“东海有圣人出焉，此心同也，此理同也；西海有圣人出焉，此心同也，此理同也；南海北海有圣人出焉，此心同也，此理同也；千百世之上至千百世之下，有圣人出焉，此心此理，亦莫不同也。”（《全集》卷三十六《年谱》）又说：“盖心，一心也；理，一理也；至当归一，精义无二，此心此理，实不容有二。故夫子曰：吾道一以贯之；孟子曰：夫道一而已矣；又曰：道二，仁与不仁而已矣。如是则为仁，反是则为不仁。仁，即此心也，此理也。求则得之，得此理也；先知者，知此理也；先觉者，觉此理也；爱其亲者，此理也；敬其兄者，此理也；见孺子将入井，而有怵惕恻隐之心者，此理也，可羞之事则羞之，可恶之事则恶之者，此理也；是知其为是，非知其为非，此理也；宜辞而辞，宜逊而逊者，此理也；敬，此理也；义，亦此理也；内，此理也；外，亦此理也。”（《全集》卷一《与曾宅之》）在这里，第一，我们看出了陆象山公然主张着人类的意识，就是客观的存在；所以他又说：“万物森然于方寸之间，满心而发，充塞宇宙，无非是理。”（《全集》卷三十四《语录》）又说：“此理充塞宇宙，所谓道外无事，事外无道。舍此而别商量，别有趋向，别有规模，别有形迹，别有行业，别有事功，则与道不相干，则是异端，则是利欲为之陷溺为之旧窠。说即是邪说，见即是邪见。”（《全集》卷三十五《语录》）第二，陆象山由于抹杀客观存在的发展变动及其与人类意识的差别性，对立性，连特定的社会意识形态也绝对化，形而上学化，而看成了纯粹静止的超越时空的范畴。所以他说：“吾所明之理，乃天下之正理，实理，常理，公理，所谓本诸身，证诸庶民，考诸三王而不谬，建诸天地而不悖，质诸鬼神而无疑，百世以俟圣人而不惑者也。学者正要穷此理，明此理。”（《全集》卷十五《与陶赞仲》）又说：“孟子云：尽其心者知其性，知其性则天矣。心只是一个心，某之心，吾友之心，上而千百载圣贤之心，下而千百载复有一圣贤，其心亦只如此。心之体甚大，若能尽我之心，便与天同。为学只是理会此。”（《全集》卷三十五《语录》）

在陆象山这种主观唯心论的宇宙观中，简直不许人们对客观事物作稍微的关心，这就是说，他对于唯物论的倾向视同洪水猛兽。所以他说：“此理本天所以与我，非由外铄。明得此理，即是主宰。真能为主，则外物不能移，邪说不能惑。所病于吾友者，正谓此理不明，内无所主，一向萦绊于浮论虚说。终日只依借外说以为主，天之所与我者，反为客，主客倒置，迷而不反。惑而不解。坦然明白之理，可使妇人童子听之而喻，勤学之士，反为之迷惑，自为支离之说，以自萦缠，穷年卒岁，靡所底丽，岂不重怜哉？使生在治古盛时，蒙被先圣王之泽，必无此病。惟其生于后世，学绝道丧，异端邪说，充塞弥满；遂使有志之士，罹此患害，乃与世间恣情纵欲之人，均其陷溺，此岂非以术杀天下哉？”（《全集》卷一《与曾宅之》）我们看其下文详述与朱熹论争的内容，可知其所谓“杀天下”的“学术”及“支离之说”，系指理气二元论中的唯物论要素，特别是指“格物致知”的客观主义认识论而言。

陆象山既认“宇宙即是吾心”，则认识宇宙的方法，自然无须外求，而只由于内心的自己省察，便可以达到明理的目的。所以他说：“古之欲明明德于天下者，先治其国；欲治其国者，先齐其家；欲齐其家者，先修其身；欲修其身者，先正其心；欲正其心者，先诚其意；欲诚其意者，先致其知，致知在格物。格物是下手处。伯敏云：如何样格物？先生云：研究物理。伯敏云：天下万物，不胜其繁，如何尽研究得？先生云：万物皆备于我，只要明理，然理不解自明，须是隆师亲友。”（《全集》卷三十五《语录》）又说：“学者能常闭目亦佳。某（门人詹阜民子南自称）因此无事，则安坐瞑目。用力操存，夜以继日，如此者半月。一日下楼，忽觉此心已复澄莹中立，窃异之，遂见先生。先生目逆而视之曰：此理已显也。某问先生何以知之？曰：占之眸子而已。因谓某道果在迩乎？某曰：然。昔者尝以南轩张先生所类洙泗言仁书考察之，绝不知仁，今始解矣。先生曰：是即知也，勇也。某因言而通，对曰：不惟知勇，万善皆是物也。先生曰：然。更当为说存养一节。”（《全集》卷三十五《语录》）又说：“孟子曰：所不虑而知者，其良知也；所不学而能者，其良能也；我固有之，非由外铄也。故曰：万物皆备于我矣，反身而诚，乐莫大焉。此吾之本心也。”（《全集》卷一《与曾宅之》）又说：“人皆有是心，心皆具是理，心即理也。故曰：理义之悦我心，犹刍豢之悦我口。所贵乎学者，为其欲穷此理，尽此心也。”（《全集》卷十一《与李宰二》）由此可知，陆象山既以作为宇宙最高唯一法则的理，乃我所固有，乃是吾之本心，则明理的方法，即把握宇宙法则的方法，自然为禅学由定发慧的安坐瞑目，而无须乎对客观存在作深入的具体研究。这就是说，认识了自我便认识了宇宙；所谓“心即理”说的陆象山的存在论——宇宙观——认识论，其唯我论的本质，至此已甚为明了。

《全集》卷三十四《语录》中载，陆象山在象山讲学时，多告学者云：“女耳自聪，目自明，事父自能孝，事兄能弟，本无欠阙，不必他求，在自立而已。”这显然是由主观唯心论——唯我论出发，使伦理的规定，也加上了形而上学的先验的神秘主义性质。这一点与其封建贵族的家庭生活（参照本书第十四章第三节），自有密切的联系。

在宋末承继陆象山哲学的，以杨简、袁燮、舒璘、沈焕等最为知名，号称甬上四先生。但真能发挥陆象山思想的，则首推杨简。杨简（纪元一一四一至一二二六年），学者称为慈湖先生，其著作均搜集在《慈湖遗书》中。他将陆象山的“宇宙便是吾心，吾心即是宇宙”的主观唯心论的命题，特加发挥。在《己易篇》曾云：“易者，己也；非有他也。以易为书，不以易为己，不可也。以易为天地之变化，不以易为己之变化，不可也。天地，我之天地；变化，我之变化；非他物也。……夫所以为我者，毋曰血气形貌而已也；吾性澄然清明而非物，吾性洞然无际而非量。天者，吾性中之象；地者，吾性之形。故曰：在天成象，在地成形，皆我之所为也。混融无内外，贯通无异殊，观一画其旨昭昭矣。……能识恻隐之其心于孺子将入井之时，则何思何虑之妙，人人之所自有也；纯诚洞白之质，人人之所自有也；广大无疆之体，人人之所自有也；此心常见于日用饮食之间，造次颠沛之间，而人不自省也。……循吾本心以往，则能飞能潜，能疑能惕。……仕止久速，一合其宜；周旋曲折，各当其可，非勤劳而为之也，吾心中自有如是十百千万散殊之正义也。礼仪三百，威仪三千，非吾心外物也。”（《慈湖遗书》卷七）其《绝四记》亦云：“夫人皆有至明至灵广大圣智之性，不假外求，不由外得；自本自根，自神自明。微生意焉，故蔽之；有必焉，故蔽之；有固焉，故蔽之；有我焉，故蔽之；昏蔽之端，尽由于此。故每每随其病之所形而止绝之曰：毋如此，毋如此。……何谓意？微起焉皆谓之意，微止焉皆谓之意。意之为状，不可胜穷。有利有害，有是有非，有进有退，……若此之类，虽穷日之力，穷年之力，纵说横说，广说备说，不可得而尽。然则心与意奚辨？是二者未始不一，蔽者自不一。一则为心，二则为意；直则为心，支则为意；通则为心，阻则为意。直心直用，不识不知；变化云为，岂支岂离？感通无穷，匪思匪为。孟子明心，孔子毋意。意毋则此心明矣，……何谓必？必亦意之必。必如此，必不如彼；必如彼，必不如此。大道无方，奚可指定？以为道在此，则不在彼乎？以为道在彼，则不在此乎？必信必果，无乃不可；断断必必，自离自失。何谓固？固亦意之固。固守而不通，其道必穷；固守而不化，其道亦下。孔子尝曰：我则异于是，无可无不可。又曰：吾有知乎哉？吾无知也。可不可尚无。而况于固乎？尚无所知，而况于固乎？何谓我？我亦意之我。意生故我立，意不生我亦不立。自幼而乳曰我乳，长而食曰我食，衣曰我衣，行曰我行，坐我坐，读书我读书，仕宦我仕宦，名声我名声，行艺我行艺。牢坚如铁，不亦如块，不亦如气，不亦如虚。不知方意念未作时，洞焉寂焉，无尚不立，何者为我？"（同书卷二）由此可知，陆象山学说，传至杨慈湖，已完全和佛教相合流；这就是说，《己易》篇的宗旨，正是佛教"万法惟心心外无法"的命题；《绝四记》所说，更与佛教的"意识转"说相合。所以陈钟凡氏曾云："九渊援儒入释，说犹涵混，至简发挥透辟，足补其说之所未备。"（《两宋思想述评》二五四页）

此种与朱熹对立的主观唯心论，由陆象山奠其根基，经过了杨慈湖的发挥，又得陈白沙（献章）、湛甘泉（若水）的媒介，而传之于王阳明（守仁）。所以冯友兰氏曾云："朱、陆之哲学，实有根本的不同。其能成为道学中之二对峙的派别，实非无故。不过所谓'心学'（按冯氏系以程、朱理气二元论为'理学'，以陆、王主观唯心论为'心学'，并以'理学'与'心学'为'道学'中对立的两派），象山、慈湖实只开其端。其大成则有于王阳明。故与朱子对抗之人物，非陆象山、杨慈湖，而为二百五十年后之王阳明。"（《中国哲学史》九四四页）

第二节　王阳明的主观唯心论及其阶级性格与逻辑构成

宋学的发展，至朱熹而集其大成，而宋学的二元论的缺陷，亦至朱熹而益趋于明朗化。首先由主观唯心论的一元论立场以与朱熹相对立者，第一人为陆象山，继陆象山而起者，则是杨慈湖。但是，由于朱熹心物——理气二元论的折衷精神及其阶级调和说，本质上适合于封建支配的意识形态的要求，所以陆、杨的对抗，并无碍于朱熹哲学的排他的发展。这就是说，朱熹的哲学思想，由南宋通过元代而至于明初，都在封建王朝的保护奖励之下，表现着支配的思想的姿态。清朱彝尊氏曾云："世之治举业者，以四书为先务，以六经为可缓；以言诗，非朱子之传义弗敢道也；以言礼，非朱子之家礼弗敢行也。推是而言，《尚书》、《春秋》，非朱子所授，则朱子所与也。言不合朱子，率鸣鼓而攻之。"（见张恒著《道传录》的序文）由此可知，元明的尊崇朱熹，实等汉代的表彰孔子。但是，及至王阳明崛起，承继了陆象山"宇宙便是吾心，吾心即是宇宙"的命题，加以发展，而建立起主观唯心论的较完整的体系，遂风靡一世、取朱熹的心物二元论的支配地位而代之。关于此点，黄宗羲氏曾云："有明学术，白沙开其端，至姚江而始大明。盖从前习熟先儒之成说，未尝反身理会。推见至隐，所谓此亦一述朱耳，彼亦一述朱耳。……自姚江指点出良知，人人现在，一反观而自得，便人人有个作圣之路。故无姚江，则古来之学脉绝矣。"（《明儒学案》卷十《姚江学案》）《明史》卷二八二《儒林传》亦云："原夫明初诸儒，皆朱子门人之支流余裔，师承有自，矩矱秩然。……守先儒之正传，无敢改错。学术之分，则自陈献章、王守仁始。宗献章者，曰江门之学；孤行独诣，其传不远。宗守仁者，曰姚江之学；别立宗旨，显与朱子背驰；门徒遍天下，流传逾百年，其教大行，其弊滋甚。”所以我们可以说，王阳明哲学不但是有明一代的哲学中心，而且又上而终结了宋学的发展——排除了宋学中的唯物论要素及其客观主义的科学精神，使之走向于神秘主义的主观唯心论的隳落；下而替清代实证主义的考证学派，预先奠定了作为反对命题而对角线的发展的逻辑地盘。因此，这一作为陆象山主观唯心论的发展形态的阳明哲学，实有就其阶级性格及逻辑构成，予以较详细的分析的必要。

（甲）王阳明的时代及其阶级性

南宋的社会生产诸力，经过了纪元一二三四至一二七九年共四十五年间的种族混战，已大加衰退。及元代以游牧民族代宋代而入主中原，更大批夺取农民耕地，变为牧场、猎场，并掠取农民为奴隶，或课以重税徭役，卒使水旱蝗灾，连年频发，而酿成元末的农民大叛乱。朱元璋出身贫农且为僧侣，乘此浪潮，于一三五五年起兵濠州，巧妙的利用了农民叛乱的力量，至一三六八年即皇帝位，是为明代的开始。

在明代初叶，由于长期的农民战争已经解决了（自然是在亚细亚的停滞性的反复过程上）社会发展的矛盾，这时候经济上的特征，是人口的减少与土地的荒芜——即社会生产力的锐减；政治上的特征，是新兴王朝的政权尚未十分巩固，不得不在相当程度内施行若干改良，以便取得战争已久的农民大众的欢心，借此而维持其统治权。这就是说，明代的政权，虽然和过去一样是背叛农民战争的基础上建立的封建性的商人与地主的政权，但其初期则是站在恢复社会生产力的立场上的。所以《明史》卷七七《食货志》云：“洪、永、熙、宣（洪武、永乐、洪熙、宣德）之际，百姓充实，府藏衍溢。盖是时，勤农务，垦辟土，无莱芜，人敦本业；又开屯田，中盐以给边军饷糈，不仰藉于县官。故上下交足，军民胥裕。”（见读书生活出版社《中国历史教程》二七八页）同时，在《明史》同卷《食货志》中又云：“明时草场颇多，占夺民业而为民厉者，莫如皇庄及诸王、勋戚、中官之庄田为甚。太祖赐勋臣、公侯、丞相以下庄田，多者百顷，亲王庄田千顷；又赐公侯及武臣公田，又赐百官公田，以其租入充禄。”又云：“宪宗即位（纪元一四六五年），以没入曹吉祥之地为宫中庄田。皇庄之名由此始。……弘治二年（纪元一四八九年），……畿内皇庄有五，共地万二千八百余顷；勋戚，中官庄田三百三十二，共地三万三千余顷。……武宗即位（纪元一五〇六年）逾月，即建皇庄七，其后增至三百余处，诸王、外戚请求及夺民田者无算。”可见在明代政权下，农民的土地要求，并未获得满足，本质上实为承土地荒芜之际在官僚地主的基础上建立社会秩序，以进行土地兼并。但是，此种政策，在明代初叶，虽已开始，而其流弊则尚不十分的显著。在这种改良与反动并行发展的地盘上，便盛行着以胡居仁等为代表的朱熹理气二元论。

然而，随着土地集中的完成，社会的阶级矛盾便日趋展开。这反动时代的开始，大约在英宗末年。据《明史》卷一六《丁瑄传》云，正统时，福建沙县邓茂七兴起叛乱。按邓茂七虽曾充任甲长，但系佃农出身，故其叛乱时所提出的口号，很可代表农民大众的真实要求。据说当地的租佃制度，佃户除纳地租外，尚须送食品礼物于地主，邓茂七曾号召其乡人拒绝这种不合理的负担，地主乃诉于政府。及政府派员逮捕邓茂七，邓乃杀弓兵数人，叛乱遂起。邓自称铲平王，从者达数万人，陷二十余县。正统十三年（纪元一四四八年）复围攻延平，刷卷御史张海，登城抚谕：免三年徭役，乱始平息。由此可见当时阶级分化的一斑。此后由景宗、宪宗直至孝宗、武宗及世宗的嘉靖年间（纪元一四五〇至一五六六年），地主阶级的保守性及政府的反动性，日趋于固定化，于是以陈白沙、王阳明为代表的主观唯心论，遂蹶然兴起。具体言之，王阳明的生年（纪元一四七二至一五二八年），正是这种地主官僚阶级的反动保守精神日趋于固定化的时代。

其次，我们来考察王阳明个人的出身和经历。据《明儒学案》卷十《姚江学案》及《王阳明全书》（大东书局版）上册《本传》与《年谱》所载，王阳明系晋光禄大夫王览之后，览即王羲之的曾祖父。其祖王伦，学者称为竹轩先生。其父王华，成化辛丑（纪元一四八一年）进士，官至吏部尚书，学者称为龙山先生。阳明十一岁时，曾随其父到京师，至弘治己未（纪元一四九九年）登进士第，授刑部主事，改兵部；正德元年（纪元一五〇六年）因忤宦官刘瑾，遣谪龙场驿驿丞；后复任吏部主事、员外郎、郎中，南京太仆寺少卿、鸿胪寺卿，旋以左佥都御史巡抚南赣，兼江西巡抚、南京吏部尚书，后又兼左都御史，以平定南赣汀、漳、横水、桶冈、大帽、利头等农民叛乱及宸濠内乱有功，封新建伯；后又亲平思田苗乱。据此可知王阳明世代为显官的地主贵族及平定农民暴动的元勋功臣。

最后，关于王阳明的思想学术的变迁，以黄宗羲的话最为简明可靠。他说："先生之学，始泛滥于词章，继而遍读考亭之书，循序格物。顾物理吾心，终判为二，无所得入。于是出入于佛、老者久之。及至居夷处困，动心忍性，因念圣人处此，更有何道？忽悟格物致知之旨，圣人之道，吾性具足，不假外求。其学凡三变而始得其门。自此以后，尽去枝叶，一意本原，以默坐澄心为学的。有未发之中，始能有发而中节之和，视听言动，大率以收敛为主，发散是不得已。江右以后，专提致良知三字，默不假坐，心不待澄，不习不虑，出之自有天则。盖良知即是未发之中，此知之前，更无未发；良知即是中节之和，此知之后，更无已发。此知自能收敛，不须更主于收敛；此知自能发散，不须更期于发散。收敛者，感之体，静而动也；发散者，寂之用，动而静也。知之真切笃实处即是行，行之明觉精察处即是知，无有二也。居越以后，所操益熟，所得益化，时时知是知非，时时无是无非，开口即得本心，更无假借凑泊，如赤日当空而万象毕照。是学成之后，又有此三变也。”（《明儒学案》卷十《姚江学案》）

（乙）王阳明的主观唯心论的三个基本命题

王阳明的著作，有《王公成公全书》三十八卷，其中一至三卷的《传习录》，为其哲学思想的结晶所在。至于卷九至卷十八的“奏疏”及“公移”，则为其哲学思想之社会与政治领域的直接的运用。这里先考察其主观唯心论的内容——逻辑构成。我们知道，王阳明主观唯心论的逻辑构成，可分为三个根本命题：第一为“知行合一说”；第二为“心即理说”；第三为“致良知说”。兹分别叙述如下：

所谓“知行合一说”，完全是程伊川与朱熹的“知先行后说”的反对命题。王阳明发明此说，在其三十七岁至四十二岁中间，特别是谪迁龙场驿的三年放逐生活的产物。这种“知行合一说”的内容，约可分为下列三部分：第一部分，“未有知而不行者；知而不行，只是未知。”（《传习录·徐爱记》）第二部分，“知是行的主意，行是知的工夫；知是行之始，行是知之成。”（同上）第三部分，“知行原是两个字说一个工夫：知之真切笃实处即是行，行之明觉精察处即是知。”（同上《答顾东桥书》）

关于第一部分的说明，最好用王阳明自己的话。他说：“《大学》指出个真知行与人看，说如好好色，如恶恶臭。见好色属知，好好色属行；只见那好色时已自好了，不是见了后又立个心去好。闻恶臭属知，恶恶臭属行；只闻那恶臭时已自恶了，不是闻了后又立个心去恶，如鼻塞人虽见恶臭在前，鼻中不曾闻得，便已不甚恶，亦只是不曾知臭。”（《传习录·徐爱记》）又说：“又如知痛，必已自痛了方知痛；知寒，必已自寒了方知寒；知饥，必已自饥了方知饥；知行如何分得开！此便是知行的本体。……必要如此，方可谓之知；不然，只是不曾知。”（同上）又说：“如称某人知孝，某人知悌，必是此人已曾行孝行悌，方可称他知孝知悌。不成只是晓得说些孝悌的话便可称为知孝知悌？”（同上）

其次，关于第二部分，王阳明也有解释。他说：“夫人必有欲食之心，然后知食。欲食之心即是意，即是行之始矣。食味美恶，必待入口而后知；岂有不待入口而已知食味之美恶者耶？必有欲行之心，然后知路；欲行之心即是意，即是行之始矣。路途之险夷，必待身亲履历而后知；岂有不待身亲履历而已知路途之险夷者耶？”（《答顾东桥书》）又说：“今人却将知行分作两件去做，以为必先知了然后能行，我如今且去讲习讨论做知的工夫，待知得真了方去做行的工夫；故遂终身不行，亦遂终身不知。此不是小病痛。”（《传习录·徐爱记》）又说：“夫问思辨行，皆所以为学；未有学而不行者也。如学孝者，则必服劳奉养躬行孝道而后谓之学，岂徒悬空口耳讲说，而遂可以谓之学孝乎？学射，则必张弓挟矢，引满中的；学书，则必伸纸执笔，操觚染翰；尽天下之学，未有不行而可以言学者；则学之始固已即是行矣。……学之不能无疑则问，问即学也，即行也；又不能无疑则有思有辨；思辨即学也，即行也；……非谓学问思辨之后而始措之于行也。是故以求能其事而言谓之学，以求辨其义而言谓之问，以求通其理而言谓之思，以求精其察而言谓之辨，以求履其实而言谓之行。盖析其功而言则有五，合其事而言则一而已。”（《答顾东桥书》）又说：“若不用克己工夫，天理私欲终不自见。如走路一般，走得一段，方认得一段；走到歧路处，有疑便问，问了又走，方才能到。今于已知之天理不肯存，已知之人欲不肯去，只管愁不能尽知，闲讲何益。”（《传习录·陆澄记》）

最后，关于第三部分，王阳明说道：“知行本不可离，只为后世学者分作两截工夫，失却知行本体，故有合一并进之说。”（《答顾东桥书》）又说：“若行而不能精察明觉，便是冥行，便是学而不思则罔，所以必须说个知；知而不能真切笃实，便是妄想，便是思而不学则殆，所以必须说个行；原来只是一个工夫。古人说知行，皆是就一个工夫上补偏救弊说，不似令人分作两件事做。”（《答友人问》）又说：“若会得时，只说一个知，已自有个行在；只说一个行，已自有个知在。古人所以既说一个知又说一个行者，只为世间有一种人懵懵懂懂的任意去做，全不解思维省察，也只是个冥行妄作，所以必说个知方才行得是；又有一种人茫茫荡荡悬空去思索，全不肯着实躬行，也只是揣摸影响，所以必说个行方才知得真。……今若知得宗旨时，即说两个亦不妨，亦只是一个；若不会宗旨，便说一个，亦济得甚事，只是闲说话。”（《传习录 · 徐爱记》）又说：“今人只因知行分作两件，故有一念发动，虽是不善，然却未曾行，便不去禁止。我今说个知行合一，正要人晓得一念发动处便即是行了，……须要彻根彻底不使那一念潜伏在胸中。此是我立言宗旨。”（《传习录 · 黄直记》）

上述王阳明“知行合一说”的三部分纲领及说明，可以说全然是针对着程、朱的“知先行后说”而发的。我们知道，程、朱的“知先行后说”，固然在其论证的过程中，也包含着若干唯物论的要素；但是，我们尤须知道，程、朱的“知先行后说”，乃是其“理先气后说”的二元论的结论，因此，在其唯物论要素的旁边，又并行的存在着唯心论的要素，如像他们由“知先行后”而导出“生而知之”的先验的知识的存在，便是例证。这种学说的矛盾，本属显然。陆象山在鹅湖之会上反问朱熹“尧舜以前所读何书”，便是发现了论敌的这一弱点。的确，在理论或认识与实践——知与行的关系一问题上，而主张认识决定或先行于实践，同时又肯定着客观主义的“即物穷理说”，实为非驴非马的混血产物。王阳明的“知行合一说”，正是企图克服这种矛盾的命题。然而，由科学的逻辑言之，我们只能在实践决定认识的前提下面，来强调认识与实践的辩证法，即其相互影响与相互转化，所谓“知先行后”与“知行合一”等，同样都是错误的命题；这就是说，前者固为二元论的唯心论倾向的表现，而后者也实为抹杀认识与对象的差别或对立的主观唯心论的命题。具体的说来，王阳明的“知行合一说”乃是主观与客观混同一视的结果或产物；这种混同主观与客观，意识与存在的差别或对立的一般主观唯心论的思想，在王阳明的哲学体系中，就是由陆象山传来的“心即理说”。

所谓“心即理说”，在朱熹的二元论中，曾因其“理”的概念的混乱——即一方面指宇宙普遍的客观法则，一方面又意味着人心内在的精神作用在这种二重性意义上，不十分清楚的提出过；至陆象山始由主观唯心论的立场明确的树立起来，而与所谓“宇宙便是吾心，吾心即是宇宙”的命题，取得了逻辑上的密切联系。但是，这一命题，也和一切的命题同样，而为王阳明所体系化，并用以反对朱熹哲学中的唯物论要素，即“理在事中”的客观主义的宇宙观。这就是说，朱熹在一般的场合，认宇宙万物是独立于人类的意识而客观存在的范畴，一切的事物，都在其本身中具有着自己的法则；而王阳明则恰恰相反，主张心是一切的根源，万事万物都不能离心而独存。所谓“理”——法则，乃是人心的产物。

王阳明发明“心即理说”，在其由四十二三岁至五十岁左右。其主要的理论内容，不外以理为主观的概念，为我的心。所以他说：“夫物理不外于吾心，外吾心而求物理，则无物理矣，遗物理而求吾心，吾心又何物耶？……外心以求理，此知行之所以二也；求理于吾心，此圣门知行合一之教。”（《答顾东桥书》）并且在王阳明看来，不但在吾心之外没有任何的法则（理），而且也没有任何的事物。关于此点，《传习录》之《黄省曾记》中有云："先生游南岭，一友指岩中花树问曰：'天下无心外之物'，如此花树，在深山中，自开自落，于我心亦何相关？先生曰：尔未看此花时，此花及尔同归于寂；尔来看此花时，此花颜色，一时明白起来，便知此花不在尔的心外。"又说："我的灵明，便是天地鬼神的主宰。天没有我的灵明，谁去仰他高？地没有我的灵明，谁去俯他深？鬼神没有我的灵明，谁去辨他吉凶灾祥？天地鬼神万物，离却我的灵明，便没有天地鬼神万物了。……今看死的人，他的天地万物，尚在何处？"（同上《黄直记》）他教人"要知身心意知物是一件"，人问："物在外，如何与身心意知是一件？"（同上《陈惟浚记》）他的理由是："身之主宰便是心，心之所发便是意，意之本体便是知，意之所在便是物。"（同上《徐爱记》）这种思想，显系以理及宇宙均不外为吾人的陆象山的思想，完全是主观的唯心论。所以《传习录》曾记其门人九川问："陆子之学何如？"王阳明答道："濂溪（周敦颐）明道而后，还是象山；只是粗些。"从这里一面可看出王阳明确乎是承袭了陆象山的思想，另方面又可看出他已经嫌弃陆象山的粗浅，而自居为陆象山哲学的发展人。但是当我们看来，王阳明对于陆象山的思想，虽已站在承继的立场而加以发展，而此种发展却不是意味哲学的向上，恰巧相反的导出了更加荒荡的结论，促成了哲学的向下隳落。

王阳明与陆象山虽同样为“心即理说”的主观唯心论者，而其导出此命题的经过，则各异其趣。陆象山由于追向天人何所穷际而成为主观唯心论者，此点前已详言；至于王阳明，则是由于意识的树立朱熹“格物致知说”的唯物论思想的反对命题。例如他说：“朱子所谓格物云者，在即物而穷其理也。即物穷理是就事事物物上求其所谓定理者也，是以吾心而求理于事事物物之中，格心与理而为二矣。夫求理于事事物物者，如求孝之理于其亲之谓也；求孝之理于其亲，则孝之理果在于吾心耶？抑果在于亲之身耶？假而果在于亲之身，则亲没之后，吾心遂无孝之理欤？见孺子之入井，必有恻隐之理。是恻隐之理，果在于孺子之身欤？抑在于吾心之良知欤？其或不可以从之于井欤？其或可以手而援之欤？是皆所谓理也。是果在于孺子之身欤？抑果出于吾心之良知欤？以是例之，万事万物之理，莫不皆然，是可以知析心与理为二之非矣。夫析心与理为二，此告子义外之说，孟子之所深辟也。……若鄙人所谓格物致知者，致吾心之良知于事事物物也；吾心之良知，即所谓天理也；致吾心良知之天理于事事物物，则事事物物皆得其理矣。致吾心之良知者，致知也；事事物物皆得其理者，格物也；是合心与理而为一者也。"（《答顾东桥书》）又说："心之体，性也；性即理也。故有孝亲之心，即有孝之理，无孝亲之心，即无孝之理矣；有忠君之心，即有忠之理，无忠君之心，即无忠之理矣；理岂外于吾心耶？晦庵谓人之所以为学者，心与理而已。心虽主乎一身，而实管乎天下之理；理虽散在万事，而实不外乎一人之心；是其一分一合之间，而未免已启学者心理为二之弊。此……正由不知心即理耳。夫外心以求物理，是以有暗而不达之处；此告子义外之说，孟子所以谓之不知义也。心，一而已矣。以其全体恻怛而言谓之仁，以其得宜而言谓之义，以其条理而言谓之理。不可外心以求仁。不可外心以求义，独可外心以求理乎？"（同上）又说："理，一而已。以其理之凝聚而言则谓之性，以其凝聚之主宰而言则谓之心，以其主宰之发动而言则谓之意，以其发动之明觉而言则谓之知，以其明觉之感应而言则谓之物；故就物而言谓之格，就知而言谓之致，就意而言谓之诚，就心而言谓之正。正者，正此也；诚者，诚此也；致者，致此也；格者，格此也；皆所谓穷理以尽性也。”（《答罗整庵书》）于此可见王阳明哲学在逻辑上纯为朱熹的反对论者。其主观唯心论最明白的表现，即对于心与物的关系的说明。依据“以其明觉之感应而言则谓之物”的命题，则没有此心的明觉感应，便没有了物，没有了宇宙，所以他曾公然的说死去的人他的天地万物更在何处，又说离却我的灵明便没有天地鬼神万物（均见前引），这真是古今中外罕有的大胆武断的主观唯心论！而王阳明的“致良知说”，亦正以其“心即理说”的主观唯心论为基础。

据说王阳明的“致良知说”，为其五十岁以后的晚年主张；系利用孟子的“良知”解释《大学》的“致知”的所产。他在《大学问》中曾说：“大人者，以天地万物为一体者也；其视天下犹一家，中国犹一人焉。……大人之能以天地万物为一体也，非意之也，其心之仁本若是其与天地万物而为一也。岂惟大人，虽小人之心，亦莫不然。……是故见孺子之入井，而必有怵惕恻隐之心焉；是其仁与孺子而为一体也。孺子犹同类者也，见鸟兽之哀鸣觳觫，而必有不忍之心焉，是其仁之与鸟兽而为一体也。鸟兽犹有知觉者也，见草木之摧折，而必有悯恤之心焉，是其仁之与草木而为一体也。见瓦石之毁坏，而必有顾惜之心焉，是其仁之与瓦石而为一体也。是其一体之仁也，虽小人之心，亦必有之。是乃根于天命之性，而自然灵昭不昧者也。……是故苟无私欲之蔽，则虽小人之心，而其一体之仁，犹大人也；一有私之蔽，则虽大人之心，而其分隔隘陋，犹小人矣。故夫为大人之学，亦惟去其私欲之蔽，以自明其明德，复其天地万物一体之本然而已耳，非能于本体之外，而有所增益之也；……亲民者，达其天地万物一体之用也；……君臣也，夫妇也，朋友也，以至山川鬼神鸟兽草木也，莫不实有以亲之，以达一体之仁，然后吾之明始无不明，而真能以天地万物为一体矣。……至善者，明德亲民之极则也。天命之性，粹然至善，其灵昭不昧者，此其至善之发见，是乃明德之本体，而即所谓良知者也。”又说：“天命之性，吾心之本体，自然灵昭明觉者也。凡意念之发，吾心之良知，无有不自知者。其善欤，惟吾心之良知自知之；其不善欤，亦惟吾心之良知自知之。”在《传习录》中也说：“人心是天渊，无所不赅。原是一个天，只为私欲障碍，则天之本体失了。如今念念致良知，将此障碍窒塞一齐去尽，则本体已复，便是天渊了。”在《答顾东桥书》中又说：“夫子尝曰：盖有不知而作者，我无是也；是犹孟子是非之心人皆有之之义也。此言正所以明德性之良知，非由于见闻耳。若曰多闻择其善者而从之，多见而识之，则是专求之见闻之末，而已落在第二义矣，故曰知之次也。”在《传习录》中又说：“良知即是天植灵根，自生生不息，但著了私累，把此根戕贼蔽塞，不得发生耳。”在《书朱守乾》卷中又说：“夫良知者，即所谓是非之心，人皆有之，不待学而有，不待虑而得者也。人孰无是良知乎？独有不能致之耳。自圣贤以至于愚人，自一人之心以达四海之远，自千古之前以至于万代之后，无有不同是良知也者，是所谓天下之大本也；致是良知而行，则所谓天下之达道也。天地以位，万物以育，将富贵贫贱患难夷无所入而弗自得也矣。”在《传习录》中又说：“这些子看得透彻，随他千言万语，是非诚伪，到前便明。合得的便是，不合得的便非，真是试金石，指南针。”又说：“夫良知之于节目时变，犹规矩尺度之有方圆长短也；节目时变之不可预定，犹方圆长短之不可胜穷也。故规矩诚立，则不可欺以方圆，而天下之方圆不可胜用矣；尺度诚陈，则不可欺以长短，而天下之长短不可胜用矣；良知诚存，则不可欺以节目时变，而天下之节目时变不可胜应矣。毫厘千里之谬，不于吾心一念之微而察之，亦将何用其学乎！是不以规矩而欲定天下之方圆，不以尺度而欲尽天下之长短，吾其乖张谬戾，日劳而无成也矣。”又说：“良知是造化的精灵，生天生地，成鬼成神，皆从此出。”又说：“人的良知，就是草木瓦石的良知；若草木瓦石无良知，不可以为草木瓦石矣。岂惟草木瓦石为然，天地无人的良知，亦不可以为天地矣。盖天地万物，原是一体，其发窍之最精处，是人心一点灵明，风雨露雷，日月星辰，禽兽草木，山川土石，与人原只一体；故五谷禽兽皆可以养人，药石之类可以疗疾，只为同此一气，故能相通耳。”在《与黄勉之书》中又说：“慎独即是致良知。”据上面许多的引征，可知：第一，王阳明系以其“心即理说”为基础，配以孟子“四端说”及“万物皆备于我”的命题，而建立起“致良知说”。第二，在“致良知说”中，所谓良知，一方面是个人的心，同时又是宇宙的本体；一方面是伦理的判断，同时又是宇宙的法则；总之，这是“天人合一论”的唯心论思想。第三，伦理判断的良知，是先天具有的范畴。第四，作为认识论的“格物致知说”，在这里变成了慎独自省的道德修养；而认识自然的科学精神，遂根本上被取消其存在发展的余地。

总而言之，王阳明哲学的三个基本命题——知行合一说，心即理说，致良知说，本质上是主观唯心论，王阳明哲学的建立，实意味着宋学的自己隳落，意味着其辩证法唯物论要素的退化。至于根据这种哲学观点在政治主张上所导出的保守主义，请参阅吕振羽氏《中国政治思想史》五〇九至五一六页，此不再述。兹为易于明白起见，仅引用王阳明的下列四段话语：其一，在《传习录》中有云：“以此纯乎天地之心，发之事父便是孝，事君便是忠，发之交友治民便是信与仁。只在此心去人欲存天理上用功便是。”其二，在《传习录》中又说：“譬之木，其始抽芽，便是木之生意发端处；……父子兄弟之爱，便是人心生意发端处，如木之抽芽。自此而仁民而爱物，便是发干生枝生叶。墨氏兼爱无差等，将自家父子兄弟与途人一般看，便自没了发端处；不抽芽便知他无根，便不是生生不息，安得谓之仁？”这是其依据着主观唯心论将封建社会政治体制与伦理规范形而上学化的具体明证，其他各点，由此可以类推。

(丙)王阳明的“朱子晚年定论”的哲学意义

我们前面说，王阳明哲学的建立，意味着宋学的自己堕落，这意思是说，王阳明哲学是宋学内部发展的归结。关于此点，可由其“朱子晚年定论”的意义来说明。我们知道，朱熹在中国哲学史上的地位，如同德意志古典哲学史上的康德，在其自身包含着唯物论与唯心论两种相反的要素。康德的二元论，曾被新康德派加以唯心论的修正，同样，朱熹的二元论，也曾被其后来的宋学者王阳明作了同性质的歪曲，这就是他的“朱子晚年定论”。

王阳明虽然作为朱熹的反对论者，从主观唯心论的见地来反对朱熹，但在朱熹哲学中，又就其唯心论的部分，加以搜集，强指此为朱熹晚年成熟的见解，辑成“朱子晚年定论”，以证其与自己思想的合致；至于《集注》、《或问》以及《语类》中的唯物论要素，或指为朱熹未及改正之说，或斥为朱熹门人“挟胜心以附己见，固于朱子平日之说，犹有大背谬者”。这显然是对朱熹哲学思想的重大歪曲，其意义实与新康德学派的修正康德的二元论，颇为类似。

但是，将朱熹哲学化装成主观唯心论，而删除其唯物论要素，在朱熹著作的编年上或其思想的生成史上，实为毫无根据的武断。所以王阳明的反对论者罗钦顺（纪元一四六五至一五四七年）便提出了下面的反驳：“详朱子定论之编，盖以其中岁以前所见未真，爰及晚年始克有悟，乃于其论学书尺三数十卷之内，摘此三十余条，其意旨主于向里者，以为得于既悟之余，而断其为定论，斯其所择，宜亦精矣。第不知所谓晚年者，断以何年为定？羸躯病暑，未暇详考，偶考得何叔京氏卒于淳熙乙未（纪元一一七五年），时朱子方四十有六，尔后二年丁酉，而《论孟集注》、《或问》始成，今有取于答何书者四通，以为晚年定论，至于《集注》、《或问》，则以为中年未定之说，窃恐考之欠详，而立论之太果也。……凡此三十余条者，不过姑取之以证成高论，而所谓先得我心之同然者，安知不有毫厘之不同者为祟于其间，以成抵触之大隙哉！”（《罗整庵集》卷一）

王阳明受此诘问，也只好老实承认：“其为朱子晚年定论，盖亦有不得已而然。中间年岁早晚，诚有所未考；虽不必尽出于晚年，因多出于晚年者矣。然大意在委曲调停，以明此学为重。”（《答罗整庵少宰书》）

然而，我们知道，朱熹哲学乃至整个的宋学，本有其唯心论要素包含在内，王阳明适应其阶级基础的反动化，而夸大的发展宋学的这一侧面，实非无逻辑上的可能性。这种情势，恰和由孔子的经验论导出孟子的神秘主义唯心论相同。所不同者，由孔子到孟子为奴隶制时代的转化，由朱子到王阳明为封建制社会的转化，如此而已。由此可知，朱陆对立与朱王对立，乃是封建阶级的内部冲突，即地主与封建商人资本中间的矛盾的反映。此两阶层在个别利益上虽不无分歧，但在封建制度的卫护上，则是完全一致的。所以一般人只说朱、陆异同或朱、王异同，而不说朱、陆（王）的对立；在这里我们便可认识出“常识”的朴素观念中，实已具备了真理的一面。

第三节　王阳明学派的分裂及其社会基础

王阳明生前，门徒遍天下，所以《明儒学案》将阳明学派分为浙中、江右、南中、楚中、北方、粤闽、泰州等七派。及王阳明死后，各派发生分裂，即浙中、江右属于右派，以王龙溪为代表；泰州、粤闽属于左派，以王心斋及李卓吾为代表。但是，每一学派的形成及分裂，均为社会生产力与生产关系发展阶段的反映。所以我们在叙述王阳明学派的分裂以前，应先对十六世纪（按王阳明死于一五二八年，李卓吾死于一六〇二年）的社会基础的变化，加以概略的分析，以便把握所谓“左派王学”与“右派王学”的阶级性格。

此时期（明代中叶以降）中国社会的大变动，计有三点。第一点为土地兼并的盛行；第二点为对外贸易的发展，第三点为社会的阶级分化。此三者相互结合，相互作用，遂成了王阳明学派分裂的物质基础。兹分述如次：

第一，关于明代的土地兼并，上节已略有陈述。此种情形，至世宗时代，更加盛行。《续文献通考》卷六《夏言上疏》有云："各宫庄田，祖宗以来未之有也。惟天顺八年，以顺义县安乐里板桥村太监曹吉祥抄没地一处拨为宫中庄田。其地原额一十顷一十三亩；初，吉祥占过军民田二十四顷八十七亩，共三十五顷，立庄。今次查勘，又占过民田四十顷，现在共七十五顷。此则宫闱庄田之始，而数年侵占之数，过于原额已十倍矣。举此一处，其他可知。先帝（武宗）践祚之初，九十五顷四十六亩。皇庄既立，则有管理之太监，有奏讨之旗校，有跟随之名色，每处多至三四十人。其初管庄人员出入及装运租税，俱自备车辆夫马，不干有司。正德元年以来，权奸用事，朝廷大坏。于是有符验之请，阙文之给；经过州县，有廪饩之供，有车辆之取，有夫马之索；其分外生事，巧取财物，又有言之不能尽者。及抵所辖庄田处处所，则不免擅作威福，肆行武断。其甚不靖者，则起盖房屋，架搭桥梁，擅立关隘；出给帖票，私刻关防。凡民间撑驾舟车，牧放牛羊，采捕鱼虾螺蚌莞蒲之利，靡不括取。而邻近土地，则辗转移筑封堆，包打界址，见亩征银。本土豪猾之民，投为庄头，拨置生事，帮助为虐，多方掊克，获利不赀。”在《十二史札记》“明乡官虐民之害”条，又说当时“又有投献田产之例。有田产者，为奸民借而献诸势要，则悉为势家所有”。由此可见当时诸王勋戚宦官乡绅，如何凭借超经济的封建掠夺，而实行其土地兼并。

第二，关于对外贸易，在赵翼《二十二史札记》卷三十四“嘉靖中倭寇之乱”条中有云：“明祖制定，片板不许入海。承平日久，奸民勾倭人及佛朗机诸国，私来互市。闽人李光头，歙人许栋，据宁波之双屿，为之主；势家又获持之。朱纨为浙抚，访知其弊；乃革渡船，严保甲，一切禁绝私市。闽人骤失重利，虽士大夫亦不便也。腾谤于朝，嗾御史劾纨落职。时纨已遣庐镗击擒光头、栋等，筑塞双屿，以绝倭屯泊之路，他海口亦设备矣。会被劾，遂自缢死。纨死而沿海备尽弛，栋之党汪直，遂勾倭肆毒。”因商人资本抬头，自然要引起货币经济的发达。关于此点，《明史·食货志》记英宗初年定制有云:“米麦一石,折银二钱五分。南畿浙江、江西、湖广、福建、广东、广西米麦共四百余万石,折银百万余两,入内承运库,谓之金花银。其后概行于天下。自起连兑军外,粮四石收银一两解京,以为永例。诸方赋入折银,而仓廪之积渐少矣。”《续文献通考》卷二亦云:“田赋输银,始见于宋神宗熙宁十年,金元以来,无行之者。明洪武九年,虽有听民以银准米之令,永乐时岁贡银有卅万两,亦不过任土便民,与折麻苎香漆之属等耳。自正统(英宗年号)初,以金花银内库,而折征之例定,自是遂以两为正赋矣。”似此,变自然物租税为货币租税,实为商品生产及贸易发展的必然结果。

但是,我们须知,明代中叶的商业及贸易的发展,与宋代不同。即宋代有以工业为基础的自由都市的存在,而明代的工业,则异常不发达。关于此点,《明史》卷三《太祖本纪》云:“丙子,广平府吏王允道请开磁州铁冶;帝曰:朕闻王者使天下无遗贤,不闻无遗利。今军不乏,而民业已定;国无益于国,且重扰民。杖之而流岭南。”《明史》卷八一《食货志》云:“山东近臣请开银场。太祖谓银场之弊,利于官者少,害于民者多,不可开。”又云：“成化中，开湖广金场、武陵等十二县凡二十一场，岁役民夫五十五万，死者无算，得金仅五十三两，于是复闭。浙江银矿产量益减；云南屡开屡停。”《续文献通考》的《征榷考》亦云：“浙江、江西之矿贼为乱，故令设兵备之官，禁闭山场。”

第三，上述缺乏工业基础的商业及贸易的发达，与封建的超经济的土地兼并相结合，自然要唤起社会的阶级分化。其最显著的表现，即《二十二史札记》中“明代先后流寇”条所记的十数起农民暴动。同书“万历中矿税之害”条，所记激起的民变，累累不绝，其最壮烈的如邓茂七的领导抗租，王朝佐的代众受刑，都是中国农民革命史的典型。至张献忠、李自成，不过是前此农民暴动汇合的总合表现形态。

王阳明学派的分裂，实为前述社会政治条件变化的反映。即右派王学，代表着更加反动化的封建地主及官僚；而左派王学则代表着破产的地主及农民大众，尤其反映出封建商业的浪漫主义。

首先，所谓右派王学的代表者王龙谿（纪元一四九八至一五八三年）的哲学思想，不但承继了王阳明主观唯心论的特质，而且更进了一步，采取了明确的宗教形态。所以他在《答南明汪子问》中说：“夫何思何虑，非不思不虑也，所思所虑，一出于自然，而未尝有别思别虑，我何容心焉。譬之日月之明，自然往来，而万物毕照，日月何容心焉。……惠能曰：不思善，不思恶，却又不断百思想；此上之学，不二法门也。”（《龙溪全集》卷三）在《新安斗山书院》会语中又说：“人之有生死轮回，念与识为之祟也。念有往来，念者二心之用，或之善，或之恶，往来不常，便是轮回种子。识有分别；识者发智之神，倏而起，倏而灭，起灭不停，便是生死根因。此今古之通理，亦便是现在之实事。儒者以为异端之学，讳而不言，亦见其惑也已。夫念根于心，至人无心，则念息，自无轮回。识变为知，至人无知，则识空，自无生死。”（《全集》卷七）在《三教堂记》中又说：“三教之说，其来尚矣。老氏曰虚，圣人之学亦曰虚；佛氏曰寂，圣人之学亦曰寂；孰从而辨之！世之儒者，不揣其本，类以二氏为异端，亦未为通论也。”（《全集》卷十七）十分明白的，王龙谿已经公然引入了佛教禅宗的思想，且企图生死轮回的解脱；其对于老、儒、佛三派关系的理解，尤近于魏晋南北朝时代没落贵族的老庄思想；至此，则宋学以来的根本特征，已完全消失。

其次，我们来考察左派王学的第一个代表者王心斋（纪元一四八三至一五四一年）的哲学思想。据《明儒学案》卷三十二《泰州学案》本传所记，王心斋“七岁受书乡塾，贫不能竟学，从父商于山东。常衔《孝经》、《论语》、《大学》袖中，逢人质难，久而信口说解，如或启之。其父受役，天寒起，盥冷水，先生见之，痛哭曰：为人子而令亲如此，尚得为人乎？于是，有事则身代之。先生虽不得专功于学，然默默参究，以经证悟，以悟释经，历有年所，人莫能窥其际也。”李卓吾《黄安上人大孝文》亦云：“心斋本一灯丁，目不识丁，闻人读书，便自悟性。”由此可知王心斋是农民出身的自学成功的哲学者。

本传又载他和王阳明的关系如下：“有黄文刚者，吉安人而寓泰州，闻先生论，诧曰：此绝类王巡抚之说学也！先生喜曰：有是哉？虽然，王公论良知，艮（心斋名）说格物；如其同也，是以王公与天下后世也；如其异也，是天以艮与王公也。即日起行，以古服进见。

至中门举笏而立，阳明出迎于门外，始入。先生据上坐，辩难久之，稍心折，移其坐于侧；论毕，……下拜自称弟子。退而绎所闻，间有不合，悔曰：吾轻易矣！明日入见，且告之悔。阳明曰：善哉，子之不轻信从也！先生复上坐，辩难久之，始大服；遂为弟子如初。阳明谓门人日：向者吾擒宸濠，一无所动，今却为斯人动矣。……阳明以先生意气太高，行事太奇，痛加裁抑，及门三日不得见。阳明送客出门，先生长跽道旁，曰：良知过矣。阳明不顾而入，先生随至庭下，厉声曰：仲尼不为已甚！阳明方揖之起。”据此可知，第一，王心斋是学成之后，欲以己说战胜王阳明，及论争失败，才发生师生关系；第二，在既师事王阳明以后，因理论立场不同，常起冲突。这是我们理解左派王学时所不可忽视的要素。

关于王心斋的哲学思想，治中国哲学史者，各有不同的判断。近人吕振羽氏，认王心斋哲学为唯物论（见《中国政治思想史》五二一至五二四页），似非事实。在我们看来，王心斋决未超出唯心论的范围。请看他说：“圣人以道济天下，是至尊者道也；人能宏道，是至尊者身也。道尊则身尊，身尊则道尊。故学也者，所以学为师也，学为长也，学为君也；以天地万物依于身，不以身依于天地万物，舍此皆妾妇之道。圣人复起，不易斯言。”（《明儒学案》本传）又说：“是故身也者，天地万物之本也；天地万物，末也。知身之为本，是以明明德而亲民也。身未安，本不立也；本乱而末治者否矣，本乱末治，末愈乱也。……不知安身，则明明德亲民，却不曾立得天下国家的本，是故不能主宰天地，斡旋造化。”（同书《心斋语录》）这种以主观决定客观的思想，显系唯心论的命题。又说：“问格字之义？曰：格，如格式之格，即絜矩之谓。吾身是个矩，天下国家是个方，絜矩则知方之不正，由矩之不正也；是以只去正矩，却不在方上求矩。〔矩〕正则方正矣，方正则成格矣，故曰物格。吾身对上下前后左右是物，絜矩是格也。其本乱而末治者否矣，便见絜度格字之义。格物，知本也；立本，安身也；安身以安家而家齐；安身以安国而国治；安身以安天下而天下平也。”（同上）这更是以“人为万物的尺度”、“人为宇宙的立法者”的人本主义的思想。并且他又从这里更进一步，引出了明哲保身的怯懦的人生观与修身而治天下国家的德治主义的唯心论的政治论。所以他说："《易》曰：君子安其身而后动，又曰利用安身，又曰身安而天下国家可保也。孟子曰：守孰为大？守身为大。失其身而能事其亲者，吾未之闻。"（同上）又说：修己以安人，修己以安百姓，修其身而天下平。不知安身，便去干天下国家事，是之为失本。就此失脚，将烹身割股，饿死结缨，且执以为是矣。不知身不能保，又何以保天下国家哉？"（同上）

据上述可知，王心斋的哲学，并不是唯物论，而只是在商业贸易与土地兼并下的破产农民（包括没落地主与小有产者）以自救为目的的怯懦的实用主义思想。在风雨飘摇中的中下农民层，已无钻研玄学问题的余暇，其唯一的关心，只在日常琐末的利益上，在这里的思想反映，就是王阳明学说的平易化或常识化；所谓哲学的本体论与认识论问题，都变成了人生问题。其最鲜明的表现，就是他的所谓"淮南格物说"。这种"格物说"的内容如下："格物即物有本末之物，身与天下国家一物也。格知身之为本，而天下国家之为末，行有不得者，皆反求诸己。反己是格物的工夫，故欲齐治平，在于安身。《易》曰：身安而天下国家可保也。身未安，本不立也；知安身者，则必爱身敬身；爱身敬身者，必不敢不爱人不敬人；能爱人敬人，则人必爱我敬我，而我身安矣。一家爱我敬我则家齐，一国爱我敬我则国治，天下爱我敬我则天下平。故人不爱我，非特人之不仁，己之不仁可知矣；人不敬我，非特人之不敬，己之不敬可知矣。此所谓淮南格物也。”（同书本传）在这里，程、朱、陆、王以来作为认识论命题而互相争论的“格物致知说”，便全然丧失其哲学意义，而转化为简单的人生问题——伦理学与政治论的常识的说教。关于王心斋哲学的常识化，本传亦曾言及。如云：“阳明而下，以辩才推龙溪，然有信有不信。唯先生于眉睫之间，省觉人最多。谓百姓日用即道，虽僮往来动作处，指其不暇安排者以示之，闻者爽然。”

王心斋大概亦曾本其实用主义的立场，从事本阶级的自救运动。所以本传称他“冠服言动，不与人同，都人以怪魁目之。同门之在京者，劝之归，阳明亦移书责之”。其在赣闽一带，似亦有政治活动，本传所谓“归家，遂自创轮，招摇道路”，或即指此。王心斋死后，其门徒仍有类似的活动。《泰州学案》曾云:“山农(即颜钧)游侠,好急人之难。赵大洲赴贬所,山农偕之行;……波石战没沅江府,山农寻其骸骨归葬。颇欲有为于世,以寄民胞物与之志。……然世人见其张皇,无贤不肖皆恶之,以他事下南京狱,必欲杀之,近溪为之营救。……山农以戍出,年八十余。梁汝元字夫山,其后改姓名为何心隐。……时吉州三四大老,方以学显,心隐恃其知见,辄狎侮之。谓《大学》先齐家,乃构萃和堂以合族,身理一族之政,冠婚、丧祭、赋役,一切通其有无,行之有成。会邑令有赋外之征,心隐贻书以诮之。令怒,诬之当道,下狱中。……心隐在京师,辟各门会馆,招来四方之士,方技杂流,无不从之。是时政由严氏,忠臣坐死者相望,卒莫能动。有蓝道行者,以乩术幸上;心隐授以密计,侦知嵩有揭帖,乩神降语,今日当有一奸臣言事。上方迟之,而嵩揭至。上由此疑嵩。……然上犹不忘嵩,寻死道行于狱。心隐踉跄,南过金陵。……然而严党遂为严氏仇心隐。心隐逸去,从此踪迹不常。……心隐方在孝感聚徒讲学,遂令楚抚陈瑞捕之,未获而瑞去。王之垣代之,卒致之。……遂死狱中。”由此可知，王心斋领导下的左派王学，在哲学上为实用主义，在政治上为带有阴谋浪漫色彩的空想主义。

左派王学的这种浪漫主义色彩，至李卓吾（纪元一五二七至一六〇二年）而发展到了顶点。关于李卓吾的浪漫主义的表现，第一，反对儒者（《庄书纪传总目后论略》）；第二反对伪善（《答耿天台书略》）；第三，推崇左派王学者的浪漫精神（《黄安上人大孝文》）；第四，斥名教累人（《孔明为后主写申韩管子六韬》）；第五，同情大盗林道乾（《焚书》）等，指不胜屈。其最有哲学意义者，为下列一段议论。他说：“人之是非，初无定质，人之是非人也，亦无定论。无定质则此是彼非，并育而不相害；无定论则是此非彼，亦并行而不相悖矣。前三代无论矣；后三代，汉、唐、宋是也；中间千百年来而独无是非者，岂其人无是非哉？咸以孔子之是非为是非，故未尝有是非耳。夫是非之争也，如岁时然；昼夜更替不相一也。昨日是而今日非矣，今日非而后日又是矣。虽使孔子复生于今日，又不知作如何是非，而遽以定本末行赏罚哉？”（《藏书纪传总目前论略》）这完全是相对主义的“是非论”。

李卓吾这种以浪漫主义为基础的相对主义的是非论，对于作为封建意识形态的儒教传统的礼教规范，自然是一个巨大的破坏力；所以不但他本人为封建的官僚政府所杀害，其著作亦曾数度被焚（第一次在万历三十年——纪元一六〇二年，第二次为天启五年——纪元一六二五年）。但是，这种思想的来源，实为当时对外贸易发展，与外国文化接触的产物；此与李卓吾的家乡——福建泉州晋江的接近海岸，实不无连带关系。

第五篇

作为经学最高发展阶段的清代哲学

第十六章　宋明哲学的批判时代——清初哲学及其唯物论要素的昂扬

第一节　清初哲学者所造成的宋明哲学的批判时代及其社会的基础

清初哲学的主要特征，就在于当时的哲学者，不但以战斗的姿态提出了陆、王主观唯心论的反对命题，而且又从左翼方面——唯物论的立场而批判了程、朱的理气（心物）二元论；这样，便形成了中国哲学史上的批判时代，并在对于唯心论与二元论的斗争中，完成了唯物论要素的昂扬。近人梁启超氏所谓："这个时代的学术主潮，是厌倦主观的冥想而倾向于客观的考察"及所谓："排斥理论（按本质上不是排斥"理论"而是排斥"理学"

或“玄学”——向林冰附注）提倡实践”（见《中国近三百年学术史》一至二页），我们正可以这样来理解。

清初的哲学者，怎样的批判了宋明时代的哲学呢？首先，我们且举出几个实例：第一，李恕谷曾说：“……高者谈性天，撰语录，卑者疲精死神于举业；不惟圣道之礼乐兵农不务，即当世之刑名钱谷，亦懵然罔识。而搦管呻吟，自矜有学。……中国嚼笔吮毫之一日，即外夷秣马厉兵之一日，卒之盗贼蜂起，大命遂倾；而天乃以二帝三王相传之天下授之塞外……”（《恕谷集·书明刘户部墓表后》）。又说：“宋后，二氏学兴，儒者浸淫其说，静坐内视，论性谈天，与夫子之言，一一乖反；而至于扶危定倾大经大法，则拱手张目，授其柄于武人俗士。当明季世，朝庙无一可倚之臣，坐大司马堂批点《左传》，敌兵临城，赋诗进讲，觉建功立名，俱属屑琐，日夜喘息著书，曰此传世业也。卒至天下鱼烂河决，生民涂炭，呜呼！谁生厉阶哉？”（《恕谷集·与方灵皋书》）第二，顾亭林说：“刘、石乱华，本于清谈之流祸，人人知之；孰知今日之清谈，有甚于前代者？昔之清谈谈老、庄，今之清谈谈孔、孟。未得其精，而已遗其粗；未究其本，而先辞其末。不习六艺之文，不考百王之典，不综当代之务；举夫子论学论政之大端一切不问，而曰一贯，曰无言；以明心见性之空言，代修己治人之实学。股肱惰而万事荒，爪牙亡而四国乱。神州荡覆，宗社丘墟。昔王衍妙善玄言，自比子贡，及为石勒所杀，将死，顾而言曰：‘吾曹虽不如古人，向若不祖尚浮虚，戮力以匡天下，犹可不至今日。’今之君子，得不有愧乎其言！”（《日知录》卷七“夫子之言性与天道”条）又说：“以一人而易天下，其流风至于百有余年之久者，古有之矣：王夷甫（衍）之清谈，王介甫（安石）之新说。其在于今，则王伯安（守仁）之良知是也。孟子曰：‘天下之生久矣，一治一乱。’拨乱世反诸正，岂不在后贤乎？”（《日知录》卷十八）第三，王船山也说：“姚江王氏阳儒阴释诬圣之邪说，其究也，刑戮之民、阉贼之党皆争附焉，而以充其‘无善无恶、圆融事理’之狂妄。”（《正蒙注》序论）第四，费燕峰也说：“清谈害实，始于魏晋，而固陋变中，盛于宋南北（案费氏提倡‘实’与‘中’两义，故斥当时学派为害实变中）。自汉至唐，异说亦时有，然士安学问，中实尚存；至宋而后，齐逞意见，专事口舌。……又不降心将人情物理平居处事点勘离合，说者自说，事者自事，终为两断，一段好议论，美听而已。……后儒所论，惟深山独处，乃可行之：城居郭聚，有室有家，必不能也。盖自性命之说出，而先王之三物六行亡矣；……学者所当痛心，而喜高好僻之儒，反持之而不下。无论其未尝得而空言也，果静极矣，活泼泼地会矣，坐忘矣，心常在腔子里矣，即物之理无不穷，本心之大无不立，而良心无不致矣，亦于止达摩面壁天台止观同一门庭……何补于国？何益于家？何关于政事？何救与民生？……学术蛊坏，世道偏颇，而夷狄寇盗之祸亦相挺而起……”（《费氏遗书·弘道书》卷中）。此外，如像颜习斋、戴东原等，攻击程、朱、陆、王，尤为激烈。

但是，清初的哲学者，为什么对于程、朱、陆、王要采取批判的态度呢？我们知道，清初哲学上这种批判时代的形成，乃是实践上反清复明的政治运动的反映。自纪元一六四四年清兵入京都、明朝灭亡以后，不但对于前代皇族、驸马、公侯伯、内监等的庄园予以没收，即对于汉人的土地也加以掠夺，赐与诸王及勋臣，当时所谓“圈地”、“马厂”等等，都是此种事实的表现。此外，所谓“皇室庄田”、“宗室庄田”、“旗地”、“屯田”、“官田”、“寺庙地”等等，也多由掠夺汉人耕地而成。除了这种经济上的蹂躏而外，他如用残暴的手段屠杀反抗满清统治的汉族（所谓“扬州十日”、“嘉定三屠”就是著名的例证），下令剃发、强改汉族习俗，差别旗汉待遇、显示汉人为被征服民族等等，这种高压政策，更激起了汉人的反抗。于是，明朝的遗老便在民众与明朝各王的共同要求之下，献身于反清复明运动。清初的哲学者，如像顾亭林、黄宗羲、朱舜水、孙夏峰、李二曲、王船山、颜习斋（据近人张荫梧氏考证，颜、李攻击南宋，即指摘晚明；其所谓金、元，即暗射满清，故其学说为反清复明思想无疑）等，无一不是反清复明运动的煽动者或参加者，乃至组织者。

然而，反清复明运动为什么在哲学上会表现成宋明哲学的批判态度呢？为什么不能在程、朱的立场上来找寻反清复明的根据呢？朱熹的理气二元论哲学在南宋时代不正是反对议和坚持抵抗金人侵略的理论武器么？这种理论的实践意义，为什么不能重现于反清复明运动之中呢？为要解答这个问题，我们须要理解哲学斗争上的反对命题的决定作用。清初哲学斗争上反对命题的根源在那里呢？这就是程、朱的学说，已经成了满清统治中国的御用工具。这就是说，清朝开科取士的教科书，就是程、朱对于儒教经典的注解，清朝的尊崇程、朱，无异于汉朝的表彰孔子，所以朱彝尊曾说："世之治举业者，以四书为先务，视六经为可缓；以言《诗》，非朱子之传义弗敢道也；以言《礼》，非朱子之家礼弗敢行也；推是而言，《尚书》、《春秋》，非朱子所授，则朱子所与也，言不合朱子，率鸣鼓而攻之。"（见《道传录》序）颜习斋也说："宋儒，今之尧、舜、周、孔也。韩愈辟佛，几至杀身，况敢议今世之尧、舜、周、孔乎？季友著书驳程、朱之说，发州决杖；况敢议及宋儒之学术品诣乎？此言一出，身命之虞，所必至也。然惧一身之祸而不言，委气数于终误，置民物于终坏，恐结舌安坐、不援沟渎与强暴横逆、纳人于沟渎者，其忍心害理不甚相远也。"（《上陆桴亭书》）正因为清朝的统治阶级利用了程、朱哲学，所以作为反清复明运动意识形态的清初哲学，才对角线的提起了程、朱哲学的反对命题。在这里，剔抉程、朱的谬误，就是暴露满清统治的不合理性；所谓哲学斗争就是政治斗争的延长或反映，在清初哲学者所造成的批判精神中，表现得最为充分。

至于当时的哲学者特别反对陆、王哲学，则是因为这种哲学，本质上就是宗教化的主观唯心论。王阳明本身的分析综合能力，已远在朱熹之下，至于陆象山的哲学造诣，则更不及王阳明（参照本书十四、十五两章）。及其末流，则堕落成终日危坐，放谈空理，而与野孤禅为同样的废物。梁启超所谓“除了永乐皇帝钦定的《性理大全》外，几乎一书不读。学术界本身，本来就像贫血症的人衰弱得可怜”（见《中国近三百年学术史》三页）云云，即指此而言。像这样，一方面是陆、王主观唯心论的发展已濒于穷途末路，另方面反清复明运动则方兴未艾，在这种理论成果与实践要求相背离的基础上，自然就形成了哲学上的批判时代。这就是说，“实学”代替了“理学”，“考证学”代替了“阳明学”。

但是，清初所谓“实学”、“朴学”、“汉学”或“考证学”的成立，单由上述的原因便可说明了么？否。单由于反清复明运动的发展，程、朱学说的御用化，陆、王哲学更进一步的堕落，仍然不能说明清初考证学勃兴的全部根源。这就是说，除此之外，尚须考虑到清初自然科学发展的状态。我们在本书第十五章第三节中曾经说到：在明末，欧洲的商业资本，已侵入于中国，随着中西商业交换的发展，欧洲的自然科学，由于传教士的媒介，也输入了中国。这种自然科学输入的过程，开始于明万历十一年（纪元一五八三年）而终结于清康熙三十九年（纪元一七〇〇年）；在此一百一十七年中欧洲自然科学的输入，可以说是清代考证学及清初哲学上批判时代成立的前提条件之一。兹据梁启超《中国近三百年学术史》郑鹤声、郑鹤春《中国文献学概要》及日人五来欣造《儒教对于德国政治思想的影响》等书所载的资料，将明末清初欧洲自然科学输入中国的事实列表于下：

人名	国籍	来华时代	事迹及著作
方济各	西班牙	未详	
孟三德	葡萄牙	明万历十三年（一五八五）	崇祯历书，长历，补注解惑，主制群征，主教缘起，远镜说，进呈画像，浑天仪说。
苏如汉	葡萄牙	明万历二十三年（一五九五）	圣教约言
利玛窦	意大利	明万历十一年（一五八三）	天主实义，几何原本，交友论，同文算指通篇，西国记法，勾股义，二十五言，圜容较义，畸人十篇，徐光启行略，辨学谴迹，乾坤体义，经天该，测量法义，西字奇迹，浑盖通宪图说，万国舆图。

续表

庞迪我	西班牙	明万历二十七年（一五九九）	耶稣苦难祷文，未来辩论天主实义续篇，庞子遗诠，七克大全，天神魔魂说，人类原始，受难始末，辩揭，奏疏。
熊三拔	意大利	明万历三十四年（一六〇六）	泰西水法，表度说，简平仪说。
罗如望	葡萄牙	明万历十六年（一五九八）	天主圣教，启蒙天主圣像略说。
金尼阁	法兰西	明万历三十八年（一六一〇）	宗徒祷文，西儒耳目资，推历年瞻礼法。
邓玉函	日耳曼	明天启元年（一六二一）	远西奇器图说录，人身说概，测天约说，黄赤距度表，正球升度表，大测，诸器图说。
卢安德	利查及	明天启六年（一六二六）	
伏若望	葡萄牙	明天启四年（一六二四）	五伤经礼规程，善终助功，苦难祷文。
高一志 素丰肃	意大利	明万历三十五年（一六〇五）	空际格致二，斋家西学，譬学，寰宇始末，西学治平。
郭居静	瑞士	明万历二十五年（一五九七）	性灵诣主。
费乐德	西班牙	明天启二年（一六二二）	念经总牍，圣教源流念经劝。
杜奥定	日奴	明万历二十六年（一五九八）	渡海苦迹记，杜奥定先生东来渡海苦迹。
孟儒望	葡萄牙	明崇祯十年（一六三七）	天学略义，天学辨敬录，炤迷镜。
艾儒略	意大利	明万历四十一年（一六一三）	西学凡，几何法要，职方外纪，西方答问，坤舆图说，几何要法，万物真源，景教碑颂。
费奇规	葡萄牙	明万历三十二年（一六〇四）	振心诸经，周年主保圣人单，玫瑰经十五篇。

续表

毕方济	意大利	明万历四十二年（一六一四）	画答，灵言蠡勺，睡画二答，奏折。
傅泛斋	葡萄牙	明天启元年（一六二一）	名理探，寰有诠。
龙华民	意大利	明万历二十五年（一五九七）	地震解。
鲁德照	葡萄牙	明万历四十一年（一六一三）	字考。
阳玛诺	葡萄牙	明万历三十八年（一六一〇）	天问略，天学举要。
瞿西满	葡萄牙	明崇祯二年（一六二九）	经要直指。
郎安德	葡萄牙	清顺治十五年（一六五八）	
卫匡国	匈牙利	明崇祯十六年（一六四三）	真主灵性理证，述反篇。
贾宜陆	意大利	明崇祯十年（一六三七）	提正编，辨感论。
郭纳爵	葡萄牙	明崇祯七年（一六三四）	原染亏益，身后编，老人妙处，教要。
汤若望	日耳曼	明天启二年（一六二二）	奏疏，算法西传，新法算引，新法表异，新法晓或，大测，学算小辨，测天得说，浑天仪说，西洋测日历，星图，恒星表，恒星出没，恒星屏障，测食略，古今交食考，交食算指，交食表，交食表用法，交食蒙求，恒星算指，八线表，远镜说，火攻絜要，共译各图。
罗明坚	意大利	明万历九年（一五八一）	天主圣教实录。
利	西班牙	明崇祯六年（一六三三）	正学镠石。

续表

潘国光	意大利	明崇祯十年（一六三七）	十诫劝谕，圣体规仪，圣教四规，圣安德助宗徒瞻礼，天阶，瞻礼，口铎，天神规课，天神会课。
卢日满	荷兰	清顺治十六年（一六五九）	要理六端，天主圣教要理，问世编。
何大化	葡萄牙	明崇祯九年（一六三六）	蒙引要览。
安文思	葡萄牙	明崇祯十三年（一六四〇）	复活论。
陵安德		清顺治十六年（一六五九）	圣教略说，真福直指，善生福终正路，圣教问答，圣教撮言，圣教要理，默想大全，默想规矩，万民四末图。
利类思	意大利	明崇祯十年（一六三七）	天主正教约征，主教要旨，超性学要，狮子说，司铎要典，性灵说，不得已辨，御览西方要纪，圣母小日课，已亡者日课经，圣教简要，善终瘗茔礼典，弥撒经典，日课概要，圣事礼典，安先生行述，天主圣体，三位一体，万物原始，天神形物之造，灵魂，首人受造，昭祀经典，进呈鹰论圣事礼典。
南怀仁	比利时	清顺治十六年（一六五九）	灵台仪象志，仪象图，测验纪略，验气说，坤舆全图，坤舆图说，算法不得已辩，康熙永年算法表，赤道南北星图，简平规总星图，西方要纪，坤舆外纪，妄推吉凶辨，熙朝定案，妄占辩，预推纪验，形性理推，光向异验理推，理辨之引咎，目司图总，理推各图说，御览简平新仪式用法，进呈穷理学。
穆迪我	荷兰	清顺治十四年（一六五七）	圣洗规仪。

续表

柏应理	比利时	清顺治十六年（一六五九）	天主圣教永瞻礼单，天主圣教，百问答四末真论，圣坡而日亚行实，圣若瑟祷文，周岁圣人行略。
利安定	西班牙	清康熙九年（一六七〇）	永福天衢，天成人要集。
殷铎泽	意大利	清顺治十六年（一六五九）	耶稣会例，西文四书直解，泰西殷觉斯先生行述。
聂仲迁	法兰西	清康熙十四年（一六七五）	古圣行实。
叶宗贤		清康熙二十三年（一六八四）	宗元直指。
徐日升	西班牙	清康熙十二年（一六七三）	南先生行述，律吕正义续篇。
庞嘉宾	日耳曼	清康熙十八年（一六七九）	
利安宁	西班牙	清康熙二十四年（一六八五）	破迷集，圣文都竦圣母日课。
沙守真		清康熙三十九年（一七〇〇）	真道自证。
卫方济	比利时	清康熙二十六年（一六八七）	人罪至重。
白晋	法国	清康熙二十六年（一六八七）	天学本义，古今敬天鉴。
张诚	法国	同上	曾教康熙习数学几何三角天文。
刘应	法国	同上	
洪若翰	法国	同上	
李明	法国	同上	
德玛诺	葡萄牙	清康熙四十三年（一七〇四）	显相十四端玫瑰经。

续表

罗雅谷	意大利	明天启四年（一六二四）	测量全义，五纬表，五纬算指，月离算指，月离表日躔算指，日躔表，黄赤正球筹算，比例规解，算引，日躔考昼夜刻分，五纬总论，日躔增五星图，火木土二百恒星表，周岁时刻表，五纬用则，夜中测时，周岁警言。
马若瑟	葡萄牙	清康熙三十七年（一六九八）	圣若瑟传，杨淇园行迹。
巴多明	法兰西	清康熙二十八年（一六八九）	济美篇，德行谱。
殷弘绪	法兰西	清康熙三十七年（一六九八）	主经体味，逆耳忠言，莫居凶恶劝，训慰神编。
孟由义	葡萄牙	清康熙二十三年（一六八四）	
德玛诺	法兰西	清康熙四十六年（一七〇七）	与弥撒功程。
戴进贤	日耳曼	清康熙五十五年（一七一六）	日躔表，月离表，仪象考成。
冯秉正	法兰西	清康熙四十二年（一七〇三）	明来集说，圣心规程，圣体仁爱经规条，圣经广益，盛世刍荛，圣年广益，避静彙钞。
万济谷		清顺治十一年（一六五四）	圣教明证。
白	西班牙	清康熙十九年（一六八〇）	要经略解。
白多玛	西班牙	清康熙三十四年（一六九五）	圣教功要，四络略意。
林安多	葡萄牙	清康熙三十四年（一六九五）	崇修精蕴。
聂若望	葡萄牙	清康熙三十九年（一七〇〇）	八天避静神书。

续表

玛吉士			地理备考。
恩理格			文字考。
穆及阁			天步真原。
杜德美			周径密率，求正弦正矢捷法。
蒋友仁			地理图说。

上表共包括二百七十种书，七十四人。其著作中关于宗教者，且不俱论；其关于自然科学者，则以数学，天文学，地理学，农业学，论理学为主要内容。这种自然科学的输入，首先便引起了中国自然科学的改革。如像明天启、清崇祯间对于大统历的改革，徐光启的《农政全书》完成，徐宏祖的《徐霞客游记》，宋长庚的《天工开物》等书，都是在欧洲科学输入的影响下所产生的著作；此外，如像梅文鼎以欧洲科学为基础而解说笔算或三角，康熙皇帝所制作的《律历渊源》及《数理精蕴》中，也包含着欧洲的历学与数学。清初的哲学者所以能够在反清复明的实践要求上提出程、朱、陆、王哲学的反对命题，即具体的提出考证学的实证主义的方法论而发挥其批判的精神，实以当时欧洲自然科学的输入为其理论的地盘。同时，考证学的兴起以及所谓经世致用之

学的普遍化，又奠定了欧洲自然科学输入的基础。然而，我们必须知道：在当时由于社会条件的制限（此点在本书第十八章第一节中将展开论述），尚不能全面的消化欧洲的自然科学。所以考证学的实证主义的方法论，“多半仍限于纸片上事物”，“效用尚未能尽量发挥”（梁启超语）；而其批判精神的顶点，也未能超出儒教复古传统的范围。这种哲学发展上的缺陷，和清初亚细亚生产样式下农业经济——小农业与家庭手工业的“直接的结合”的支配，和商业资本本身的封建性，和资本主义产业的未形成，有密切的关联。

第二节　阳明哲学的修正主义者孙夏峰、李二曲、黄宗羲与考证学派的建设者顾亭林的哲学思想

清初哲学上批判态度的温和派，就是阳明哲学的修正主义者。他们是在不离开阳明哲学根本立场，即对阳明哲学不采取批判的态度，而仅只将阳明学中的命题，加以部分的新解或修正，而企图程朱与陆王的调和。这

一派，以孙夏峰、李二曲、黄宗羲为代表，兹分述如下：

孙夏峰（纪元一五八四至一六七五）名奇逢，字启泰，号钟元，直隶容城人。在明末天启年间，其营救左光斗等的被诬下狱，这一反抗强权的节侠，已经是义声动天下的壮举。崇祯九年，清兵入关大掠，畿辅列城，先后沦陷，孙夏峰便以一书生号召昆弟亲戚，联合官绅，抵抗清兵，容城得以保全。其后，因流寇遍地，乃率领子弟门人，避难于易州的五公山。明朝灭亡以后，清廷将他家的田园庐墓圈占，遂举家南下，迁到河南辉县的百泉山（即夏峰），矢志不事清廷，躬耕终老，学者称夏峰先生。在他八十一岁的时候（即康熙三年），又因为有人以文字狱相陷害，曾投呈请求对簿。我们知道，孙夏峰的祖父，乃是邹东廓（阳明高弟）的学生，其挚友鹿伯顺，也是阳明哲学的信徒，他自己也很相信王阳明的《朱子晚年定论》，所以他的哲学思想根本上也是属于阳明学派，但是，由于他的实践态度的影响，遂致放弃了程、朱、陆、王异同的门户之见，而采取了调和的态度。所以他说："使人知反而求诸事物之际，晦翁之功也；然晦翁没而天下之实病不可不泄。词章繁兴，使人知反而求诸心性之中，阳明之功也；然阳明没而天下之虚病不可不补。”(《夏峰语录》）又说：“诸儒学问，皆有深造自得之处，故其生平各能了当一件大事。虽其间异同纷纭，辩论未已，我辈只宜平心探讨，各取其长，不必代他人争是非求胜负也。一有争是非求胜负之心，却于前人不相干，便是己私，便是浮气。此病关系殊不小。”（同上）据此可知，孙夏峰虽然未能摆脱王阳明的立场，但其对于王学末流的空谈心性的宗教化的主观唯心论，则已经明确的指示出“天下之虚病不可不补”的课题。但是，怎样来补救王学的“虚病”呢？这自然是实用主义的“多谈问题少谈主义”或过度的注重文献的考证。关于这一点，一方面由他的生平行事上，固然可以证明；而另方面其著作如像《理学宗传》、《畿辅人物考》、《中州人物考》、《两大案录》、《甲申大难录》、《孙文正公年谱》、《苏门纪事》等书，都是资料的记载，而无专谈哲学的著作，也是很好的证据。如果把孙夏峰作为哲学者来看，自然是非常贫弱的；但是，因为他年寿最高，持论平实，而在动乱的反清复明时代，又表现出高尚的民族气节，所以便屹然成为北学重镇。当时的遗老如申凫盂、刘五公，达官如汤孔伯、魏环极、魏名生等，皆及门受业；乃至乡农贩竖，亦莫不教诲。其影响之大，于此可见。

李二曲（纪元一六二七至一七〇五年），名颙，字中孚，陕西周至人。他是一位贫农出身自学成功的阳明学者。其父当兵死于流寇之乱，幼年因家贫无力入塾，便借书自修，学成之后，常在富平、华阴等地讲学，并曾一度游无锡、江阴、靖江、武进、宜兴各处。康熙初年，特诏征山林隐逸，力辞不出；其后地方官强迫应博学鸿儒，他乃绝食六日，最后拔刀自刎，才算作罢；当康熙西巡时，传旨召见，坚辞方免。又因为怕为虚名所累，便杜门谢客，断绝一切往来，除顾亭林来访而外，连弟子也不见面。其著作计有《经世蠡测》、《时务急策》、《十三经纠缪》、《廿一史纠缪》、《四书反身录》等书，内容专以返躬实践、悔过自新为主。他常说："先观象山、慈湖、阳明、白沙之书，以洞斯道大原。"所以他的学说，也是属于陆、王一派。惟所著《观感录》一篇（见《二曲集》卷二十二），内盐丁、樵夫、吏胥、窑匠、商贾、农夫、卖油佣、戍卒、网巾匠各一人，具体的叙述晚明真儒出自下层阶级；从这一点上，我们还可以看出李二曲学说的平民色彩。但是，李二曲的哲学思想，本质上和孙夏峰同样，都是实用主义者。所以他说："先觉倡道，皆随时补救，如人患病不同，投药亦异，晦庵之后，堕于支离葛藤。故阳明出而救之以致良知，令人当下有得，及其久也，易至于谈本体而略工夫。"（《二曲集》卷十《南行述》）

黄宗羲（纪元一六一〇至一六九五年）字太冲，浙江余姚人。其父黄尊素乃东林名士，为魏阉所害，幼年常袖长锥，为父复仇。崇祯初年，魏阉伏诛，隐然为东林弟子领袖。崇祯十七年，福王立于南京，阉党阮大铖骤兴党狱，乃亡命日本，经长崎而达江户。明年和钱忠介起义兵守浙江，抗拒清兵。失败后，又与鲁王在舟山联合张苍水、冯跻仲等，力图匡复，更潜行内地布置反清复明工作。关于奔走国难所经历的艰苦，只要看一看他晚年的自述，便可明白。他说："自北兵南下，悬书购余者二，名捕者一，守围城者一，以谋反告讦者三，绝气沙墠者一昼夜，其他连染逻哨所及无岁无之，可谓濒于十死者矣。"（《南雷余集怪说》）康熙十七年，拒诏征博学鸿儒，其后又拒绝参加明史馆。其著作计有《宋元学案》、《明儒学案》、《易学象数论》、《律吕新义》、《宋元学案》、《南雷文定》、《南雷文约》、《明文海》、《明史案》、《明夷待访录》等书。关于黄宗羲的哲学思想，大体上也属于陆、王一派。请看他说："盈天地皆心也。变化不测，不能不万殊。心无本体，工夫所至，即其本体。故穷理者，穷此心之万殊，非穷万物之万殊也。"（《明儒学案·序》）这不正是王阳明的主观唯心论么？此外，在其与陈乾初（纪元一六〇四至一六七七年）关于天理人欲一问题的论争上，也明白的表现出唯心论的机械论见解。当时陈乾初的意见是说："周子无欲之教，不禅而禅；吾儒只言寡欲，不言无欲。圣人之心，无异常人之心。常人之所欲，亦即圣人之所欲也。人心本无所谓天理，天理正从人欲中见。人欲恰好处即天理也。向无人欲，则亦并无天理之可言矣。"（见《南雷文定后集》卷三《陈乾初先生墓志铭》）在我们看来，陈乾初这种见解，确乎包含着唯物辩证法的萌芽；而黄宗羲竟由纯粹理学的立场上加以反驳。他说："天理人欲正是相反，此盈则彼绌，彼绌则此盈。故寡之又寡，至于无欲，而复纯乎天理。若人心气质，恶可言寡耶？必从人欲恰好处求天理，则终身扰扰，不出世情，所见为天理者，恐是人欲之改头换面耳。”（《南雷文案》卷二与《陈乾初论学书》）但是，我们却不能把黄宗羲完全看成阳明哲学的正统。例如他对于王阳明所谓“致良知”的命题，即曾由实用主义的观点，加以修正。所以他说：“阳明说，‘致良知于事事物物’。致字即是行字，以救空空穷理，在‘知’上讨个分晓之非。乃后之学者，测度想象，求见本体，只在知识立家当以为良知，则阳明何不仍穷理格物之训，而必欲自为一说耶。”（《明儒学案》卷十《姚江学案》）黄宗羲这种修正，固然还没有变化其唯心论的本质，但是，他和静坐参悟的陆、王宗教化的主观唯心论，却有很大的不同，此外，在其明夷待访录中所表现的政治思想，如像《原君》、《原臣》、《原法》、《学校》等篇的内容都包含着明确的民主主义的精神。这种思想，在三百年前的中国，固然没有；即欧洲卢骚的《民约论》，也是数十年后才出现的。这种思想，所以能由黄宗羲首先表现出来，和他对于反满清专制主义政治斗争的实践态度，自有不可分离的关联。

考证学派对于陆、王主观唯心论所持的批判态度，比较积极。所谓考证学，就是资料之学，详言之，就是把古代资料的训诂文字章句及其历史价值，一一订正比较而考证其是非真伪之学。这种学科，严格的说来，其本身并不能算是哲学；但其所运用的研究方法，如像先从同类的书籍中检出同类的事实而加以归纳或研究，得不到巩固的证据，则绝不下判断，这样的研究方法，显然是欧洲自然科学的实证主义方法论。而由这种实证主义的客观方法论所建筑起来的考证学，却正是清代哲学者批判宋明理学的斗争武器。所以我们叙述清代哲学，尤其清初哲学上的批判精神，便不能不提出考证学而予以研究，尤其不能不对于考证学的建设者顾亭林的哲学思想，首先加以批判的叙述。

顾亭林（纪元一六一三至一六八二年）初名绛，国变后改名炎武，字宁人，江苏昆山人。他是一位世家子弟，因为是江南的著名富户，所以自幼便涉猎群书。清兵下江南时，亭林即纠合同志起义兵守吴江。其母自昆山城破之日，即绝食而死，并留遗嘱不许他臣事满清。当时因为东南的悍将惰卒，不足以反清复明，于是便从事北游，通观形势，阴结豪杰，以图光复。在他下半世的旅行生涯中，曾五谒孝陵、六谒思陵，在江北之淮安、山东之章邱、山西雁门之北、五台之东，都有他的遗迹。并且每到一险要地方，便找些老兵退卒，问长问短，倘或和平日所闻不合，便就近到茶房里打开书本对勘。到了晚年，乃定居于陕西的华阴，和李二曲相往还。关于他定居陕西的用意，亦与其反清复明的政治斗争任务，有密切关系。所以他说："秦人慕经学，重处士，持清议，实他邦所少，而华阴绾毂关河之口，虽足不出户，而能见天下之人，闻天下之事。一旦有警，入山守险，不过十里之遥；若志在四方，则一出关门，亦有建瓴之势。"（见梁启超《中国近三百年学术史》五四页）在康熙三年，曾因文字狱入狱半年；康熙十七年，开博学鸿儒科，清廷要罗致他，他说："刀绳俱在，无速我死。"次年他在拒绝参加明史馆的信中又说："七十老翁何所求，正欠一死，若必相逼，则以身殉之矣。"（见前书五五页）据此可知顾亭林对于反清复明意志的坚决。其著作计有《日知录》、《补遗》、《天下郡国利病书》、《肇域志》、《音学五书》、《五经异同》、《左传杜解补正》、《九经误字》、

《石经考》、《金石文字记》、《经世编》、《下学指南》、《文集》、《诗集》、《历代帝王宅京记》、《昌平山水记》等。

顾亭林的哲学思想的最大特色，在于由客观实证主义的立场，对于陆王的主观唯心论，提出了大胆的批判。他说："自宋以后，一二贤智之徒，病汉人训诂之学得其粗迹，务矫之以归于内，而'达道''达德''九经''三重'之事置之不论，此真所谓'告子未尝知义'者也。"(《日知录》卷七行"吾敬故谓之内也"条)又说："孟子言：'学问之道无他，求其放心而已矣。'然则但求放心，遂可不必学问乎；与孔子言'以思无益不如学也'者，何其不同耶……孟子之意，盖曰能求放心然后可以学问，'使弈秋诲二人弈。其一人专心致志，惟弈秋之为听，一人虽听之，一心以为有鸿鹄将至……'此放心而不知求也。然但知求放心，而未尝穷中罫之方，悉雁行之势，亦必不能从事于弈。"(同上"求其放心"条)顾亭林自己所提出的方法是什么呢？这就是，第一，对于种种资料，分析其时代先后，而辨别其流变；第二，每下一说，必博求佐证以资共信，语必博证，证必多例。这种方法，自然包含着唯物论的要素，但是，在其批判阳明哲学的场合，根本上也带有明显的实用主义色彩。所以他说："今之君子聚宾客门人数十百人，与之言心言性，舍多学而识以求一贯之方，置四海困穷不言而讲危微精一，我弗敢知也。"(《亭林文集·答友人论学书》）又说："君子之为学，以明道也，以救世也。徒以诗文而已，所谓雕虫篆刻，亦何益哉？"(《文集》卷四《与人书》二十五）又说："凡文不关于六经之旨，当世之务者，一切不为。"(《文集》卷四《与人书》三）顾亭林这种实用主义的思想，一方面固然和当时反清复明运动的要求及其天下兴亡匹夫有责的命题，有密切关联，而同时又是他不能脱离儒教传统立场的必然结果。请看他说："古今安得别有所谓理学者，经学即理学也；自有舍经学以言理学者，而邪说以起。"(全祖望《鲒琦亭集·亭林先生神道表》）又说："以为圣人之道下学上达之方：其行在孝悌忠信；其职在洒扫应对进退；其文在诗、书、三礼、周易、春秋；其用之于身，在出处辞受取与；其施之于天下，在政令、教化、刑法；其所著之书皆以拨乱反正，移风易俗，以驯至乎治平之用，而无益者一切不谈。"(《亭林文集·与友人书》）因为动乱时代的应急的实用主义立场与儒教传统思想相结合，不但使顾亭林的哲学思想趋于贫乏，而且在历史观上，又导出了如次的唯心论的命题："目击世趋，方知治乱之关，必在人心风俗。而所以转移人心，整顿风俗，则教化纪纲为不可缺矣。"（《文集》卷四《与友人书》九）像这样，以历史的发展动力，在于人心风俗，而人心风俗的转化，又在于教化纪纲，不正是唯心史观的同语反复么？

然而，顾亭林在清代哲学史上，仍有其特殊地位。所以梁启超曾说："清初大师，如夏峰、梨洲、二曲辈，纯为明学余波；如船山、舜水辈，虽有反明学的倾向，而未有所新建设，或所建设未能影响社会。亭林一面指斥纯主观的王学不足为学问，一面指点出客观方面许多学问途径来，于是学界空气一变，二三百年间跟着他所带的路走去，亭林在清代学术史中所以有特殊地位者在此。"（《中国近三百年学术史》五六至五七页）。

第三节　作为清代哲学最高峰的王船山哲学

王船山（纪元一六一九至一六九二年）名夫之，字而农，一号姜斋，湖南衡阳人，因晚年隐居于湘西之石船山，学者称为船山先生。当张献忠陷衡州时，曾执船山之父为质，罗致船山；船山乃引刀自刺，为重创状，舁往易父。张见其遍创，不能屈，遂父子以计俱得脱。清兵下湖南时，船山在衡山举义反抗，失败后，逃往桂林，大学士瞿式耜荐之桂王，任行人司行人。嗣因弹劾权臣王化澄免职，又依瞿式耜。清兵陷桂林，式耜殉难，船山乃间道归楚，遂不复出。当时清廷严令剃发，船山誓死抵抗，转徙苗瑶山洞中，艰苦备尝，并从事著述。死前自题其墓曰："明遗臣王某之墓。"据邓湘皋所集《船山遗书》目录，其著作计有：《周易内传》、《周易大象解》、《周易稗疏》、《周易考异》、《周易外传》、《书经稗疏》、《尚书考异》、《尚书引义》、《诗经稗疏》、《诗经考异》、《诗广传》、《礼记章句》、《春秋稗疏》、《春秋家说》、《春秋世论》、《续春秋左传博议》、《四书训义》、《四书稗疏》、《四书考异》、《四书大全说》、《四书详解》、《说文广义》、《老子衍》、《庄子解》、《庄子通》、《吕览释》、《淮南子注》、《张子正蒙注》、《近思录释》、《读通鉴论》、《宋论》、《永历实录》、《思问录内外篇》、《俟解》、《噩梦》、《黄书》、《识小录》、《龙源夜话》、《诗文集》、《诗余》、《诗话》、《相宗络索》、《三藏法师八十规矩论赞》等共七十七种二百五十卷。但是，因为他生长在偏僻的湖南，除了武昌、南昌、肇庆而外，未曾到过别的都市，既不结交名流，又不开门讲学，所以直到道光、咸丰间，二百年来，几乎没有人知道王船山的学说。邓湘皋在其所集《船山遗书》的“叙论”中曾说：“先生生当鼎革，窃自维先世为明世臣，存亡与共。甲申后崎岖岭表，备尝险阻，既知事不可为，乃退而著书。窜伏祁永、连邵山中，流离困苦，一岁数徙其处；……故国之戚，生死不忘。……当是时，海内儒硕，北有容城，西有周至，东南则有昆山、余姚；先生刻苦似二曲，贞晦过夏峰，多闻博学，志节皎然，不愧顾、黄两先生。顾诸君子肥遁自甘，声名亦炳，虽隐逸之荐，鸿博之征，皆以死拒。而公卿交口，天子动容，其志易白，其书易行。先生窜身瑶峒，绝迹人间，席棘饴荼，声影不出林莽，门人故旧，又无一有气力者为之推挽。殁后遗书散佚，后生小子，至不能举其名姓，可哀也已。”

王船山对于张横渠、朱熹备极推崇，而对于王阳明的主观唯心论，则攻击不遗余力。所以他说：“张子之学，上承孔孟，如皎日丽天，无幽不烛。惜其门人未有殆庶者，其道之行，曾不逮邵康节之数学，是以不百年而异说兴。”（《张子正蒙注·序》）又说：“经云事有终始，知所先后，则近道矣。递推其先，则曰在格物；物格而后知至，知至而后意诚，以及于天下平，皆因焉。是事之始，为先所当知者明矣。故以格物为始教，而为至善之全体，非朱子之言也，经之意也。……君子之所谓知者，吾心喜怒哀乐之节，万物是非得失之几，诚明于心而不昧之谓耳，非君子之有异教也。人之所以为人，不能离乎君民亲友以为道，则亦不能舍夫人官物曲以尽道，其固然也。今使绝物而始静焉，舍天下之恶，而不取天下之善，堕其志，息其意，外其身，于是而洞洞焉，晃晃焉，若有一澄澈之境，置吾心而偷以安。又使解析万物，求物之始而不可得；穷测意念，求吾心之所据而不可得；于是弃其本有，疑其本无，则有如去重而轻，去拘而旷，将与无形之虚同体，而可以自于其大。斯二者乍若有所睹，而可谓之觉；则庄周、瞿昙氏之所谓知，尽此矣。然而求之于身，身无当也；求之于天下，天下无当也。”又说：“彼自为说，而为君子之徒者，未有以为可与于圣人之教也。有儒之驳者起焉，有志于圣人之道，而惮至善之难止也。……于是取大学之教，疾趋以附二氏之涂，以其恍惚空明之见，名之曰，此明德也，此知也，此致良知而明明德也；体用一，知行合，善恶泯，介然有觉，颓然任之，而德明于天下矣。乃罗织朱子之过，而以穷理格物，为其大罪。天下之畏难苟安，以希冀不劳，无所忌惮，而坐致圣贤者，翕然起而从之。”(《大学衍》)又说：“夫子博文约礼之教，千古合符，精者以尽天德之深微，而浅者亦不亟叛于圣道。圣人复起，不易朱子之言矣。”(同上)又说：“《中庸》、《大学》，自程子择之《礼记》之中，以为圣贤传心入德之要典。迄于今学宫之教，取士之科，与言道者之所宗，虽有曲学邪说，莫能违也；则其为万世不易之常道久矣。乃《中庸》之义，自朱子之时，已病乎程门诸子，背其师说，而淫于佛老，……朱子章句之作，一出于心得，而深切著明，俾异端之徒，无可假借，为至严矣。……数传之后，朱门之余裔，或以钩考文句，分支配拟，为穷经之能事。……其偏者则以臆测度，趋入荒杳，堕二氏之邪廓，而不自知。……明兴，河东、江右诸大儒，既汲汲于躬行，而立言之未暇。降及正嘉之际，姚江、王氏始出焉，则以其所得于佛老者，殆攀是篇，以为证据。其为妄也，既莫之穷诘，而其失之皎然易见者，则但取经中片句只字，与彼相似者，以为文过之媒。至于全书之义，详略相因，巨细毕举，一以贯而为天德王道之全者，则茫然置之而不恤。迨其徒二王、钱、罗之流，恬不知耻，而窃佛、老之土苴，以相附会，则害愈烈；而人心之坏，世道之否，莫不由之矣。夫子不敏，深悼其所为，而不屑一与之辩也。故僭承朱子之正宗，而为之衍，以附诸章句之下。庶读者知圣经之作，朱子之述，皆圣功深造体验之实，俾学者反求自得，而不屑从事于文词之末，则亦不待深辩，而驳儒淫邪之说，亦尚息乎！”（《中庸补传衍》）

但是，我们必须知道，王船山批判阳明哲学的根据，并不像孙、李、黄、顾等那样从实用主义出发，而是在唯物论乃至辩证法的见地上，提出了对于主观唯心论的彻底的批判。王船山哲学的唯物论辩证法的性质，在后述各命题上，有最明显的表现。

第一，他认定了存在决定意识。请看他说：“天下惟器而已矣。道者器之道，器者不可谓之道之器也。无其道则无其器，人类能言之。虽然，苟有其器矣，奚患无道哉。……无其器则无其道，人鲜能言之，而固其诚然者也。洪荒无揖让之道，尧舜无吊伐之道，汉唐无今日之道。则今日无他年之道者多矣。未有弓矢而无射道，未有车马而无御道，未有牢醴、璧币、钟磬、管弦而无礼乐之道。则未有子而无父道，未有弟而无兄道。道之可有而且无者多矣。故无其器则无其道，诚然之言也，而人特未之察耳。故古之圣人，能治器而不能治道。……如其舍此而求诸未有器之先，亘古今，通万变，穷天穷地，穷人穷物，而不能为之名。而况得有其实乎。老氏瞀于此而曰道在虚，虚亦器之虚也。释氏瞀于此而曰道在寂，寂亦器之寂也。淫辞輠炙，而不相离乎器。然且揉杂器之名以自神，将谁欺乎。”（《周易外传》卷五《系辞上传》）

第二，他认定了宇宙本体的客观实在性，决不因人类意识与否而发生“有”“无”问题。所以他说：“目所不见，非无色也；耳所不闻，非无声也；言所不通，非无义也；故曰：‘知之为知之，不知为不知。’知其有不知者存，则既知有之矣是知也。”（《思问录》）又说：“言无者，激于言有者而破除之也。就言有者之所谓有，而谓无其有也。天下果何者而可谓之无哉？言龟无毛，言犬也，非言龟也；言兔无角，言麋也，非言兔也。言者，必有所立，而后其说成。今使言者立一无于前，博求之上下四维，古今存亡而不可得穷矣。”（同上）又说：“释氏谓：心生，种种法生；心灭，种种法灭。置之不见不闻，而即谓之无。天地本无起灭，而以私意起灭之，愚矣哉！”（《正蒙注》）又说：“以虚空为无尽藏，故尘芥六合；以见闻觉知所不能及为无有，故梦幻人世。”（同上）又说：“释氏之邪妄者，据见闻之所穷，而遂谓无也。”（同上）又说：“释氏以真空为如来藏，谓太虚之中，本无一物，而气从幻起，以成诸恶，为障碍真如之根本，故斥七识乾健之性，六识坤顺之性，为流转染污之害源。”（同上）又说：“释氏缘见闻之所不及，而遂谓之无，故以真空为圆成实性；乃于物理之必感者，无理以处之，而欲灭之。灭之而终不可灭，又为化身无碍之遁辞。乃至云淫坊酒肆，皆菩提道场，其穷见矣。”（同上）

第三，他根据感觉本身的局限性与宇宙的无限性的矛盾，对于无的观念的产生，由认识论上提出了科学性的说明。他说：“聚而明得施人，遂谓之有；散而明不可施人，遂谓之无。不知聚者暂聚，客也，非必为常存之主；散者返于虚也，非无固有之实。人以见不见而言之，是以滞尔。”（《正蒙注》）又说：“无形，则人不得而见之，幽也。无形，非无形也；人之目力穷于微，遂见为无也。心量穷于大，耳目之力穷于小。”（同上）又说：“圣人……知幽明之故，而不言有无也。言有无者，徇目而已。”（同上）又说：“可见谓之有，不可见遂谓之无。”（同上）又说：“聚则见有，散则疑无。”（同上）又说：“散而归于太虚，复其絪缊之本体，非消灭也；聚而为物之生，自絪缊之常性，非幻成也。”（同上）又说：“聚而成形，散而归于太虚。……聚而可见，散而不可见尔。其体岂有不顺而妄者乎？”（同上）又说：“聚则显，显则人谓之有；散则隐，隐则人谓之无。”（同上）又说：“故曰往来，曰屈伸，曰聚散，曰幽明，而不曰生灭。生灭者，释氏之陋说也。”（同上）

第四，他以为宇宙本体，乃是不断矛盾运动发展的范畴，所谓调协乃是矛盾斗争的过渡阶段，而所谓静止，则是运动的特殊形态。所以他说："太极动而生阳，动之动也；静而生阴，动之静也；废然无动而静，阴恶从生哉！一动一静，阖辟之谓也。繇阖而辟，繇辟而阖，皆动也。废然之静，则是息矣。至诚无息，况天地乎！维天之命，于穆不已，何静之有！"（《思问录》）又说："方动即静，方静旋动，静即含动，动不含静，善体天地之化者，未有不如此者也。"（同上）又说："形者，言其规模仪象也，非谓质也。质日代而形如一，无恒器而有恒道也。江河之水，今犹古也，而非今水之即古水。灯烛之光，昨犹今也，而非昨火之即今火。水火近而易知，日月远而不察耳。爪发之日生，而旧者消也，人所知也；肌肉之日生，而旧者消也，人所未知也。人见形之不变而不知其质之已迁，则疑今兹之日月，为邃古之日月；今兹之肌肉，为初生之肌肉。恶足以语日新之化哉？"（同上）又说："阴阳二气，充满太虚，此外更无他物，亦无间隙。天之象，地之形，皆其所范围也。散入无形，而适得气之体，聚为有形，而不失气之常。"（《正蒙注》）又说："感者，交相感。阴感于阳，而形乃成；

阳感于阴，而象乃著。遇者，类相遇。阴与阳遇形乃滋，阳与阴遇象乃明。感遇则聚，聚已必散，皆升降飞扬自然之理势。”（同上）又说：“虚必成实，实中有虚，一也；而来则实于此虚于彼，往则虚于此实于彼，其体分矣。止而行之动，动也，行而止之静，亦动也，一也；而动有动之用，静有静之质，其体分矣。聚者聚所散，散者散所聚，一也；而聚则显，散则微，其体分矣。清以为浊，浊固有清，一也；而清者通，浊者碍，其体分矣。使无一虚一实一动一静一聚一散一清一浊，则可疑太虚之本无有，而何者为一？惟两端迭用，遂成对立之象。于是可知所动所静所聚所散为虚为实为清为浊，皆取给于太和絪缊之实体。一之体立，故两之用行。如水唯一体，则寒可为冰，热可为汤，于冰汤之异，足知水之常体。”（同上）又说：“有象斯有对，对必反其为；有反斯有仇，仇必和而解。”（同上）又说：“以气化言之，阴阳各成其象，则相为对。刚柔寒温生杀必相反而相为仇，乃其究也，互以相成，无终相敌之理，而解散仍返于太虚。”（同上）又说：相反相仇则恶，和而解则爱。阴阳异用，恶不容已，阴得阳，阳得阴，乃遂其化，爱不容已。”（同

上）

第五，王船山在认识论上又特别强调了事物的具体的差别性的把握。请看他说："请观之物，白马之异于人也。非但马之异于人也，亦白马之异于白人也，即白雪之异于白玉也。疏而视之，雪玉异而白同；密而察之，白雪之白，白玉之白，其亦异矣。人之与马，雪之与玉，异之质也；其白则异以文也。故统于一白，而马之白必马，而人之白必人，玉之白必玉，雪之白必雪；从白类而马之，从马类而白。既已为马，又且为马之白，而后成乎其为白马。"（《尚书引义》卷六）又说："耳目手足之为体，人相若也，而不相为贷。……易衣而可别号为一人也。故疏而视之相若，密而察之，一纹一理，未有果相若者。因而，人各为质者，则质以文别，而体非有定审也。"（同上）

第六，他又指出了本质与现象的统一，并强调了由现象而到达本质的认识；其所谓体用一源的命题，即是此义。他说："乾坤有体则必生用，用而还成其体。"（《正蒙注》）又说："体者，所以用；用者，即用其体。"（同上）又说："天无体，用即其体，范围者大心以广运之，则天之用显，而天体可知矣。”（同上）又说：“通学识之知于德性之所喻，而体用一源，则其明自诚而明也。”（同上）又说：“天下之用，皆其有者也。吾从其用而知其体之有，岂待疑哉。用有以为功效，体有以为性情。体用胥有而相需以实。……故善言道者，由用以得体。不善言道者，妄立一体而消用以从之。人生而静以上，既非彼所得见矣，偶乘其聪明之变，施丹垩于空虚，而强命之曰体。聪明给于所求，测万物而得其影响，则亦可以消归其用而无余。其邪说自此始矣。则亦如求之感而遂通者，日观化而渐得其原也。故执孙子而问其祖考，则本支不乱。过宗庙丘墟，而孙子之名氏其有能亿中之者哉。此亦言道者之大辨也。”（《周易外传》卷二《大有》）

第七，他认为精神不能脱离物质而存在，而必须以物质为基础。所以他说：“一人之身，居要者心也，而心之神明，散寄于五藏，待感于五官、肝、脾、肺、肾，魂魄志思之藏也，一藏失理，而心之灵已损矣。无目而心不辨色，无耳而心不知声，无手足而无能指使一官失用，而心之灵已废矣。其能孤拧一心以绌群明而可效其灵乎。”（《尚书引义》卷六《毕命》）又说：“且夫物之不可绝也，以己有物。物之不容绝也，以物有己，己有物而绝物，则内戕于己。物有己而绝己，则外贼乎物。物我交受其戕贼，而害乃极于天下。况乎欲绝物者，固不能充其绝也，一眠一食而皆与物俱，一动一言而必依物起。不能充其绝，而欲绝之，物且前却而困己，己且龃龉而自困。……而尹和靖曰，其心收敛不容一物，非我所敢知。”（《尚书引义》卷一《尧典》）

总计前述七点，足证王船山哲学包含着丰富的唯物论、辩证法的要素。他虽然崇拜宋儒，而其哲学的理论内容，实已超过宋儒以上。其在《宋论读通鉴论》及《诗广传》等书中所表现的历史观，与其宇宙观的科学性，尤有密切的关联。如果说清代哲学是经学发展的最高阶段，则王船山哲学便是清代哲学的最高峰。所以李石岑曾说：“船山在中国哲学史上的地位，我看比朱晦庵、王阳明还要高，也比颜习斋、戴东原诸人来得重要。就清代哲学说，我认为船山是第一个人。”（《中国哲学十讲》三四三页）梁启超不明此义，竟将王船山与朱舜水（纪元一六〇〇至一六八二）作为两畸儒而相提并论（见所著《中国近三百年学术史》七三至八四页）；而实则朱舜水乃是极端敌视哲学的实用主义者。请看他说："颜渊问仁，孔子告以非礼勿视听言动。夫视听言动者，耳目口体之常事；礼与非礼者，中智之衡量，而'勿'者下学之持守。岂夫子不能说玄说妙言高言远哉？抑颜渊之才不能为玄为妙骛高骛远哉？……故知道之至极者。在此而不在彼也。"（《文集》卷十八《勿斋记》）又说："有良工能于棘端刻沐猴，此天下之巧匠也；然不佞得此，必诋之为砂砾。何也？工虽巧，无益于世用也。……宋儒辨析毫厘，终不曾做得一事。况又于其屋下架屋哉？"（《文集》卷九《与安东守约书》）又说："为学之道在于近里着己，有益天下国家，不在掉弄虚脾，捕风捉影。……勿剽窃粉饰自号于人曰，我儒者也。处之危疑而弗能决，投之艰大而弗能胜，岂儒者哉？"（《文集》卷十《答兴村庸礼书》）像这种狭隘的实用主义的说教，与王船山哲学的基本精神，实无丝毫的共同点。

然而，我们必须知道：作为清代哲学最高峰的王船山哲学，纵令包含着唯物论、辩证法的丰富要素；但是，由于其未能克服儒教的传统观念，由于其对宋儒的推崇，所以在另方面尚不免陷于唯心论与机械论的支配。

请看他说："心无非物也，物无非心也。"（《尚书引义》卷一《尧典》）这不是黄宗羲的"盈天地皆心"的命题么？在论认识的起源的场合，他曾说道："见闻可以证知于已知之后，而知不因见闻而发。"（《正蒙注》）又说："缘见而生之知非真知。"（同上）其理由是"流俗之徇欲者以见闻域其所知"及"释氏据见闻之所穷而遂谓无"（同上）。在这里，感觉在认识过程中的根源性，及所谓感觉是认识的唯一源泉与感觉与思维的辩证法的关联，都被全部否定；所剩下来的，只是宋明理学者的唯心论的认识论。其次，王船山在认识与实践（知与行）的关系问题上，也陷于机械论的观点，即只片面的强调实践的根源性，而抹杀了认识或理论的主导作用。所以他说："且夫知者固以行为功者也；行也者，不以知为功者也。行焉可以得知之效也，知焉未可得行之效也。将为格物穷理之学，抑必孜孜而后择之精、语之详，是知必以为功也。行于君民亲友喜怒哀乐之间，得而信、失而疑，道乃益明，是行可有知之效也。其力行也，得不以为歆，失不以为恤，志壹动气，惟无审虑却顾，而后德可据，是行不以知为功也。冥心而思，观物而辨，时未至，理未协”，情未感，力未瞻，俟之他日而行乃为功，是知不得有行之效也。行可兼知，而知不可兼行。……君子之学，未尝离行以为知也。”(《尚书引义》卷三《说命》)

王船山这种认识论上的唯心论与机械论性质，在实践领域中，便形成了他的庶民禽兽论。请看他说：“人之所以异于禽兽者，君子存之，小人去之。……小人之为禽兽，人得而诛。庶民之为禽兽，不但不可胜诛，且无能知其为恶者。不但不知其为恶，且乐得而称之，相与崇尚而不敢踰越。学者但取十姓百家之言行而勘之，其异于禽兽者，百不得一也。营之终日，生与死俱者何事。一人倡之，千百人和之，若将不及者何心。芳春昼永，燕飞莺语，见为佳丽。清秋之夕，猿啼蛩吟，见为孤清。乃有所以然者，求食，求匹偶，求安居。不则相斗已耳。不则畏死而震慑已耳。庶民之终日营营，有不如此者乎。二气五行，抟合灵妙，使我为人，而异于彼，抑不绝吾有生之情，而或同于彼乃迷其所同，而失其所以异负天地之至仁，以自负其生。此君子所以忧勤惕厉而不容已也。庶民者，流俗也。流俗者，禽兽也。明伦察物，居仁由义，四者禽兽之所不得与，壁立万仞，止

争一线，可弗惧哉？”(《俟解》)

民众(庶民)为什么是禽兽呢？王船山前面说过“缘见而生之知非真知”，“流俗之徇欲者以见闻域其所知”，而“庶民者，流俗也。流俗者，禽兽也”；在这里，我们可以知道，民众的认识，本质上是以感觉为唯一源泉的、是唯物论的，而唯理论的认识论，则是士大夫阶级的偏见。王船山哲学的阶级根源，便在于此。此外，其以“仁义廉耻礼乐之于民生衣食财用，皆一本之于心性”(见钱穆《中国近三百年学术史》一一四页)，这种儒教传统的形而上学的先验论的道德观，以及明末农民暴动所加于其家庭的扰害与其所参与的反清复明运动的失败结果等等，都和他的庶民禽兽论有相互的因果关系。同时，我们尤其应该知道，在作为清代哲学最高峰的王船山哲学中、在作为反清复明运动理论代表的王船山哲学中，所以还存在着儒教的唯心论，这当然是清初社会构成的封建性支配的必然的产物。最后，我们对于王船山在中国哲学史上的建树，要想作出合理的评价，就必须理解：最伟大的哲学者，也只能以其时代所有的总和提供于世。

第十七章　清代哲学中批判精神的顶点

第一节　颜习斋的实用主义及其唯物论要素

清代哲学中的批判精神，在颜习斋、李恕谷及戴东原的学说中，发展到了顶点。因为他们不但反对陆、王的主观的唯心论，而且也反对程、朱的理气二元论；尤其颜李学派，竟将汉学的考据与宋明的理学，根本予以否定，对于二千年来的哲学思想，作出了大胆的摧陷廓清，实为清代哲学史上所应大书特书的光荣记录。所以钱穆曾云:“以言夫近三百年学术思想之大师，习斋要为巨擘矣。岂仅于三百年！上之为宋元明，其言心性义理，习斋既一壁推倒；下之为有清一代，其言训诂考据，习斋亦一壁推倒。开二千年不能开之口，下二千年不敢下之笔，遥遥斯世，‘前不见古人，后不见来者，念天

地之悠悠，独怆然而涕下！’可以为习斋咏矣。”（《中国近三百年学术史》一七九页）

颜习斋（纪元一六三五至一七〇四年）名元，字易直，又字浑然，河北博野县北杨村人。其父昶为蠡县朱家义子，当习斋四岁时，清兵入关，而有孙成宗守高阳全家殉难的壮举；其父于此时便为生活所迫，赴关外谋生，其母亦因此改嫁。在十九岁时，清兵入京，崇祯帝殉难。其一生，除了五十一岁时到辽东寻父，五十六七岁时曾到河北南部及河南出游而外，完全在乡村生活。六十二岁时曾应肥乡漳南书院之聘，前往设教，因漳河决口，计划未得实现。当时的知名之士，除了和孙夏峰、李二曲、陆桴亭发生通信关系，并与刁蒙吉、王介祺、李孝悫交游外，大都没有来往。在其学成之后，也是率子弟躬耕，始终不曾脱离农民的生活。关于颜习斋的思想变迁，大体上是幼年学神仙，二十岁前后好陆、王之学，事后又信程、朱学说，三十岁以后才锻炼成了富于批判性的实用主义思想。关于此点，王崐绳曾说：“先生崛起无师受，确有见于后儒之高谈性命，为掺杂二氏而乱孔孟之真；确有见于先王先圣学教之成法，非静坐读书之空腐；确有见于后世之乱皆由儒术之失其传，而一复周孔之旧，无不可复斯民于三代。……毅然谓圣人必可学，而终身矻矻于困知勉行，无一言一事之自欺自恕，慨然任天下之重，而以弘济苍生为心。”（《居业堂集·颜先生年谱·序》）关于著作方面，因为他反对著述，所以只有《存学》、《存性》、《存治》、《存人》四编，都是很简短的小册子。《存学》编说孔子以前教学成法，大指在主张习行六艺，而对于静坐与读书两派痛加驳斥。《存性》编可以说是习斋哲学的根本所在，大致宗孟子之性善论，而对于宋儒变化气质之说不以为然。《存治》编发表他政治上主张，如行均田，复选举，重武事等等。《存人》编专驳佛教，说他非人道主义。这几种著作，实则不过由几篇短文和信札笔记等类凑成。戴子高《习斋传》说：“推论明制之得失所当因革者，为书曰《会典大政记》。”但此书今已失传；其《四书正误》、《朱子语类评》两书，也是门人纂集起来的读书札记；此外，尚有李恕谷撰的《习斋先生年谱》二卷，钟金若辑的《习斋先生言行录》四卷，《习斋纪余》二卷等，均收在《颜李遗书》中。

颜习斋哲学的批判精神的支柱，在于实用主义及其“习事见理”论。此二者因为在其与汉宋诸儒的对立中，形成了战斗的武器，所以同时又是其唯物论要素所依于成长的理论地盘。因此，我们便不得不由其实用主义与所谓“习事见理”的理论，开始分析。

颜习斋的实用主义思想，在《言行录》的《教及门》中，有鲜明的表现。原文云：“郝公函问：‘正谊明道二句，似即谋道不谋食之旨，先生不取，何也？’曰：‘世有耕种而不谋收获者乎？有荷网持钩而不计得鱼者乎？抑将恭而不望其不侮，宽而不计其得众乎？这不谋不计两不字，便是老无释空之根。惟吾夫子先难后获，先事后得，敬事后食，三后字无差。盖正谊便谋利，明道便计功，是欲速欲助长；全不谋利谋功，是空寂，是腐儒。’公函曰：‘请问谋道不谋食。’曰：‘宋儒从此误，后人遂不谋生。不知后儒之道，全非孔门之道。孔门六艺，进可获禄，退可以食力，如委吏之会计，简兮之伶官可见。故耕者犹有馁，学也必无饥。夫子申结不忧贫，以道信之也。若宋儒之学，不谋食，能无饥乎？’”这种正其谊以谋其利、明其道而计其功的实用主义思想，正是颜习斋哲学的第一个根本契机。

其次，所谓“习事见理”的理论，在颜习斋哲学中，也占据着非常重要的地位。他根本上认为理在事中，因而真理的把握，便不在于空口讲诵或静坐冥想，而在于由实际行动中，求得正确的认识，而更进一步推动实践的发展。所以他说：“仆妄谓性命之理。不可讲也；虽讲，人亦不能听也，虽听，人亦不能醒也；虽醒，人亦不能行也。所可得而更讲之，共听之，共醒共行之者，性命之所用，如诗书六艺而已。即诗书六艺，亦非从列生听讲，要惟一讲即教习；习至难处来问，方再与讲。讲之功有限，习之功无已。”（《遗书存学编》）又说：“心上想过，口上讲过，书上见过，都不得力；临事依旧是所习者出。”（同上）又说：“吾尝谈天道性命，若无甚扞格。一著手算九九数便差。以此知心中惺觉，口中讲说，纸上敷衍，不由身习，皆无用也。”（同上）又说：“自验无事时种种杂念皆属生平闻见言事境物，可见有生后皆因‘习’做主。”（《年谱》上卷）又说：“李植秀问格物致知。予曰：知无体，以物为体；犹之目无体，以形色为体也。故人目虽明，非视黑视白，明无由用也；人心虽灵，非玩东玩西，灵无由施也。今之言致知者，不过读书讲问思辨已耳，不知致吾知者皆不在此也。譬如欲知礼，任读几百遍礼书，讲问几十次，思辨几十层，总不算知；直须跪拜周旋亲下手一番，方知礼是如此。譬如欲知乐，任读乐谱几百遍，讲问思辨几十层，总不能知；直须搏拊击吹口歌身舞亲下手一番，方知乐是如此。是谓‘物格而后知至’。……格即‘手格猛兽’之格。……且如这冠，虽三代圣人，不知何朝之冠也，虽从闻见而知为某种之冠，亦不知皮之如何暖也，必手取而加诸首，乃知如此取暖。如这菔蔬，虽上智老圃，不知为可食之物也，虽从形色料为可食之物，亦不知味之如何辛也，必箸取而纳之口，乃知如此味辛。故曰手格其物而后知至。”（《四书正误》卷一）据此可知，在颜习斋的习事见理的理论中，实包含着先验论的认识论的否定，及经验论的认识论的强调，这其中实在包含着丰富的唯物论要素。颜习斋批判宋明理学的理论根据，便在于此。例如朱熹说：“岂有见理已明而不能处事者？”颜习斋驳他说：“见理已明而不能处事者多矣，有宋诸先生便谓还是见理不明，只教人再穷理，孔子则只教人习事，迨见理于事，则已彻上彻下矣，此孔子之学与程朱之学所由分也。”(《存学》编）这里的反对命题，显然是其习事见理理论的直接产物。又如王阳明所说“不行只是不知”，在颜习斋的习事见理的唯物论认识论的光照之下，便必然要颠倒成“不知只是不行”。

颜习斋以上述的实用主义及“习事见理”论为基础，便展开了他的批判的战斗姿态。他认为由读书著书，决不能达到真理的把握。所以他说：“以读经史订群书为穷理处事，以求道之功，则相隔千里；以读经史订群书为即穷理处事，而曰道在是焉，则相隔万里矣。……譬之学琴然，书犹琴谱也，烂熟琴谱，讲解分明，可谓学琴乎？故曰，以讲读为求道之功，相隔千里也。更有一妄人，指琴谱曰，是即琴也，辨音律，协声韵，理性情，通神明，此物此事也。谱果琴乎？故曰，以书为道，相隔万里也。……歌得其调，抚娴其指，弦求中音，徽求中节，是之谓学琴矣，未为习琴也；手随心，音随手，清浊疾徐有常功，鼓有常规，奏有常乐，是之谓习琴矣，未为能琴也。弦器可手制也，音律可耳审也，诗歌惟其所欲也，心与手忘，手与弦忘，于是乎命之曰能琴。今手不弹，心不会，但以讲读琴谱为学琴，是渡河而望江也，故曰千里也；今目不睹，耳不闻，但以谱为琴，是指蓟北而谈滇南也，故曰万里也。”（《存学》编卷二《性理书评》）又说：“《黄帝素问》、《金匮玉函》，所以明医理也，而疗疾救世，则必诊脉制药针灸摩砭为之力也。今有妄人者，止务览医书千百卷，熟读详说，以为予国手矣，视诊脉制药针灸摩砭，以为术家之粗，不足学也；书日博，识日精，一人倡之，举世效之，岐黄盈天下，而天下之人病相枕死相接也。可谓明医乎？……从事方脉药饵针灸摩砭疗疾救世，所以为医也，读书取以明此也，若读尽医书，而鄙视方脉药饵针灸摩砭，妄人也，不惟非岐黄，并非医也，尚不如习一科验一方者之为医也。”（《存学》编卷一《学辨》）又说：“圣贤之言，可以引路，今乃不走路，只效圣贤言，便当走路，每代引路之言增而愈多，卒之荡荡周道上，鲜见其人也。”（《存学》编卷三《性理书评》）

颜习斋既认定了唯有通过实际的经验才能获得真理，所有由读书冥想而生的观念，皆无补于实用，则对于汉儒训诂考证与宋儒的读书静坐，当然不能容认。请看他说："似唐虞三代之盛，亦数百年而出一大圣，……而出必为天地建平成之业，……断无圣人而空生之者。况秦汉后千余年，气数乖薄，求如仲弓、子路之辈，不可多得，何独以偏缺微弱、兄于契丹、臣于金元之宋，前之居汴也，生三四尧孔六七禹颜，后之南渡也，又生三四尧孔六七禹颜；而乃前有数十圣贤，上不见一扶危济难之功，下不见一可相可将之材，两手以二帝畀金，以汴京与豫矣；后有数十圣贤，上不见一扶危济难之功，下不见一可相可将之材，两手以少帝付海，以玉玺与元矣。多圣多贤之世，而乃如此乎？噫！"（《存学》编卷二《性理书评》）又说："吾读《甲申殉难录》，至愧无半策匡时艰，惟余一死报君恩，未尝不凄然泣下也；至览和靖祭伊川，不背其师有之，有益于世则未二语，又不觉废卷浩叹，为生民凄惶久之。"（同上）又说："书之病天下久矣！使生民被读书者之祸，读书者自受其祸而世之名为大儒者，方且要读尽天下书，方且要每篇读三万篇以为天下倡，历代君相，方且以爵禄诱天下于章句浮文之中。此局非得大圣贤人豪杰，不能破矣。"（《言行录·禁令》）又说："仆亦吞砒人也，耗竭心思气力，深受其害，以至六十余岁，终不能入尧、舜、周、孔之道。但于途次闻乡塾群读书声，便叹曰，可惜许多气力；但见人把笔作文字，便叹曰，可惜许多心思；但见场屋出入人群，便叹曰，可惜许多人才。故二十年前，但见聪明有志人，便劝之多读；近来但见才器，便戒勿多读书。”（《朱子语类评》）又说：“千余年来，率天下入故纸中，耗尽身心气力，作弱人病人无用人者，皆晦庵为之也。”（同上）又说：“率古今之文字，食天下之神智。”（《四书正误》卷四）又说：“读书愈多，愈惑，审事愈无识，办经济愈无力。”（《朱子语类评》）又说：“读书人便愚，多读更愚；但书生必自智，其愚却益深。”（《四书正误》卷二）

颜习斋以为：读书静坐，不但使人弱使人病使人愚而无用，并且根本上是佛老思想，而非儒学正宗。所以他说：“人心动物也，习其事则有所寄而不妄动，故吾儒时习力行，皆所以治心。释氏则空寂静坐，绝事离群以求治心，不惟理有所不可，势亦有所不能，故置数珠以寄念。”（《言行录》卷上《刚峰第七》）又说：“五帝、三王、周孔，皆教天下以动之圣人也，皆以动造成世道之圣人也；汉、唐袭其动之一二造其世也。晋、宋之苟安，佛之空，老之无，周、程、朱、邵之静坐，徒事口笔，总之皆不动也；即人才尽矣，世道沦矣。吾尝言：一身动则一身强，一家动则一家强，一国动则一国强，天下动则天下强；自信其考前圣而不谬，俟后圣而不惑矣。”（同上《学须篇》）又说：“敬字字面好看，却是隐坏于禅学处。古人教洒扫，即洒扫主敬；教应对进退，即应对进退主敬；教礼乐射御书数，即度数音律、审固罄控、点画乘除、莫不主敬。故曰执事敬，故曰敬其事，故曰行笃敬，皆身心一致加功，无往非敬也。若将古人成法皆舍置，专向静坐收摄、徐行缓语处言主敬，乃是以吾儒虚字面，做释氏实工夫，去道远矣。”（《存学编》卷三）又说：“朱子叹近日学者，高入佛、老，卑入管、商。愚以为时有真佛、老，必更叹朱子之讲读训解为耗神粗迹；有真管、商，必更叹朱子之静坐主敬为寂守无用。”（同上）又说：“予未南游时，尚有将就程朱附之圣门支派之意，自一南游，见人人禅子，家家虚文，直与孔门敌对，必破一分程朱，始入一分孔孟，乃定以为孔孟程朱，判然两途，不愿作道统中乡愿矣。”（《年谱》）又说：“安州陈天锡来问学，谓程朱与孔孟隔世同堂，似不可议。曰：‘请画二堂，子观之：一堂上坐孔子，剑佩觿决杂玉革带深衣，七十子侍，或习礼，或鼓琴瑟，或羽籥舞文，干戚舞武，或问仁孝，或商兵农政事，服佩亦如之，壁间置弓矢、钺戚、箫磬、算器、马策及礼衣冠之属；一堂上坐程子，峨冠博带，垂目坐如泥塑，如游、杨、朱、陆者侍，或返观静坐，或执书伊吾，或对谈静敬，或搦笔著述，壁上置书籍、字卷、翰研、梨枣。此二堂同否？’天锡默然笑。”（同上）又说：“入其斋而干戚羽籥在侧，弓矢玦拾在悬，琴瑟笙磬在御，鼓考习肄，不问而知其孔子之徒也；入其斋而诗书盈几，著解讲读盈口，阖目静坐者盈座，不问而知其汉宋佛、老交杂之学也。”（同上）

颜习斋对于程朱的理气二元论——即理性善气质恶的命题，也不能满意。请看他说：“若谓气恶，则理亦恶，若谓理善，则气亦善。盖气即理之气，理即气之理，乌得谓理纯一善而气质偏有恶哉？譬之目矣，眶疱睛，气质也，其中光明能见物者性也，将谓光明之理专视正色，眶疱睛乃视邪色乎？……惟因有邪色引动障蔽其明，然后有淫视而恶者始名焉。然其为之引动者，性之咎乎？气质之咎乎？若归咎于气质，是必无此目，然后可全目之性矣。”(《存性编》卷一）又说：“尧、舜、周公之言性也，合身言之。故曰有物有则。尧、舜性之，汤、武身之；尧、舜率性而出，身之所行皆性也；汤、武修身以复性，据性之形以治性也。孔门后惟孟子见及此。故曰：形色天性，惟圣人可以践形。形，性之形也；性，形之性也；舍形则无性也，舍性亦无形矣。”(《存人编》）颜习斋关于理与气及性与形的关系问题的见解，在哲学上的意义，就是强调了精神（理与性）与物质（气与形）的不可分性以及物质对于精神决定作用；这其中当然包含着唯物论的要素。

颜习斋既在理论与事实方面，都揭穿了汉宋诸儒的谬误，所以他的批判态度，便特别富于战斗精神。例如他说：“宋儒，今之尧、舜、周、孔也；韩愈辟佛，几至杀身，况敢议今世之尧、舜、周、孔乎？季友著书驳程、朱之说，发州决杖，况敢议及宋儒之学术品诣乎？此言一出，身命之虞，所必至也。然惧一身之祸而不言，委气数于终误，置民物于终坏，恐结舌安坐不援沟渎与强暴横逆纳人于沟渎者，其忍心害理不甚相远也！”(《上太仓陆桴亭先生书》）又说：“立言但论是非，不论异同。

是，则一二人之见，不可易也；非，则虽千万人所同，不随声也；岂惟千万人，虽百千年同迷之局，我辈亦常以先觉觉后觉，不必附和雷同也。”（《言行录·学问篇》）

颜习斋哲学中唯物论要素的丰富与其批判精神的昂扬，这一点和他的贫农阶级出身有密切关系。颜习斋的阶级性，在他的政治主张中，有明白的表现。他说：“如天不废予，将以七字富天下，垦荒，均田，兴水利；以六字强天下，人皆兵，官皆将；以九字安天下，举人才，正大经，兴礼乐。”（《年谱》）又说：“天地间田，宜天地间人共享之。若顺彼富民之心，即尽万人之产而给一人，所不厌也。王道之顺人情，固如是乎？况一人而数十百顷，或数十百人而不一顷；为父母者，使一子富而诸子贫，可乎？……况今荒废至十之二三，垦而井之，转移于流离无告之民，给牛种而耕焉，田自更有余矣。”（《存治编》）这种反对土地私有及使耕者有其田的主张，当然是农民阶级的要求。

但是，我们知道在明末清初的封建支配下，由于布尔乔亚的未形成，所以作为农民思想家的颜习斋，便不能摆脱儒教的传统。例如：他在哲学上仍然坚持着孟子的性善说，即其明证。特别是在《言行录》中，有下列两段记载："杜益斋问：'习恭即静坐乎？'曰：'非也。静坐是身心俱不动之谓，空之别名也；习恭是吾儒整修九容工夫。媿不能如尧之允，舜之温，孔子安，故习之。习恭与静坐，天渊之分也。""游马生学，教之习端坐功，正冠整衣，挺身直肱，手交当心，头必直，神必悚；如此则扶起本心之天理，天理作主，则诸妄自退听矣。"

关于颜习斋"习恭"主张与宋明理学的一致性，钱穆曾有正确的说明如下："凡此所谓'习恭习端坐'者，纵谓与静坐不同，却不能不说与宋儒所谓敬者相似，故习斋于宋儒论敬，亦谓是好字面。若真如习斋所教习恭习端坐功夫，便已是朱子主敬三法，伊川之整齐严肃，上蔡之常惺惺，和靖之其心收敛不容一物也。正冠整衣，挺身直肱，手交当心，头必直，即伊川整齐严肃法也。神必悚，即上蔡常惺惺法也，岂有神必悚而昏惰不常惺惺之理？天理作主诸妄退听，即和靖其心收敛不容一物法也，不容一物，本只是不容诸邪，故又曰主一之谓敬，一即天理矣。则习恭习端坐，又便是延平所谓默坐澄心体认天理，龟山所谓静坐中观喜怒哀乐未发前作何气象矣。夫谓默坐澄心体认天理，本只是说默坐之时，此心澄然无事，乃所谓天理，要于此时默识此体云尔，非默坐澄心外又别有天理当体认也。故宋元明儒者主敬主静，其实出于一源，敬静工夫，到底还是一色，惟字面不同耳。今习斋所谓习恭习端坐，与彼亦复何异？……习斋又言之曰，'端坐习恭，则扶起本心之天理，天理何主，则诸妄自退听。'此所谓本心之天理者又何物乎？明道尝云，天理二字，是我自家体贴出来。伊川亦云，人只有个天理，却不能存得，更做甚人？天理二字，正是宋明理学家惟一最上宗主，六百年来深思苦索，强探力辨，只求所以体贴此天理而存守之耳。习斋若主理由事见，则惟论事物习行，更不须此本心之天理；习斋若主理由功著，则惟求效用功绩，亦不须此本心之天理；若谓事物功利之外，而吾心自有天理，则此处大须体会，不得谓习恭端坐，即自扶起也。若谓本心之天理，与事物功利交济互成，实属一体，则下手工夫，将自事物功利以认识本心之天理乎。将自本心天理以完成其事物功利乎？……此为颜学仍不免折入宋学心性之一途。"（《中国近三百年学术史》一九五至一九七页）

据此可知，颜习斋虽对宋元明以来的理学，彻底排击，而在某些场合，亦不免陷于理学的唯心论的窠臼；这是颜习斋哲学的第一个矛盾。

颜习斋哲学的第二个矛盾，在于他一方面是实用主义者，而另方面又是尊古主义者。当其排击“诵读纸墨工夫”时，系以经世致用的实用主义为唯一根据：当其提倡“六府三事三物四教”时，则又系以尧、舜、周、孔为依归，其与所批判的诸儒不同之处，仅在于诸儒言《大学》、《中庸》，而颜习斋则言“伪《尚书》”、“伪《周礼》”之一点。在这个问题上，颜习斋曾说：“仆谓古来诗书，不过习行经济之谱，但得其路径，真伪可无问也，即伪亦无妨也。今与之辨书册之真伪，著述之当否，即使皆真而当，是彼为有弊之程朱，而我为无弊之程朱耳。不几揭衣而笑裸，抱薪而救火乎？”（《习斋记余·寄桐城钱生晓城》）但是，我们在这里，却不得不提出下列几个问题：颜习斋的本意，是在于尊古呢？还是在于实用呢？若在于尊古，则不考辨古书的真伪当否，怎能遽奉以为“习行之谱”呢？若在于实用，则“习行路径”，何必尽根据于古书呢？倘舍古书而一以当时的具体事物为根据，不是要更切于实用吗？现在颜习斋言经济，多混之于礼乐，言礼乐，多本之于古昔，言事物，亦以揖让升降弦歌舞佾衣冠金石为主（钱穆说），既未阐明古书的内容何以切合当时的实用，而又排斥着考辨古书的真伪，这不是显然的矛盾么？

然而，在颜习斋的哲学思想中，虽是具有着上述的矛盾或缺陷，但是，在中国哲学史上，首先由唯物论的观点来批判程朱理气二元论中的唯心论的谬误，并使清代哲学中的批判精神发展到顶点的哲学者，实以颜习斋为第一人，由这一点看来，颜习斋不但在清代哲学史上，即在整个中国哲学史上，也是不可忽视的战斗的哲学者，唯物论者。

第二节　李恕谷对颜习斋哲学的发展与修正

颜习斋在清代哲学史上，固然是独树一帜的富于创造性的哲学者，但是，如前所述，颜习斋却是一位暗然自修，足迹罕出里门的孤独的农村学者，既不肯著书，又缺乏交游，幸亏他得到了一位才气横溢、出身名门的学生李恕谷，不但将他的学说介绍于当时，而且又发展了他的唯物论的思想，修正了他的矛盾或缺陷，而完成了所谓颜李学派的基本构成。

李恕谷（纪元一六五九至一七三三年）名塨，字刚主，直隶蠡县人。其父明性学行甚高，为习斋畏友，恕谷受父命从学于习斋，并以昌明师说为己任。生平往来京都，广交名士，如像万季野、阎百诗、胡朏明、毛奇龄等都有往来。王崐绳才气不可一世，自与恕谷为友，便以五十六岁老名士，亲拜习斋之门称弟子；此外，如像程绵庄、恽皋闻等，皆因恕谷的介绍，成为颜李学派的有力人物。当时程朱派的学者方苞，也与恕谷相交游，关于哲学问题颇多论争。其著作计有《小学稽业》五卷，《大学辨业》四卷，《圣经学规纂》二卷，《论学》二卷，《周易传注》七卷，《诗经传注》八卷，《春秋传注》四卷，《论语传注》二卷，《大学中庸传注》各一卷，《传注问》四卷，《经说》六卷，《学礼录》四卷，《学乐录》二卷，《拟太平策》一卷，《田赋考辩》、《宗庙考辩》、《禘祫考辩》各一卷，《阅史郄视》五卷，《平书订》十四卷，《恕谷文集》十三卷，其门人冯辰、刘调赞共纂《恕谷先生年谱》四卷。

李恕谷的哲学立场，本质上和颜习斋相同。第一，他也是站在实用主义的观点上，反对宋儒的读书著述。所以他说："纸上之阅历多，则世事之阅历少，笔墨之精神多，则经济之精神少。宋明之亡，此物此志也。"(《恕谷先生年谱》) 又说："读阅久则喜静恶烦，而心板滞迂腐矣。……故予人以口实。曰'白面书生'，曰'书生无用'，曰'林间咳嗽病猕猴'，世人犹谓诵读可以养身心，误哉。……颜先生所谓：读书人率习如妇人女子，以识则户隙窥人，以力则不能胜一匹雏也。"(《恕谷后集·与冯枢天论读书》) 第二，李恕谷也一样未能脱离宋明理学唯心论的传统。他曾对黎长举说道："吾子留意于顾諟明命，可谓探本者，然为之有道。每日夙兴，即为所当为之事，作何事即存心于何事，接何人即存心于何人，事竣人去，反顾此心，湛然在内，一切声色货利，毫不系于怀，旋而治事接人又如之，所谓终日乾乾也。不可效宋人白日静坐以食二氏遗毒也。若欲静坐，则向晦未卧，鸡鸣未起，除省察前日所为兴除外，被衣直坐，收摄天君，片时亦可，然主敬非主静，所谓夕惕若也。总之，皆顾諟天之明命也。明命者，命吾之心也，命吾心之仁义礼智也。若驰思天地未朕兆之先，及天地氤氲生物之始，以为顾諟，则误矣。前功既熟，则耳聪目明，心思睿智，世故人情，迎刃而解，其效可以自考也。”（《恕谷先生年谱》）在我们看来，李恕谷这种见解，和颜习斋的习恭端坐同样，都是王阳明在贵阳所谓以静坐补小学收放心一段工夫之意，本质上乃是主观唯心论的见解。

但是，我们前面说过，颜习斋哲学中包含着丰富的唯物论要素，则作为颜习斋哲学发展形态的李恕谷哲学，当然不能是单纯的主观唯心论；恰巧相反，李恕谷乃是发展了颜习斋的唯物论思想，发展了颜习斋的习事见理的唯物论的命题。例如他说："理字圣经甚少。《中庸》文理与《孟子》条理同，言道秩然有条，犹玉有脉理。……理见于事，……今乃以理代道，而置之两仪人物以前，则铸铁成错矣。”（《传注问》）又说："夫事有条理曰理，即在事中，今曰理在事上，是理别为一物矣。……天事曰天理，人事曰人理，物事曰物理。……离事物何所为理乎？”（同上）又说："即以理代道字，而气外无理。……未有阴阳之外，仁义之先，而别有一物为道者；有之，是老庄之说，非周孔之道也。"（同上）又说："自宋有道学一派，列教曰存诚明理，而其流每不明不识。何者？高坐而谈性天，捉风捕影，纂章句语录，而于礼乐兵农官职地理人事沿革诸实事，概弃掷为粗迹，惟穷理是文。离事言理，又无质据，且执理自是，遂好武断。"（《恽氏族谱·序》）又说："事有条理，理即在事中，诗曰'有物有则'，离事何所为理乎？"（《论语传注问》）又据《圣经学规纂》载：或问"小学已于六艺粗知其概，但不能明其所以然，故入大学又须穷理？"李恕谷的解答是："请问穷理是阁置六艺专为穷理之事乎？抑功即在于学习六艺，年长则愈精愈熟而理自明也？譬如成衣匠学针黹，由粗及精，遂通晓成衣要诀。未闻立一法曰：学针黹之后，又阁置针黹，而专思其理若何也。"凡此一切，都使颜习斋的"习事见理"命题，更加趋于明朗化。

李恕谷不但以"理在事中"的命题，补足了颜习斋的"习事见理"说，而且又从社会发展史上证明了道理依于事物。请看他说："道者，人伦庶物而已矣。奚以明其然也？厥初生民，浑浑沌沌，既而有夫妇父子，有兄弟朋友，朋友之尽乃有君臣，诛取禽兽茹毛饮血事轨次序为礼，前呼后应鼓舞相从为乐，挽强中之为射，乘马随徒为御，归而计件锲于册为书数；因之，衣食滋，吉凶备，其伦为人所共由，其物为人所共习，犹逵衢然，故曰：道。伦物，实事也；道，虚名也。异端乃曰：'道生天地'，曰：'有物混成先天地生'，是道为天地前一物矣；天地尚未有，是物安在哉？且独成而非共由者矣，何以谓道哉？"（《恕谷后集·原道篇》）像这种理在事中、道生于事的命题，显然是唯物论的思想，而颜习斋的习事见理的理论，遂由此而更加丰富、更加具体。

此外，李恕谷对于颜习斋的学说，尚有一件很大的修正，这就是他已经由尊古而转入于考证。请看他说："今人辨《尚书》有伪之说，先生既有驳正，此事所关非小。……阎白诗书未见，姚立方所著略观之，钱生晓城书则详观之，均属谬误。今人驳《尚书》不已，因驳系辞，驳系辞不已，因驳《中庸》，不至扬矢周、孔不止。此圣道人心之大患，岂能坐视不言？塨亦欲少有辨论，俟录出请教。"（《上毛氏书》）李恕谷也自称考古几过万卷，显背师门之旨。李恕谷为什么走入考古一途呢？其原因当不外两端：第一，是颜习斋学说本身发展的必然结果；第二，是由于李恕谷想借交游之助而行其师学。兹分述如次。

我们前面说过，颜习斋讲学，特别强调尊古，而古礼古乐，年代久远，真相莫明，更不见诸习行。所以恽皋闻在其与李恕谷的信中，即自称六艺之事，不特身手未涉，即耳目亦未见。而颜习斋竟想将举世所身手不涉耳目不见的制度，强人习行，则作为习斋复古主义信徒的李恕谷，自然要走入考证学方面。

李恕谷因为想将颜习斋的学说实行于当时，所以极重交游。他说："如守习斋之道而专弢晦，覆蔽澌灭矣，何以明行于天下万世乎？故不得不通声气广交游也。有从者此道传，有排者此道亦传，此颜先生意也。"（《恕谷先生年谱》）而其当时所交游的人物，如像万季野、毛奇龄等，又都是考证学者，在谈论争辩之中，也自然不得不在考古方面寻求颜习斋学说的根据。

但是，我们必须知道，李恕谷依然是实用主义者。所以他说："董仲舒曰：'正其道不谋其利，修其理不急其功。’语具《春秋繁露》，本自可通，班史误易‘急’为‘计’，宋儒遂酷遵此一语为学术，以为‘事求可功求成’，则取必于智谋之末而非天理之正，后学迂弱无能，皆此语误之也。请问行天理以孝亲而不思得亲之欢，事上而不欲求上之获，有是理乎？事不求可，将任其不可乎？功不求成，将任其不成乎。”（《论语传注问》）

李恕谷以这种极端的实用主义立场从事于考古，自然不会不归于失败（关于此点请参照钱穆《中国近三百年学术史》二〇六至二一八页）。而颜习斋哲学中的革命精神——以习行代训诂诵说著述纸墨之功，以事物代心性义理静敬玄虚之谈的精神，却因为李恕谷走上了考据一途，而减损不少。然而，这却不是李恕谷一人的过错，而是颜李学派中实用主义与尊古主义本身的矛盾，这种矛盾的克服，则由于更彻底的唯物论者戴东原在其生的哲学的体系中，加以完成。

第三节 戴东原的生的哲学

戴东原（纪元一七二三至一七七七年）名震，休宁人。十八岁时，因家贫无以为业，乃随父客南丰，设塾于邵武，课蒙童自给。曾从婺源江永（纪元一六八一至一七六二年）习三礼及步算、钟律、声韵、地名沿革之学。学日进而家日贫，三十岁时，休宁大旱，斗米千钱，乃与面铺相约，日取面屑为食，闭户成《屈原赋注》；困穷时，尝日行二百里，足证其体质坚强。三十二岁时，因避仇走京都，行李衣服皆无有，寄居歙县会馆，饘粥或不继。与钱大昕、纪昀、王昶、朱筠、惠栋等名人，先后订交；于是海内皆知有戴先生。四十岁始获乡荐，而屡试不第；曾游冀晋江浙等地，并主讲浙东金华学院。及乾隆三十八年，以举人蒙特召充四库馆纂修官。后二年会试又不第，赐同进士出身，授翰林院庶吉士，在馆五年，因积劳而卒。其著作计有《声韵考》四卷，《声类表》九卷，《方言疏证》十卷，《原象》八篇，《迎日推策记》一篇，《勾服割圜记》三篇，《续天文略》三卷，《策算》一卷，《诗经二南补注》二卷，《毛郑诗考》四卷，《考工记图》二卷，《孟子字义疏证》三卷，《原善》三卷，《屈原赋注》七卷，《通释》二卷，《文集》十二卷等。

戴东原自述其求学经过曾云："仆自少时家贫不获

亲师，闻圣人之中有孔子者，定六经示后之人，求其一经，启而读之，茫茫然无觉。寻思之久，计于心曰，经之至者道也，所以明道者其词也，所以成词者字也，由字以通其词，由词以通其道，必有渐求所谓字，考诸篆书，得《许氏说文解字》，三年，知其节目，渐观古圣人制作本始。又疑许氏于故训未能尽，从友人假《十三经注疏》读之，则知一字之义，当贯群经，本六书，然后为定。”(《与是仲明论学书》)关于戴东原治学的方法，梁启超在其《清代学术概论》中，曾举出十种特色如下：

（一）凡立一义，必凭证据，无证据而以臆度者，在所必摈。

（二）选择证据，以古为尚，以汉唐证据难宋明，不以宋明证据难汉唐；据汉魏可以难唐，据汉可以难魏晋，据先秦西汉可以难东汉；以经证经，可以难一切传记。

（三）孤证不为定说：其无反证者姑存之，得有续证则渐信之，遇有力之反证则弃之。

（四）隐匿证据或曲解证据，皆认为不德。

（五）最喜罗列事项之同类者，为比较的研究，而求得其公则。

（六）凡采用旧说，必明引之。剿说认为大不德。

（七）所见不合，则相辩诘，虽弟子驳难本师，亦所不避，受之者从不以为忤。

（八）辩诘以本问题为范围，词旨务笃实温厚，虽不肯枉自己意见，同时仍尊重别人意见；有盛气凌铄，或支离索涉，或影射讥笑者，认为不德。

（九）喜专治一业，为窄而深的研究。

（十）文体贵朴实简洁，最忌言有枝叶（引自范寿康《中国哲学史通论》四三四页）。

戴东原这种方法，便形成了清代考证学中皖派的传统。这种方法，实为欧洲自然科学的实证主义方法论的具体运用。但是，我们知道，戴东原不仅是考证学派的大师，而且是承继着王船山及颜李学派的唯物论精神的首屈一指的伟大哲学者。如前所述，他的考证学，不仅是为了求真实，而且是为了由字通词由词通道；换句话说，他是要运用着实证主义的客观方法论，来建立新的哲学体系。单纯的资料考证，戴东原称之为“不化之学”。所以他说：“苟知问学犹饮食，则贵其化，不贵其不化。

记问之学，入而不化者也。……以之言学，尚为物而不化之学。”（《孟子字义疏证》卷上）

戴东原在清代哲学史上，其批判精神的昂扬，近似颜、李，其唯物论要素的丰富，可比船山，其哲学思想与自然科学的联系，超过顾亭林。此三者相结合，遂建立起他的生的哲学体系。

戴东原哲学的第一特色，在于他依考证学的方法来阐明哲学体系。所以他说：“君子务在闻道也。今之博雅能文章，善考核者，皆未志乎闻道。徒株守先儒而信之笃，如南北朝人所讥‘宁言周孔误，莫道郑服非’，亦未志乎闻道者也。”（《答郑大用牧书》）又说：“后之论汉儒者，辄曰，‘故训之学云尔，未与于理精而义明’。则试诘以‘求理义于古经之外乎？若犹存古经中也，则凿空者得乎？’呜呼，经之至者，道也。所以明道者，其词也。所以成词者，未有能外小学文字者也。由文字以通乎语言，由语言以通乎古圣贤之心志，譬之适堂坛之必循其阶而不可以躐等。是故凿空之弊有二：其一，缘词生训也；其一，守讹传谬也。缘词生训者，所释之义非其本义；守讹传谬者，所据之经并非其本经。……

二三好古之儒，知此学之不仅在故训，则以志乎闻道也，或庶几焉。”（《古经解钩沉序》）关于此点，章学诚也说：“凡戴君所学，深通训诂，先于名物制度而得其所以然，将以明道也。时人方贵博雅考订，见其训诂名物有合时好，以为戴之绝诣以此。及戴著《论性》、《原善》诸篇，于天人理气，实有发先人所未发，时人则谓空说义理，可以无作。是固不知戴学者矣。”（《章氏遗书·朱陆篇书后》）

当戴东原的时代，由欧洲输入的天文学，还是第谷（Tycho）以前的地球中心说。所以戴东原在他的《续天文略》中说：“天为大圆，以地为大圆之中心。”当时的天文学理论，以为地球所以不坠，是因为“大圆气固而内行，故终古不坠”。梅文鼎以为“人居地上不虑环立，推原其故，惟大气举之一言足以蔽之”。这种以大气为宇宙本体的天文学说，便是戴东原生的哲学的宇宙观的基础。所以他说：“在天地，则气化流行，生生不息，是谓道。在人物，则凡生生所有事亦如气化之不可已，是谓道。”（《孟子字义疏证》三二）又说：“道犹行也。气化流行，生生不息，是故谓之道。易曰：‘一阴一阳之谓道。'《洪范》:'五行:一曰水,二曰火,三曰木,四曰金,五曰土。'行亦道之通称。举阴阳则赅五行,阴阳各具五行也。举五行即赅阴阳,五行各有阴阳也。"(同上十六)又说:'一阴一阳,流行不已,夫是之为道而已。"(同上十七)又说:"道,言乎化之不已也。……生生者,化之原。生生而条理者,化之流。"(《原善》上,章一)又说:"一阴一阳,盖言天地之化不已也,道也。一阴一阳,其生生乎?其生生而条理乎?以是见天地之顺,故曰一阴一阳之谓道。"(同书上,三)又说:"易曰,'天地之大德曰生'。气化之于品物,可以一言尽也,生生之谓欤?"(同书上,四)

这样,戴东原既据其天文学的知识,断定了宇宙的本体,为阴阳五行之生化流行,则对于宋儒的理气二元论的宇宙观,当然不能同意。例如朱熹对于《易经系辞》所谓"形而上者谓之道,形而下者谓之器"二语,曾解释说:"阴阳,气也,形而下者也;所以一阴一阳者也,理也;形而上者,道即理之谓也。"戴东原则反驳朱熹说:"气化之于品物,则形而上下之分也。形乃品物之谓,非气化之谓。……古人言辞,'之谓''谓之'有异。

凡曰'之谓'，以上所称解下。……易'一阴一阳之谓道'，……若曰：道也者，一阴一阳之谓也。凡曰'谓之'，以下称之名辨上之实。……易'形而上者谓之道，形而下者谓之器'，本非为道器言之，以道器区别其'形而上''形而下'耳。形谓已成形质；'形而上'犹曰'形以前'，'形而下'犹曰'形以后'（如言千载而上，千载而下）。阴阳之未成形质，是谓形而上者也，非形而下明矣。器，言乎一成而不变；道，言乎体物而不可遗。不徒阴阳非形而下；如五行水火木金土，有质可见，固形而下也，器也。其五行之气，人物咸禀受于此，则形而上者也。……六经孔孟之书，不闻理气之辨，而后儒创言之，遂以阴阳属形而下，实失道之名义也。"（《孟子字义疏证》一七）这种以形而上与形而下都是由气所构成的宇宙观，显然是一元论的唯物论。戴东原由这种观点批判宋儒的二元论，本质上就是和陆象山、王阳明的反对朱熹的立场，正相反对；这就是说，前者是由唯物论的观点来批判朱熹的唯心论，而后者则是唯心论的观点来反对朱熹的唯物论要素。

上述戴东原的生的哲学，有三个特征：（一）宇宙本体就是气化的流行；（二）气化是生生不息的范畴；（三）气化的流行或生生不息是依着本身的法则（条理）而运动并发展。戴东原哲学的科学性及其唯物论的本质，便在于此。

戴东原认为所谓理乃是气化流行的必然法则，而并非于气化流行之外，别有所谓理。请看他说："阴阳流行其自然也，精言之期于无憾，所谓理也。理非他，盖其必然也。阴阳之期于无憾也，犹人之期于无失也。……期于无憾无失之为必然，乃要其后，非原其先，乃就一物而语其不可讥议，奈何以虚语夫不可讥议指为一物与气浑沦而成主宰枢纽其中也。"又说："就天地人物事为求其不易之则是为理。……就天地人物事为求其不易之则，以归于必然，理至明显也。谓理气浑沦不害二物之各为一物，将使学者皓首茫然求其物不得。"又说："举生生即该条理，举条理即该生生，……知条理之说者，其知理之谓矣。"（以上见"绪言"，引自钱穆《中国近三百年学术史》三四〇至三四一页）

戴东原既以理为气化流行的法则，又指出宋儒将理与气分为两截及其理坏于气的见解，乃是由佛老的唯心论所作的修正理论。请看他说：“在老庄、释氏，就一身份言之，有形体，有神识，而以神识为本。推而上之，以神为有天地之本，遂求诸无形无迹者为实有，而视有形有迹为幻。在宋儒，以形气神识同为己之私，而理得于天。推而上之，于理气截之分明，以理当其无形无迹之实有，而视有形有迹为幻。益就彼之言而转之，因视气曰空气，视心曰性之郛郭。是彼别形神为二本，而宅于空气、宅于郛郭者，为天地之神与人之神。此别理气为二本，而宅于空气宅于郛郭者为天地之理与人之理。……其以理为气之主宰，如彼以神为气之主宰也。以理能生气，如彼以神能生气也。以理坏于形气，无人欲之蔽，则复其初，如彼以神受气而生，不以物欲累之，则复其初也。皆改其所指神识者以指理，徒援彼例此，而实非得之于此。”（《孟子字义疏证》十九）这样看来，戴东原既认定了理是宇宙本身运动的法则，所以我们要把握真理，就必须就事物的本质而加以分析。他说：“事物之理，必就事物剖析至微，而后理得。”（《孟子字义疏证》四一）又说：“总须体会孟子‘条理’二字，务要得其条理，由合而分，由分而合，则无不可为。”（《年谱》页四五）又说："古人曰理解者，即寻其腠理而析之也。"（同上三四）又说："天地人物事为，不闻无可言之理者也。诗曰'有物有则'，是也。……实体实事罔非自然而归于必然，天地人物为之理得矣。夫天地之大，人物之蕃，事为之委曲条分，苟得其理矣，如直者之中悬，平者之中水，圆者之中规，方者之中矩。然后推诸天下万世而准。……《中庸》称'考诸三王而不谬，建诸天地而不悖，质诸鬼神而无疑，百世以俟圣人而不惑'。夫如是，是为得理，是为心之所同然。……举凡天地人物事为，求其必然不可易，理至明显也。"（同上三十）

所谓理既是事物本身的法则，则所谓认识，自然也就是客观法则的把握，而不能是主观的偏见。戴东原在这个问题上，依然是唯物论的认识论者。所以他说："思者，心之官能也。凡血气之属皆有精爽；其心之精爽，巨细不同。如火光之照物，光小者其照也近。所照者，不谬也。所不照，斯疑谬承之。不谬之谓得理。其光大者，其照也远，得理多而失理少。且不特远近也，光之及又有明暗，故于物有察有不察。察者，尽其实。不察，斯疑谬承之。疑谬之谓失理。失理者，限于质之昧，所谓愚也。惟学可以增益其不足而进于智。——故理义非他，所照所察者之不谬也。……理义岂别若一物，求之所照所察之外？而人之精爽能进于神明，岂求诸气禀之外哉。”（《孟子字义疏证》六）又说：“理义非他，可否之而当，是谓理义。然又非心出一意以可否之也。若心出一意以可否之，何异强制之乎？是故就事物言，非事物之外别有理义也。有物必有则，以其则正其物，如是而已矣。就人心言，非别有理以予之，而具于心也。心之神明，于事物咸足以知其不易之则，譬有光皆能照，而中理者乃其光盛，其照不谬也。”（同上八）这显然是说，心不是理，乃是一种思维判断的器官；理不在于心，而在于事物。人类的认识能力，可以认识到客观的真理；观念或概念合致于客观事物运动法则，就是正确，不合致于客观事物法则，就是谬误。这种见解，正是唯物论的认识论中模写论的素朴表现。

戴东原根据这种认识论，在伦理学中，又强调了感觉论的道德起源论。这就是说，人类的求生存的物质欲望，不但不妨碍社会道德的发表，而且是道德产生的基础。他说：“天下必无舍生养之道而得存者。凡事为皆有于欲。无欲则无为矣。有欲而后有为。有为而归于至当不可易之谓理。无欲无为，又焉有理？”（《孟子字义疏证》四三）又说：“人之生也，莫病于无以遂其生。欲遂其生，亦遂人之生，仁也，欲遂其生，至于戕人之生而不顾者，不仁也；不仁实始于欲遂其生之心，使其无此欲，必无不仁矣。然使其无此欲，则于天下之人，生道穷促，亦将漠然视之，己不必遂其生而遂人之生，无是情也。”（同上十）又说：“所谓恻隐所谓仁者，非心知之外别如有物焉藏于心也。己知怀生而畏死，故怵惕于孺子之危，恻隐于孺子之死。使无怀生畏死之心，又焉有怵惕恻隐之心？推之羞恶，辞让，是非，亦然。使饮食男女与夫感于物而动者，脱然无之，以归于静，归于一，又焉有羞恶，有辞让，有是非？此可以明仁义礼智非他，不过怀生畏死，饮食男女，与夫感于物而动者之皆不可脱然无之，以归于静，归于一，而待人之心知异于禽兽，能不惑乎所行，即为懿德耳。古圣贤所谓仁义礼智，不求于所谓欲之外，不离乎血气心知。”（同上二一）

戴东原这种见解，当然与宋儒所谓“去人欲而存天理”的唯心论命题，根本不相容。例如朱熹曾说：“人欲云者，正天理之反耳。”（《答何叔京》）而戴东原则说：“理者，存乎欲者也。”（《孟子字义疏证》十）并且更进一步指出了所谓“去人欲而存天理”，本质上乃是老庄与佛教的思想，并非儒教的本旨。他说：“老氏所以言常使民无知无欲。……后之释氏，其论说似异而实同。宋儒出入于老释，故杂乎老释之言以为言。”（同上十）又说：“举凡饥寒愁怨，饮食男女，常情隐曲之感，则名之曰人欲；故终其身见欲之难制。其所谓存理，空有理之名，究不过绝情欲之感耳。何以能绝？曰，主一无适。此即老氏之抱一无欲。故周子以‘一’为学圣之要，且明之曰，‘一者，无欲也’。”（同上四三）又说：“老庄、释氏主于无欲无为，故不言理。圣人务在有欲有为之咸得理。是故君子亦无私而已矣，不贵无欲。”（同上）在戴东原看来，宋儒这种去欲存理的学说，在实践上乃是统治阶级残杀被压迫大众的工具。所以他说：“苟舍情求理，其所谓理无非意见也，未有任其意见而不祸斯民者。”（同上五）又说：“理欲之辨，……谓不出于理则出于欲，不出于欲则出于理。其言理也，如有物焉，得于天而具于心，于是未有不以意见为理之君子。……不寤意见多偏之不可以理名，而持之必坚，意见所非，则谓其人而绝于理。此理欲之辨，适成忍而残杀之具，为祸又如是也。”（同上四三）又说：“宋儒程子、朱子，易老庄、释氏之所私者而贵理，易彼之外形骸者而咎气质，其所谓理，依然如有物焉宅于心。于是辨乎理欲之分，谓不出于理则出于欲，不出于欲则出于理，虽视人之饥寒号呼男女哀怨以至垂死冀生，无非人欲，空指一绝情欲之感者为天理之本然，存之于心。及其应事，幸而偶中，非曲体事情，求如此以安之也；不幸而事情未明，执其意见，方自信天理非人欲。而小之一人受其祸，大之天下国家受其祸，徒以不出于欲，遂莫之或寤也。凡以为理宅于心，不出于欲则出于理者，未有不以意见为理而祸天下者也。”（同上四十）又说：“圣人治天下，体民之情，遂民之欲而王道备。人知老庄释氏异于圣人，闻其无欲之说，犹未之信也，于宋儒则信以为同于圣人。理欲之分，人人能言之。故今之治人者，视古贤圣体民之情遂民之欲，多出于鄙细隐曲，不措诸意，不足为怪。

而及其责以理也，不难举旷世之高节，著于义而罪之。尊者以理责卑，长者以理责幼，贵者以理责贱，虽失谓之顺；卑者幼者贱者以理争之，虽得谓之逆。于是下之人不能以天下之同情天下所同欲达之于上。上以理责其下，而在下之罪人不胜指数。人死于法，犹有怜之者，死于理，其谁怜之？呜呼！杂乎老释之言以为言，其祸甚于申、韩如是也。”（同上十）

我们知道，宋儒的去人欲存天理的思想，乃是以其理气二元论为根据的，他们认为性有两种，一是理性，一是气质之性，理性本善，气质之性不免为恶。戴东原却认为所谓性就是气质之性，除此之外，并无所谓理性。所以他说：“记曰：‘夫民有血气心知之性，而无哀乐喜怒之常。应感起物而动，然后心术形焉。’凡有血气心知，于是乎有欲。性之征于欲，声色臭味而爱畏分。既有欲矣，于是乎有情。性之征于情，喜怒哀乐而惨舒分。既有欲有情矣，于是乎有巧与智。性之征于巧智，美恶是非而好恶分。生养之道，存乎欲者也，感通之道，存乎情者也。二者自然之符，天下之事举矣。尽美恶之极致，存乎巧者也；宰御之权，由斯而出。尽是非之极致，存乎智者也；贤圣之德，由斯而备。二者亦自然之符，精之以底于必然，天下之能举矣。”（《原善》上五）又说：“耳目百体之所欲，血气资之以养，所谓性之欲也。……由性之欲由语于无失，是谓性之德。性之欲，其自然之符也。性之德，其归于必然也。归于必然，适全其自然。此之谓自然之极致。”（同上六）又说：“喜怒哀乐，爱隐感念，愠懆怨愤，恐悸虑叹，饮食男女，郁悠戚咨，惨舒好恶之情，胥成性则然，是故谓之道。”（同上中一）这种思想，当然又是宋儒所谓理性坏于气质的反对命题。

宋儒因为主张气质性恶，于是，虽然提出了格物致知的方法，而实际上则陷于静坐存理的唯心论的认识论。戴东原则根据其唯物论的认识论加以反驳。他说：“彼荀子见学之不可以已，非本无，何待于学？而程子、朱子亦见学之不可以已，其本有者，何以又待于学？故谓为气质所污坏，以便于言本有者之转而如本无也！于是性之名移而加之理，而气化生人生物适以病性。性譬水之清，因地而污浊。不过从老庄、释氏所谓‘真宰’‘真空’者之受形以后昏昧于欲，而改变其说。特彼以真宰真空为我，形体为非我；此仍以气质为我，难言性为非我，则惟归之天与我，而后可谓之我有；亦惟归之天与我，而后可谓完全自足之物，断之为善；惟使之截然别于我，而后虽天与我完全自足，可以咎我之坏之，而待学以复之。以水之清喻性，以受污而浊喻性堕于形气中污坏，以澄之而清喻学：水静则能清，老庄、释氏之主于无欲，主于静寂是也。因改变其说为主敬，为存理，依然释氏教人认本来面目，教人常惺惺之法。若夫古贤圣之由博学、审问、慎思、明辨、笃行以扩而充之者，岂徒澄清已哉。"（《孟子字义疏证》二七）朱熹对于《论语》的"一以贯之"，曾加以唯心论的解释。他说："圣人之心，浑然一理，而泛用曲当，用各不同。曾子于用其处，盖已随事精察而力行之，但未知其体之一耳。"戴东原则反驳道："一以贯之，非言以'一'贯之也。……闻见不可不广，而务在能明于心。一事豁然使无余蕴，更一事而亦如是；久之心知之明进于圣智，虽未学之事，岂足以穷其智哉？……致其心之明，自能权度事情，无几微差失。又焉用知'一'求'一'哉？"（同上四一）在这里，我们又看见了戴东原的唯物论的认识论与其感觉论的伦理学的联系。

总上所述，可知戴东原的宇宙观，认识论及其伦理学，无一不是宋明理学的反对命题。所以他说："宋以前，孔、孟是孔、孟，老、释是老、释；谈老、释者高妙其言，不依附孔、孟。宋以来，孔孟之书尽失其解，儒者杂袭老、释之言以解之。于是，有读儒书而流入老、释者，有好老、释而溺其中，既而触于儒书，乐其道之得助，因凭借儒书以谈老、释者。对同己则共证心宗，对异己则寄托其说于六经、孔、孟；曰：吾所得者，圣人之微言奥，而交错旁午，屡变益工，浑然无罅漏。"（《答彭进士书》）其在《孟子字义疏证》的"序文"中，也以孟子辟杨、墨自任，而强调批判宋明理学的必要与意义。

戴东原所以能在批判的战斗中，导出其新的哲学体系，除了一般的原因（如本书第十六章第一节中所述）而外，尚应考虑到下述的事实：第一，戴东原生当清代盛世，如雍正、乾隆二朝利用宋儒的理学，大兴文字之狱，屠杀正人；并以为钳制民众的工具；第二，戴东原出身贫困，"少为稗贩，涉历南朔，闾里奸邪，米盐琐细尽知之"（章炳麟语），因而深知被压迫阶级痛苦。此二者正可决定戴东原哲学的变革性。例如他说:“诗曰:‘民之罔极,职凉善背;为民不利,如云不克。民之为遹,职竞用力;民之未戾,职盗为寇。’在位者多凉德而善欺背,以为民害,则民亦相欺而罔极矣。在位者行暴虐而竞强用力,则民巧为避而回遹矣。在位者肆其贪,不异寇取,则愁苦而动摇不定矣。凡此,非民性然也,职由于贪暴以贼其民所致。乱之本鲜不成于上,然后民受转移于下,莫之或觉也。乃曰‘民之所为不善’,用是而仇民,亦大惑矣。”(《原善》下十五)戴东原由其变革的哲学所到达的政治主张的变革性,在这里又非常明白的表现了出来。

正因为戴东原哲学,具有着变革的意义,所以他的哲学在当时便受到了许多程、朱学者或一般御用学者的反对。在戴东原死去不久,朱筠便和洪榜发生了论争。当时朱筠的意思是说:程、朱大贤,立身制行卓绝,不当攻击;经生贵有家法,汉学自汉,宋学自宋;今既详度数,精训故,不当复涉及性命之旨,反述所短,以掩所长。结果连戴东原的儿子戴中立也赞成朱筠的意见。又如程晋芳在其《正学论》中,也反对戴东原。他说:

“近代一二儒家（指戴氏），又以为程朱之学，禅学也。人之为人，情而已矣。圣人之教人也，顺乎情而已。宋儒尊性而卑情，即二氏之术；其理愈高，其论愈严，而其不近人情愈甚；虽日攻二氏，而实则身陷其中而不觉。嗟乎，为斯说者，徒以便己之私，而不知其大祸仁义又在释老上矣！夫所谓‘情’者，何也？使喜怒哀乐发皆中节，则依然情之本乎性者也。如吾情有不得已者，顺之，勿抑之，则嗜欲横决非始于情之不得已乎？匡、张、孔、马返于时势而诡随，马融、蔡邕迫于威力而丧节，亦可以不得已谅之乎。”（《勉行堂文集》卷一《正学论》三）章学诚在其《朱陆篇》中也说：“今人有薄朱氏之学者，即朱氏之数传而后起者也。其与朱氏为难，学百倍于陆、王之末流，思更深于朱门之从学；充其所极，朱子不免先贤之畏后生矣。”在封建专制的意德沃罗基——理学的支配之下，戴东原的唯物论，便被湮没下来。所以一般人只知道戴东原是考证学派的大师，而不知道他是唯物论的哲学者。

但是，我们必须知道，戴东原并不是彻底的唯物论者（在清初时代我们决不能要求彻底的唯物论者出现）。相反的，他根本上尚未能完全超出儒教唯心论的传说，在许多场合，依然是唯心论者。例如他说：“自人道溯之天道，自人之德性溯之天德，则气化流行，生生不息，仁也；由其生生有自然之条理，观于条理之秩然有序，可以知礼矣；观于条理之截然不可乱，可以义矣。在天为气化之生生，在人为其生生之心，是乃仁为德也。在天为气化推行之条理，在人为其心知之通乎条理而不紊，是乃智之为德也。惟条理是以生生，条理苟，则生生之道绝。”（《孟子字义疏证》三六）此外，在《原善》卷上第一及第四中，亦有同样的见解。这样把仁义礼智，都看成起原于天道气化的绝对范畴，不正是形而上学的唯心论的道德观么？又如他说：“至孟子时，异说纷起，……害道之言，皆由外理义而生。……而不知心之于理义，亦犹耳目鼻口之于声色臭味也。……举理之好归之心，皆内也，非外也。……孟子明人心之通于理义，与耳目鼻口之通于声色臭味，咸根诸性，非由后起。”（《孟子字义疏证》七）这样同意于孟子的性善说及其先验的道德良知论，也显然是唯心论的表现。最后，戴东原的认识论，也完全陷于绝对的客观主义，而不理解真理的客观性与认识的党派性的辩证法。所以他说:“人之不尽其才，患二：曰私曰蔽。私也者，生于其心为溺，发于政为党，成于行为慝，见于事为悖，其究为私己。蔽也者，其生于心也为惑，发于政为偏，成于行为谬，见于事为凿为愚，其究为蔽之己。……去私莫如强恕，解蔽莫如学。”(《原善》卷下一）又说:“无党矣而无偏，则于天下之事至明以辨之也。”（同上卷下十二）这种以党派性为把握真理的障碍的妥协主义的认识论，与戴东原时代满清统治的隆盛及反清复明运动的低落，实有不可分离的关联。

总而言之，戴东原本质上乃是儒学者，其特异之点，即在于他能运用自然科学的客观实证主义方法论并承继颜、李及王船山的批判精神，于其反宋明理学的斗争中，使其生的哲学体系的唯物论要素，更加丰富而昂扬。如果“猫头入夜才飞翔”，确是真理，则戴东原哲学，正可视为欧洲自然科学输入及反清复明运动的直接成果的最高的综合。

第十八章　帝国主义侵略下的经学没落过程

第一节　考证学、纯汉学的变质、没落及其社会—政治的基础

作为宋明理学反对命题的考证学或纯汉学，由顾亭林开其端，至戴东原而集其大成，到了乾隆嘉庆时代而达于鼎盛。但是，我们必须知道，在由顾亭林到戴东原的初期阶段，尚包含着经世致用及批判的战斗精神，这就是说，其中有丰富的唯物论思想；而乾嘉时代的后期阶段，则完全成了古书字句的钻研与考订，即堕落到回避现实的烦琐哲学。如果说前者是反清复明的思想武器，则后者便是国亡不复以后的变节的遗民御用化的驯服哲学。

在乾嘉时代，由于反清复明运动的分化，由于满清统治的巩固，所谓晚明遗老的考证学或纯汉学，便失去了它的变革精神，而转化成“为学问而学问”的无思想内容的纯粹字句考证，往往因一字一句的解释，而长及万言。因此，内容尽管贫乏，而形式上则表现为异常的庞大肿胀。例如《四库全书》的编纂，自乾隆三十八年起，至四十七年始告成功，著录书三千四百五十七部，七万九千零七十卷，存目书六千七百六十六部，九万三千五百五十六卷；网罗学者三百余人。又如阮氏的《皇清经解》，王氏的《皇清经解续编》，共包括作者一百五十七家，书籍三百八十九种，二千七百二十七卷。像这样的大量著作，实为空前。关于此时代考证学或纯汉学的思想内容，方东树（纪元一八三七至一八五一年）曾说：“近世为汉学者，其蔽益甚，其识益陋，其所挟惟取汉儒破碎穿凿谬说，扬其波而汩其流，抵掌攘袂，明目张胆，惟以诋宋儒攻朱子为急务，要之，不知学之有统，道之有归，聊相与逞志快意以鹜名而已。”（《汉学商兑重序》）又说：“学惧之，故为反复究论，以为汉学之人有六蔽焉：其一，力破理字，首以穷理为厉禁，此最悖道害教。其二，考之不实，谓朱、程空言穷理，启后学空疏之陋。不知朱子教人，固未尝废注疏，而如周、程诸子所发明圣意经旨，迥非汉儒所及；固不得以是傲之也。至于俗士荒经，古今通弊，不得概以蔽罪程、宋，如世治狱并案办理也。其三，则由于忌程朱理学之名，及宋史道学之传。其四，则畏程、朱检身，动绳以理法，不若汉儒不修小节，不矜细行，得以宽便其私。故曰宋儒以理杀人如商、韩之用法，骎乎舍法而论理，死矣，更无可救矣。所谓不欲明镜之见疵也。其五，则奈何不下腹中数卷书，及其所慧小辨，不知是为驳杂细碎，迂晦不安，乃大儒所弃余而不屑有之者也。其六，则见世之科举俗士空疏者众，贪于难能可贵之名，欲以加少为多，临深为高也。”（同上卷下）方东树由于他的理学者的立场，所论固不尽然，而戴东原以后考证学派或纯汉学派哲学思想的贫乏，则是事实。

在这种科学风的支配之下，哲学的研究，尤其宋儒的哲学，自然要陷于无人过问的地步。所以，方东树又说：“自于和入相后，朝士习为奔竞，黠者诟詈正人，以文己过，迂者株守考订，訾议宋儒濂洛关闽之书无读者。余尝购求薛文清《读书记》及胡居仁《居业录》，坊贾云‘近二十余年，坊中久已不存此种书，恐无市者，徒伤资本耳’。闻之慨然。”（《啸亭杂录》卷八）

在乾嘉时代，考证学或纯汉学，为什么会由反清复明的战斗武器堕落成满清御用的思想呢？为什么会由变革的唯物论变质为无生命的烦琐哲学呢？这种回避现实的学派，为什么会得到满清的豢养呢？为要解答这个问题，须从下列三方面来说明：

第一，反清复明运动的分化。在乾嘉时代，农民大众的反清运动，依然继续不断。在乾隆三十九年（一七七四年），山东兖州贫民数千人，在王伦的领导之下，起义反清，攻陷寿张、堂邑、阳谷等县，并围攻临清。乾隆四十六年，甘肃回民在马明心的领导之下起义，围攻兰州，至四十八年又在通渭的石峰堡起义。五十一年，台湾的林爽文领导黎民起义于凤山，攻陷彰化、诸罗、淡水等县，与满清激战。六十年，湘黔边区的苗民，因反对强占土地发生暴动，陷乾州，攻保靖、秀山、松桃、铜仁等地，前后与清廷政府军队抗战十余年。五十八年，在华北五省发生白莲教暴动（按白莲教为元末汉族志士借佛教反元的秘密结社，明代贫民参加者达二三百万。及满清统治中国，便在“兴汉灭满”的口号下，进行反清斗争，从者日众。乾隆末年，河南白莲教首刘之协奉一朱姓儿童，称明后裔，密谋起事。乾隆五十八年被发觉，清廷大事捕杀；并下令穷索刘之协，株连数千人，荆州襄阳首先起义），未及数月，蔓延于湖北、四川、陕西、河南等省，到处没收官僚地主的财产，战争支持将近十年，始告平息。在嘉庆八年及十二年，又有蔡牵率领的失业失地的贫民，即所谓海寇在闽粤浙等地的暴动，至十四年才被清兵消灭。在十八年，又有李文成、林清的天理教的起义，蔓延鲁冀豫等各省。最后，南方流行的天地会（又名三合会或三点会），在所谓讨灭仇敌、恢复明朝的号召之下，进行大规模的反清斗争，其活动范围，由福建而普及到整个的珠江流域及长江流域。所有这些贫民领导的反清复明运动，客观上形成了反封建的民主革命的原始形态。这种革命运动的高涨，自然要引起地主官僚的反对；而明末遗老，却正是这种阶层。这样，初期阶段上作为反清复明运动思想斗争武器的考证学或纯汉学，便随着遗老对于反清复明运动的背叛，而转化成回避现实的烦琐哲学的御用化的学问。

第二，雍正乾隆两朝的文化毁灭主义（Vandalism），压碎了遗老在反清复明运动上的战斗力。雍正朝在文化上的最大特色，就是盛行文字之狱。例如：汪景祺因《征西随笔》枭斩；查嗣廷因所作日记有悖乱语，下狱，死后并戮尸枭示；吕留良因其弟子曾静上书岳钟琪力言夷夏之防，剖棺戮尸，并杀其二子，毁禁生平著作；钱名世因作诗颂年羹尧功德，革职，御书"名教罪人"四字匾额，张挂居宅，并命在京现任官由举人进士出身者，各为诗文刺恶；徐骏因赋诗被狱斩；谢梅庄因注释《大学》，毁谤程、朱，仅免于死；陆生枬因论《通鉴》，正法。在乾隆朝，除了继续文字狱（例如二十年湖南学政胡中藻坐诗狱斩，四十二年新昌举人王锡侯因删改《康熙字典》论斩，四十三年徐述夔坐诗狱戮尸，四十六年尹嘉铨因为其文会一请谥且乞从祀孔庙、坐著书狂妄悖谬罪处绞等是）而外，却又发布禁书令，自乾隆三十九年至四十七年，继续毁书二十四次，烧去的书籍，达一万三千八百六十二部。像这样文网密布残酷屠杀，对于富有妥协性的士大夫阶级，自然是有效的政策。所以当时的儒教徒，便相率走入考据一途，专门注释古典，绝不敢谈及思想问题。梁启超说：“记得某家笔记说：‘内廷唱戏，无论何种剧本都会触犯忌讳，只得专搬演些“封神”、“西游”之类，和现在社会情状丝毫无关，不至闹乱子。’雍乾学者专务注释古典，也许是被这种环境所构成。”（《中国近三百年学术史》二一页）

第三，主要的是乾嘉时代，满清的统治已经巩固，对于失掉变革意义的考证学派有利用的必要与可能。乾隆五十八年（一七九三年），英皇乔治三世派遣使节马戛尔尼（Lord Macartney）来中国请求通商优待，乾隆的答复是说：“昨据尔使臣以尔国贸易之事禀请，大臣等辅奏，皆更张定制，不便准行。向来西洋各国及尔国夷商，赴天朝贸易，悉于澳门互市；历久相沿，已非一日。天朝物产丰盈，无所不有，原不借外洋货物，以通有无；特因天朝所产茶叶、瓷器、丝片，为西洋各国及尔国所必需之物，是以加恩体恤，在澳门开设洋行，俾日日有资，并沾余润。……若经此次详谕后，尔国王或误听尔下人之言，任从事将商货船驶至浙江、天津地方，欲求上岸交易，天朝法律森严，各处守土文武，恪守功令，尔国船只到彼，该处文武必不肯令其停留，定当立时驱逐出洋，未免尔国夷商徒劳往返，勿谓言之不预也。其领遵毋忽，特此再谕。”（引自佐野袈裟美《中国历史教程》中译本二九四至二九五页）我们从乾隆这段话中，充分可以看出闭关自守时代封建王朝的自大心理。这时代，农民大众的反清复明运动，虽然还继续发展，但却未能根本上动摇满清的统治，而清廷为要争取与汉族地主官僚阶级的联立政权的巩固化，自然有利用传统的考证学的必要；而当时外国资本主义势力又未能深入中国，自然也有其提倡文化粉饰太平的可能。

此三者相结合，遂形成了乾嘉诸老的御用化的考证学或纯汉学。所以我们在清代哲学史上，最初反宋明理学的哲学者，多是气节之士，而乾嘉时代的考证学者，则是达官显宦。考证学派或纯汉学派的变质过程，实由于此。

但是，这种为学问而学问的烦琐哲学的字句考证之学，只能盛行于闭关自守的黄金时代，却不能存在于外国资本主义压迫之下的封建王朝。自从道光二十年（一八四〇年）的鸦片战争起，而英法联军（一八五七年）而太平天国运动等等的内忧外患，接踵而来；于是，便在统治阶级内部，产生了以富国强兵为目的的国权观念。这种观念的政治形态，便是所谓“同治中兴”时代以降的新政运动，或所谓洋务运动中的实用主义的政治路线。这时代以李鸿章为代表的新政建设，有如下表：

同治二年（一八六三年）一月	在上海设立外国语言文字学馆
同治四年（一八六五年）八月	在上海设立江南机器局
同治九年（一八七〇年）十月	在天津设立机器局
同治十年（一八七一年）四月	倡议在大沽筑新式炮台
同治十一年（一八七二年）五月	开采煤矿铁矿
同治十一年（一八七二年）十一月	招商局成立
光绪元年（一八七五年）十一月	举办铁甲兵船
光绪元年（一八七五年）十二月	申请在各省分设西学局，派通晓测算舆图、火轮、机器、兵法、炮法、化学、电学各科，通晓时务大员主办
光绪六年（一八八〇年）二月	购买铁甲兵船
光绪六年（一八八〇年）七月	在天津设立水师学堂
光绪六年（一八八〇年）八月	在南北设立电报局
光绪六年（一八八〇年）十二月	奏请建筑铁路
光绪七年（一八八一年）四月	设立开平矿务局
光绪七年（一八八一年）六月	国营商船初航英国通商
光绪七年（一八八一年）十一月	招商局接办各省电报
光绪八年（一八八二年）二月	在旅顺筑码头
光绪八年（一八八二年）四月	在上海设立织布局
光绪十一年（一八八五年）五月	在天津设立武备学堂
光绪十三年（一八八七年）十二月	开漠河金矿
光绪十四年（一八八八年）	北洋海军成立

（上表引自何干之：《中国启蒙运动史》四五至四七页）

但是，我们知道，上述这种以“中学为体、西学为用”为手段而达到巩固满清统治的目的的新政运动，其哲学的基础，实为宋儒的理气二元论。这种以主敬进德而尊王，以格物致知而吸收自然科学，发达官营军需工业的宋儒思想的实用主义化，在中国的咸同中兴时代、与日本的幕末至明治初叶，本质上是相同的运动。关于日本幕末以降朱子学者所领导的移植西洋文化运动，因不属于本书范围，恕不具论（此点请参照户弘柯三著《近代日本哲学史》二九至六九页）。我们在这里所要说明的，就是此时代的新政运动，也表现为宋儒理气二元论的复活，这种在考证学或纯汉学的废墟上建筑起来的理学复兴运动，其代表者，就是屠杀太平天国革命农民大众的清代中兴名将曾国藩。宋儒哲学中唯物论要素的变革性与其唯心论要素的反动性，在曾国藩一面主张吸收西洋文化、一面削平太平天国革命的矛盾实践中，都充分的表现出来。所以我们对于曾国藩的哲学思想，应该加以比较详细的叙述。

曾国藩（纪元一八一一至一八七二年）字伯涵，号涤生，湖南湘乡人，道光戊戌进士，改翰林院庶吉士，散馆授检讨，七迁为礼部侍郎，曾和太平军搏斗十三年，卒平大难，称咸同中兴元勋。其哲学思想，受桐城派姚姬传影响最深。湖湘之间的程朱学者，如像唐鉴、孙鼎臣等，对于曾国藩的哲学思想的形成，亦颇有助力。这些人物都是反考证学派的理学者；尤其孙鼎臣，在其刍论中，竟以太平天国的农民战争，归罪于乾嘉时代的考证学派或纯汉学派。

曾国藩是考证学派的反对论者。所以他说："嘉、道之际，学者承乾隆季年之流风，袭为一种破碎之学，辨物析名，梳文栉字，刺经典一二字，解说或至数千万言，繁称杂引，游衍而不得所归。张己伐物，专诋古人之隙。或取孔孟书中心性仁义之文，一切变更故训，而别创一义，群流和附，坚不可易。有宋诸儒周、程、张、朱之书，为世大诟。间有涉于其说者，则举世相与笑讥唾辱，以为彼博闻之不能，亦逃之性理空虚之域，以自盖其鄙陋不肖者而已矣。"（《文集》一《朱慎甫遗书·序》）又说："自乾隆中叶以来，世有所谓汉学云者，起自一二博闻之士，稽核名物，颇拾先贤之遗而补其阙。久之，风气日蔽，学者渐以非毁宋儒为能，至取孔孟书中心性仁义之字，一切变更旧训，以与朱子相攻难。附和者既不一察，而矫之者恶其恣睢，因并蔑其稽核之长，而授人以诟病之柄，皆有识者所深悯也。”（《文集》二《汉阳刘君家传》）

但是，我们应该知道，曾国藩根本上是二元论者。这就是说：他认为考证学派的实事求是的主张，就是朱熹的格物致知，在这一点上，不能不说是他的真知灼见。请看他说：“近世乾、嘉之间，诸儒务为浩博，惠定宇、戴东原之流，钩研诂训，本河间、献王实事求是之旨，薄宋贤为空疏。夫所谓事者非物乎？是者非理乎？实事求是，非即朱子所称即物穷理者乎？名目自高，诋毁日月，亦变而蔽者也。”（《文集》二《书学案小识后》）又说：“乾、嘉以来，士大夫为训诂之学者，薄宋儒为空疏；为性理之学者，又薄汉儒为支离。鄙意由博乃能返约，格物乃能正心，必……博稽乎一名一物之细，然后本末兼该，原流毕贯。”（《书札》十三《复夏弢夫》）如果从宋儒的格物致知或即物穷理的命题上，和考证学派或纯汉学派的客观实证主义方法论相比较，则二者确乎没有巨大的差别（因为在这一点上都是唯物论的表现），

而有调和折衷的可能。所以曾国藩又说:“国藩一宗宋儒,不废汉学。”(《书札》二十《复颍州府夏教授书》)

曾国藩所以能够把握住宋儒哲学中唯物论的一面而予以强调,完全和他的刷新政治保障国权的中兴大业,有密切联系。在这种联系中,曾国藩表现为清代腐朽官僚政治的批判者。请看他说:“窃尝以为无兵不足深忧,无饷不足痛哭,独举斯世,求一攘利不先、赴义恐后、忠愤耿耿者不可亟得,或仅得之而又屈居卑下,往往抑郁不伸,以挫以去以死;而贪饕退缩者,果骧首而上腾,而富贵、而名誉、而老健不死,此其可为浩叹者也。”(《书札》二《复彭丽生书》)又说:“国藩从宦有年,饱阅京洛风尘。达官贵人,优容养望,与在下者软熟同和之象,盖已稔知之而惯尝之;乃变而为慷慨激烈轩爽肮脏之一途,思欲稍易三四十年来不白不黑不痛不痒牢不可破之局,而矫枉过正,或不免流于意气之偏。以是屡蹈愆尤,丛讥取戾。而仁人君子,固不当责以中庸之道,且当怜其有所激而娇之之苦衷也。”(《书札》四《复黄子春》)。又说:“国藩入世已深,厌阅一种宽厚论说,模棱气象,养成不黑不白不痛不痒之世界。误人家国,已非一日,偶有所触，则轮囷胆肝，又与掀振一番。”（《与刘孟容》）又说：“二三十年来，士大夫习于优容苟安，揄修袂而养婀步，倡为一种不白不黑不痒之风，见有慷慨感激以鸣不平者，则相与议其后，以为是不更事轻浅而好自见。国藩昔厕六曹，目击此等风味，盖已痛恨次骨。”（《复龙翰臣》）又说“方今世变孔棘，而宦场泄沓之风，曾无少为振作。有识者以是深惧，皆怀入山恐不深，入林恐不密之志。”（《书札》五《与胡咏芝》）又说：“今人心日非，吏治日坏，军兴十年，而内外臣工惕厉悔祸者，殆不多见。”（《书札》九《复吴竹如》）又说：“今日局势，若不从吏治人心上痛下工夫，涤肠荡胃，断无挽回之理。”（《书札》二十《与胡宫保》）又说：“天下滔滔，祸乱未已，吏治人心，豪无更改。军政战事，日崇虚伪。非得二三君子，倡之以朴诚，导之以廉耻，则江河日下，不知所届。默察天意人事，大局殆无挽回之理。”（《书札》十二《复陈俊臣》）

这种腐朽官僚政治的批判与宋儒格物致知的方法相结合，便形成了李鸿章等新政派洋务运动的理论基础。然而，我们知道，曾国藩主张吸收西洋文化的最高目标，在于由“中学为体、西学为用”而巩固满清的封建统治，并彻底镇压太平天国的革命运动；因此，曾国藩在根本上还是唯心论者。

曾国藩哲学思想中唯心论的本质，由下列的言论，可以证明。他说：“窃以谓天地之所以不息，国之所以立，贤人之德业之所以可大可久，皆诚为之也。故曰诚者物之终始，不诚无物。”（《书札》卷一）很明白的这是说，宇宙及历史发展的动力或本体，不是客观的物质及其法则，而是人类内心的精神状态，即所谓诚。这不是露骨的主观唯心论么？又说：“仁义忠信，反躬皆备。”（《书札》一《致刘孟蓉》）这不又是唯心论者的先天道德论么？

曾国藩又根据理学的唯心论观点，导出人心风俗支配历史的理论。请看他说：“风俗之厚薄奚自乎，自乎一二人之心之所向而已。此一二人者之心向义，则众人与之赴义，一二人者之心向利，则众人与之赴利。众人所趋，势之所归，虽有大力，莫之敢逆。世教既衰，所谓一二人者不尽在位，彼其心之所向，势不能不腾为口说，而播为声气，而众人者势不能不听命而蒸为习尚，于是乎徒党蔚起，而一时之人才出焉。今之君子在势者，自尸于高明之地，不克以己之所向转移习俗而陶铸一世之人才，而翻谢曰无才，谓之不诬可乎。然转移习俗而陶铸一世之人，非特处高明之地者然也，凡一命以上，皆与有责焉。”（《文集》一《原才》）

其次又以同样的根据，导出了“不问收获但问耕耘”的人生观。他说：“自浮屠氏言因果祸福，而为善获报之说深中于人心，牢固而不可破。士方其占毕咿唔，则期报于科第禄仕。或少读古书，窥著作之林，则责报于遐迩之誉，后世之名。纂述未及终编，辄冀得一二有力之口，腾播人人之耳，以偿吾劳也。朝耕而暮获，一施而十报，譬若沽酒市脯，喧聒以责之贷者，又取倍称之息焉。禄利之不遂，则侥幸于没世不可知之名。甚者至谓孔子生不得位，没而俎豆之报隆于尧舜，以相证慰，何其陋欤！夫三家之市，利析锱铢，或百钱逋负，怨及孙子。若通阛贸易，坏货山积，动逾千金，则百钱之有无，有不暇计较者矣。均是人也，所操者大，犹有不暇计其小者，况天之所操尤大，而于世人豪末之善，口耳分寸之学，而一一谋所以报之，不亦劳哉？古之君子，盖无日不忧，无日不乐。道之不明，己之不免为乡人，一息之或懈，忧也。居易以俟命，下学而上达，仰不愧而俯不怍，乐也。乐以终身，无所于祈，何所为报？”（《文集》二《圣哲画像记》）这种思想，正是董仲舒所谓正其谊不谋其利、明其道不计其功的唯心论命题的复活。

曾国藩这种唯心论，和其镇压太平天国革命运动的反动实践，有密切的联系。在咸丰三年（一八五三年）洪、杨过长沙而北，奉命办团防之后，又说：“今日百废莫举，千疮并溃，无可收拾，独赖此精忠耿耿之寸衷，与斯民相对于骨岳血渊之中，冀其塞绝横流之人欲，以挽回厌乱之天心，庶几万有一补。不然，但就局势论之，则滔滔者吾不知所底。”（《复江岷樵左季高书》）这样，他竟把太平天国运动，看成了人欲横流的结果。所以他认为镇压太平天国的理论武器，就在于忠诚二字。他说：“君子之道，莫大乎以忠诚为天下倡。世之乱也，上下纵于亡等之欲，奸伪相吞，变诈相角，自图其安而予人以至危。畏难避害，曾不肯捐丝粟之力以拯天下。得忠诚者起而矫之，克己而爱人，去伪而崇拙，躬履诸艰而不责人以同患，浩然捐生，如远游之还乡而无所顾悸。由是众人效其所为，亦皆以苟活为羞，以避事为耻。呜呼！吾乡数君子，所以鼓舞群伦，历九州而戡大乱，非拙且诚者之效与？”（《文集》二《湘乡昭忠祠记》）

据上述可知，曾国藩在其忠实于满清封建统治并镇压太平天国的反动实践上，复活了宋明的理学唯心论；在其由于国权观念而主张吸收西洋文化的前进实践上，又复活了朱熹的格物致知或即物穷理的唯物论要素。这种二元论的思想，以西欧资本主义的侵入所引起的富国强兵的国权观念为基础，便代替了乾嘉以降的考证学或纯汉学的为学问而学问的烦琐哲学。

第二节　公羊学派的旧瓶装新酒的经学及其本质的意义

李鸿章的新政运动，经过了甲午（纪元一八九四年）中日之战，而完全破产。这时候的官僚士大夫阶级已经知道，仅只吸收欧洲的自然科学与技术，无济于事，只有变法维新，才能实现富国强兵的目的。这样一来，公羊学派的旧瓶装新酒的经学，便代替了曾国藩的理学的二元论，而出现于哲学的历史舞台。

所谓公羊学派，因其所根据的典籍为《春秋公羊传》而得名。这一派的创始者，为庄存与（卒于一七八八年）、刘逢禄（纪元一七七二至一八二九年），由龚定庵（纪元一七九二至一八四一年）、魏源（纪元一七九四至一八五六年）而加以发展；至清末乃产生了康有为、梁启超、谭嗣同等温和的民主主义的革命家。他们的思想，原来是来自考证学派，即由于考证学派的经世致用思想获得了积极的内容而成。他们在形式上，虽然处处致力于孔子的微言大义的阐明，而本质上则受了欧洲思想的强烈影响。像这样，把民主主义的思想和孔子的大同思想结合起来，使自己的主张依托于古圣贤之言，这正是中国经学的特色；所以一般的讲来，清末的公羊学派，乃是孔子精神与西洋思想的混合品。但是，从孔子思想中导出民主共和的观念，本质上是不可能的；因此，不但使他们的论据陷于牵强附会，使他们的哲学思想陷于贫乏，而且也使他们的民主主义的革命，陷于妥协矛盾与流产。然而，儒教传统的经学，却由于公羊学派的旧瓶装新酒、由于在经学的形式中注入了欧洲的科学内容，而促进了经学本身的没落。在这一点上，公羊学派的哲学史的意义，仍有其独立的价值。兹将康有为、梁启超及谭嗣同的哲学思想，分述如下。

康有为（纪元一八五八至一九二七年）原名祖诒，字广厦，号长素。广东南海人。其先代为广东名族。曾祖式鹏，在乡讲学；祖父赞修，为连州教习；都是程、朱学者。从祖国器，曾任广西巡抚。其业师朱九江（纪元一八〇八至一八八二年）更为著名的宋汉合一论者。总而言之，康有为是在经学空气中陶冶出来的人物。但是，当时既为西学初入之时，康有为又曾饱读江南制造局所翻译的新政西书，且生长在沿海地带，最富于国权观念。而历次上书的结果，获得了青年皇帝（光绪）的信任；凡此一切，都规定了康有为人格的二重性。

但是，如果我们认康有为是纯粹的地主官僚阶级，则是错误。例如光绪二十一年（纪元一八九五年）他领导着一千三百人签名请求变法的有名的《公车上书》，其所提出的主张如下：（一）扶助农业（务农）；（二）发展手工业（勤工）；（三）扶植商业（惠商）；（四）赈济贫民（恤穷）。其具体的办法，则是：扶助商业组织，以抵抗外商的压迫；取消厘金，兴办重工业，奖励殖边运动，建筑国营铁路，普及国民教育，改良科举制度，取消买卖官爵，训练新式官吏，注意人民健康卫生，改良刑法及监狱，建造军用铁道与军舰，实行兵士的现代军事教育等。这些主张，都是自由资产阶级的政纲。至于他们不去发动群众运动而企图说服统治阶级，企图由保皇而达变法图强，这一点正是后进国、即所谓东方资产阶级的卑屈性的表现。一八九八年光绪帝由四月至七月所下的数十道诏谕，在内容上亦为同一性质的产物。正因为资产阶级知识分子的卑屈性过于忽视发动群众工作，所以经过了袁世凯的背叛告密，才能使作为封建地主官僚代表的慈禧太后，把康有为所领导的维新分子，加以一网打尽的屠杀（杨深秀、杨锐、林旭、谭嗣同、刘光第、康广仁等“六君子”被杀，康有为、梁启超逃亡海外），而形成了“百日维新”的幻灭局势。

作为变法维新运动领导人的康有为，其著作计有《新学伪经考》、《春秋笔削大义微言考》、《孟子微》、《孔子改制考》、《大同书》、《春秋董氏学》、《大学注》、《中庸注》、《礼运注》等书。至于他的哲学思想，则完全为宗教化的主观唯心论、狭隘的实用主义、庸俗的进化论、牵强附会的空想主义。

康有为哲学的最大特色，就在于他以考证学的姿态来阐明变法维新的理论基础，并对于乾嘉以来的考证学派，提出破坏的批判。他说："刘歆挟校书之权，伪撰古文，杂乱诸经。……郑康成兼糅今古，尽乱家法，深入歆室。……国朝经学最盛，顾、阎、惠、戴、段、王，盛言汉学，天下风靡，然日盘旋许、郑肘下而不自知。于是二千年皆为歆学。……诸儒用力虽勤，入蔀愈深，悖圣愈甚。……可谓之新学，不可谓之汉学，况足与论夫子之学哉！既无学识，思以求胜。则大其言曰，欲知圣人之道，在通圣人之经，欲通圣人之经，在识诸经之字。于是古音古义之学，争出竞奏。以此求道，何异磨砖作镜，蒸沙成饭？西汉之学，以禹贡行河，以三百五篇谏，以洪范说灾异，皆实可施行。自歆始尚训诂，以变异博士之学，段、王辈扇之，乃标树汉学，耸动后生，沈溺天下，相率于无用。可为太息！"（《长兴学记》）

我们知道，乾嘉以降考证学派的古音古义之学，不但“沈溺天下，相率于无用”，而且的确“可为太息”；然而，自别于“新学”的康有为的新的考证学，其“有用性”果在何处呢？在康有为看来，他自己的考证学，可以求出变法维新的理论根据。但是，康有为抱着实用主义的方法论，从圣经贤传中所求出的维新变法论，本质上乃是牵强附会的纯主观的捏造。例如：《论语》中“礼与其奢也宁俭”一语，康有为的训释是：“文明既进，则乱世之奢，文明以为极俭。世愈文明，则尚奢愈甚。孔子为文明进化之王，非尚质退化者也。宋儒不通此义，令人道退化，今中国之文明不进，大损所关，岂细故哉？”又如“夷狄之有君，不如诸夏之亡也”一语，康有为则解释道：“孔子之言夷狄中国，即今野蛮文明之谓。野蛮团体太散，当立君主专制以聚之，据乱世所宜有也。文明世人权昌明，同受治于公法之下，但有公议民主而无君主。乱世野蛮有君主之治法，不如平世文明无君主之治法。”又如对于“无为而治者其舜也与”一语的解释，则说：“无为之治，君无责任，此明君主立宪及民主责任政府之法，今欧人行之，为孔子预言之大义也。”他如将“天下有道，则政不在大夫”及“天下有道则庶人不议”二语中的“不”字，认为衍文，而改为“天下有道则政在大夫”“则庶人议”（以上均引自钱穆《中国近三百年学术史》七〇四至七〇七页）等等，实毫无科学根据。康有为这种作风，也影响到了梁启超。梁启超在其《孔子讼冤》一文中，曾认“天下有道则庶人不议”的“不”字为“丕”字，并将“民可使由之，不可使知之”一句，断读为“民可，使由之；不可，使知之”。由此可知，梁启超在其《清代学术概论》中所说：“有为以好博好异之故，往往不惜抹杀证据或曲解证据，……此其所知也”云云，梁氏自身，亦未能免。

康有为这种新的考证学，其方法论的意义实为主观唯心论。关于此点，钱穆氏曾云：“长素……之治经，皆先立一见，然后扰乱群书以就我，不啻六经皆我注脚矣，此可谓之考证学中之陆王。”（《中国近三百年学术史》六五二页）

钱穆氏此言，可谓特识！然由我们看来，尚不止此。康有为的哲学思想的根本典籍，为今文派的《春秋公羊传》，而所谓今文派的经学，本质上则在于将孔子神化，将孔子学说宗教化。所以康有为不但为主观唯心论者，而且是露骨的宗教化了的主观唯心论者。请看他说："夫浩浩元气，起造天地。天者，一物之魂质也；人者，亦一物之魂质也。虽形有大小，而其分于太元，挹涓滴于大海，无以异也。孔子曰：'地载神气，神气风霆，风霆流形，庶物毕生。'神者，有知之电也；电光能无所不传，神气能无所不感。神鬼神帝，生天生地；全神分神，惟元惟人；微乎妙哉，其神之有触哉。无物无电，无物无神。夫神者，知气也，魂知也，精爽也，灵明也，明德也；数者，异名而同实。有知觉则有吸摄，磁石犹然，何况于人？不忍者，吸摄之力也。故仁智同藏，而智为先；仁智同用，而仁为贵矣。"（《大同书》中华书局版四页）在这一段话中，除了填入的物理学名词以外，本质上乃是王阳明所谓"仁者以天地万物为一体"的天人合一的主观唯心论命题的演述。康有为这种主观唯心论的宗教化的形态，在于下列数语。他说："天既哀大地生人之多艰，黑帝乃降精为救民患，为神明，为圣王，为当世作师，为万民作保，为大地教主。生于乱世，乃据乱而立三世之法，而垂精太平。乃因其所生之国，而立三世之义，而注意于大地远近大小若一之大一统。”(《孔子改制考序》)又说:“中国舍尊孔子而何尊也?今欲导扬立国之精神,舍尊孔何从也?若尊孔而不读经,则……虽欲尊之而无从。欧美学校不读经,一以基督之经多言神道,少言治道,与孔子之经浃洽于人道者不同;一则教会之学校甚多,必读其经,而基督七日之祈祷,人人必得听讲经读经。吾国学校不读经,即全废孔教,即全废孔子。全废孔子,即全亡中国之人心风俗,即全亡中国之土地种族。”(《参政院提议立国精神书后》)又说:“夫所谓中国之国魂者何?曰:孔子之教而已。孔子之教,自人伦物理国政天道,本末精粗,无一而不举。”(《中国学会报题辞》)又说:“天下之所宗师者,孔子也;义理制度皆出于孔子,故学者学孔子而已。孔子去今三千年,其学……在六经。……故凡为孔子之学者,皆当学经学也。”(《桂学答问》)在这些话中,我们可以看出,康有为心目中的孔子,乃是一位通天教主;孔子的学说,乃是推背式的预为后世立法;孔子的六经,乃是与基督教的圣经同样为世界历史发展的灵魂。在这里,康有为哲学的宗教化的特征,实为充分明显的事实。

康有为认孔子为预言家，由前引各点，已可窥见。此外他更明白的把庸俗的进化论的历史观，也作为孔子的预言而说明。他说：“人道进化，皆有定位。自族制而为部落，而成国家，由国家而成大统。由独人而渐立酋长，由酋长而渐正君臣，由君臣而渐为立宪，由立宪而渐为共和。由独人而渐为夫妇，由夫妇而渐定父子，由父子而兼锡尔类，由锡类而渐为大同，于是复为独人。盖自据乱进为升平，升平进为太平，进化有渐，因革有由，验之万国，莫不同风。观婴儿可以知壮夫及老人，观萌芽可以知合抱至参天，观夏殷周三统之损益，亦可推百世之变革矣。孔子之为《春秋》，张为三世。据乱世则内其国而外诸夏，升平世则内诸夏而外夷狄，太平世则远近大小若一，盖推进化之理为之。孔子生当据乱之世，今者大地既通，欧美大变，盖进至升平之世矣。异日大地大小远近如一，国土既尽，种类不分，风化齐同，则此一而太平矣。孔子已预知之。”（《论语注》）

关于神化孔子及其学说之为今文派经学的特色，此地不拟涉及（参照本书第三篇第九章第三节）；我们现在所要说明的，就是公羊三世之说的循环论的进化论的历史观与康有为变法维新的保皇主义路线的联系问题。

由于自君主专制到民主共和的发展，不一定要经过君主立宪，而可以直接的完成；由于庸俗的进化论的历史观不合致于中国历史的辩证法，所以戊戌以前的改革论者，便成了辛亥以后的复古主义者；而且是张勋复辟的策动者，北伐时代的反革命者。这就是说，康有为由今文派的经学中得出了尊王的微言大义，由大英帝国的君主立宪中抄袭了政治机构（按当时的英国功利主义信徒严复——纪元一八五三至一九二一年——曾参与维新变法，严氏的思想，自然可影响康有为；而康有为的故乡——广东，又为英帝国主义最早的根据地，对于其政治思想的形成，亦定有决定作用），由当时沿海民族布尔乔亚的卑出性的抬头，由此数者相结合，遂形成了康有为的保皇变法的政治路线，而其逻辑的基础，则在于今文派经学（《公羊传》）由三世之说所推演出来的循环论的进化论的反动历史观及其神化孔子学说的宗教化的主观唯心论。

康有为主观唯心论的另一明白证据，表现在他对于“格物”的解释上。他说：“言为学之始，首在扞格外物。《乐记》'好恶无节于内，知诱于外，不能反中，天理灭矣'。夫物之感人无穷，而人之好恶无节，则是物至而人化物也。人化物也者，灭天理而穷人欲也。孟子曰：'先立其大者，则其小者不能夺。'不为外物所引夺，非扞格外物而何？"（《长兴学记》）这显然是理学者"欲者天理之反"的命题。康有为自认其学说出源朱九江，他说："鄙人常侍九江之末席，闻大贤之余论，谨诵所闻，为二三子言之。"（同上）其实，朱九江乃知名的汉宋折衷论，虽其书不存，无从究其详，然而，其对于朱熹在中国哲学史上的地位，则有科学的见解。例如他说："……汉之学，郑康成集之，宋之学，朱子集之，朱子又即汉学而稽之者也。会同六经，权衡四书，使孔子之道大著于天下。……朱子，百世之师也。……然而攻之者互起。有明姚江之学，以致良知为宗，则攻朱子之格物；乾隆中叶至于今日，天下之学，多尊汉而退宋，以考据为宗，则攻朱子为空疏。一朱子也，而攻之者乃相矛盾。"（简朝亮《朱九江先生年谱讲学大旨》）据此可知，朱九江乃相当承认唯物论的哲学者；而在康有为学说中，则绝少有唯物论的要素。如果说康有为承继了朱九江的学说，则他的承继，仅是在于理欲之辨的唯心论部分而已。近人何干之，认康有为的理学政学根底，都得力于朱九江（《中国启蒙运动史》五二页），实为抹杀二元论与主观唯心论的本质的区别。

康有为的唯一贡献，在于他的空想社会主义的思想。“他说私有财产，争乱之源也；无家族，谁复乐于私产？而国家则又必随家族而消灭者也。”（引自蒋维乔《中国近三百年哲学史》一一六页）他这种反私有制度的社会主义思想（大同的理想）的空想性，在于一方面玩弄激烈的词句，而另方面则是民主主义革命的缓进派，在实践上与中山先生相对立；其关于实现社会主义的方法，规定为首先弭兵，尤为空想性的特征。

关于梁启超（纪元一八七三至一九二九年），我们要说的话很少。他的贡献，仅在于大量的介绍编译欧洲政治思想，在一般的启蒙运动上，有其影响力；至于其哲学思想，则为异常贫弱的带浪漫性质的唯心论。例如他说：“全世界者，全世界人类心理所造成；一社会者，一社会人之心理所造成；个人者，又个人之心理所造成也。”（《饮冰室文集》卷四十四《余之生死观》）此外，欧战后，他曾高喊“科学破产”，在“人生观论战”的理论斗争中，他也属于意志自由论者阵线。关于此点，胡适之曾云：“我们不能说梁先生的话和近年同善社、悟善社的风行有什么直接的关系；但我们却不能不说梁先生的话，在国内的确曾替反科学的势力助长了不少的威风。”（《科学与人生观胡序》）

最后，我们要说到公羊学派哲学最高峰谭嗣同（纪元一八六五至一八九八年）。谭嗣同字复生，号壮飞，湖南浏阳人。其父继洵，任湖北巡抚；十二岁丧母，受父妾虐待，幼年备尝艰辛。然遍涉群书，且好任侠，喜剑术。弱冠，从军新疆，又来往于河北、河南、陕西、甘肃、湖南、江苏、安徽、浙江、台湾诸地，遍交名士。光绪二十一年，见梁启超于北平，得闻康有为的讲学宗旨，大为倾倒；乃舍去考据笺注金石刻镂诗古文辞等学，究心于欧洲的天文算术格致政治历史诸科，皆有所获。俟应湖南巡抚陈宝箴之招，协同梁启超创办长沙时务学堂，并设南学会。光绪二十四年，承召来北平，参与变法维新。不十日而政变以起，和刘光第等五人同时被杀。临刑神色自若，并激昂悲壮的说：“各国变法，无不从流血而成，今中国未闻有因变法而流血者，此国之所以不昌也，有之，请自嗣同始！”（引自《中国现代革命运动史》四五页）由此可见他变法维新态度的坚定。其著作计有《仁学》二卷,《文集》三卷,《诗集》一卷,《争议》二卷，而以《仁学》为其哲学思想的所在。

谭嗣同在哲学上的最大特征，首先就是以其变革的实践态度的坚定性为基础而对于名教的彻底批判。他说:“仁之乱也，则于其名。名忽彼忽此，视权势之所积；名时重时轻，视习俗之所尚。……俗学陋行，动言名教。……名者，由人创造；上以制其下而不能不奉，则数千年来三纲五伦之惨祸烈毒，由是酷矣。君以名桎臣，官以名轭民，父以名压子，夫以名困妻，兄弟朋友各挟一名以相抗拒。……君父以责臣子，臣子亦可反之君父，于钳制之术不便；故不能不有忠孝廉节一切分别等级之名。……忠孝，臣子之专名，终不能以此反。虽或他所有据，意欲诘诉，而终不敌忠孝之名为名教之所尚。反益其罪曰怨望，曰觖望，曰怏怏，曰腹诽，曰讪谤，曰亡等，曰大逆不道；以为当放逐放逐之，当诛戮诛戮之，曾不若孤豚之被絷缚屠杀，犹奋荡呼号以声其痛楚，而人不之责也。……名之所在，不惟关其口而使不敢昌言，乃并锢其心使不敢涉想。”此较诸戴东原所谓宋儒言理以意见杀人的剔抉阶级根源的命题，尤为彻底，又说：“恶莫大于淫杀。……男女构精名淫，此淫名也。淫名亦自生民以来，沿习既久，名之不改，习谓为恶。向使生民之始，即相习以淫为朝聘晏飨之巨典；行诸朝庙，行诸都市，行诸稠人广众，如中国之长揖跪拜，西国之抱腰接吻，则孰知为恶者？”这种反理教的精神，可谓罕见的大胆。

谭嗣同在专制政体之下，竟提出与变法相联系的反君主的批判。他说：“二千年来，君臣一伦，尤为黑暗否塞，无复人理，沿及今兹，方愈剧。”又说：“今中外皆侈谈变法，而五伦不变，举凡至理要道，悉无从起点，又况于三纲乎？”这里的最后根据，乃是欧洲民主平等的思想。请看他说：“五伦中于人生最无弊而有益，无纤毫之苦有淡水之乐，其惟朋友乎？……所以者何？一曰平等、二曰自由、三曰节宣惟意，总括其义曰不失自主之权而已。”

谭嗣同因为幼年受父妾虐待，所以他的反理教思想，连父子夫妇的传统关系，也提出了批判。他说："君臣之祸亟，而父子夫妇之伦，遂各以名势相制为当然，此皆三纲之名之为害也。名之所在，不惟关其口使不敢昌言，乃并锢其心使不敢涉想。……君臣之名，或尚以人合破之，至于父子，则真以为天之所命，卷舌而不敢议。不知天命者，泥于体魄之言也，不见灵魂也。子为天之子，父亦为天之子，父非人所得而袭取也。……庄子曰：相忘为上，孝为次焉。相忘则平等矣。……虽然，又非谓相忘者遂有不孝也。……孝且不可，何况不孝哉？"

谭嗣同更进一步，由坚决的主张变法及其反理教思想，而导出了排满的政治主张。所以他说："天下为君主囊橐中之私产，不始今日……然而有知辽金元之罪浮于前此之君主者乎？其土秽壤也，其人膻种也，其心禽心也，其俗毳俗也。一旦逞其凶残淫杀之威，以攫取中原之子女玉帛，砺猰貐之巨齿，效盗跖之肝人，马足蹴中原，中原墟矣，锋刃拟华人，华人靡矣。乃犹以为未餍，峻死灰复燃之防，为盗憎主人之计。锢其耳目，桎其手足，压制于其心思，绝其利源，窘其生计，塞蔽其智术。……王道圣教典章文物之亡也，此而已矣！与彼愈切近者，受祸亦愈烈。故夫江淮大河以北，古所称天府膏腴，……衣冠文物之薮泽，诗书藻翰之津途也，而今北五省何如哉？古之暴君，以天下为己私产止矣，彼起于游牧，直以中国为其牧场耳。……虽然，成吉思汗之乱，西国犹能言之，忽必烈之虐，《郑所南心史纪》之，有茹痛数百年，不敢言不敢纪者，不愈益悲乎？明季稗史中之《扬州十日记》,《嘉定屠城记略》，不过略举一二事。当时既纵焚掠之军，又严剃发之令，所至屠杀虏掠，莫不如是。……亦有号为令主者焉，以观《南巡录》所载淫掳无赖，与隋炀、明武不少异，不徒鸟兽行者之显著大义觉迷录也。”又说：“君主之祸，无可复加，非生人所能忍受。……国与教与种，将偕亡矣，惟变法可以救之，而卒坚持不变。岂不以……方将私其智富强生于一己，而以愚贫弱死归诸民，变法则与己争智争富争强争生，故坚持不变也。究之智富强生，决非独夫所任为，则又以华人比牧场之水草，宁与之同为齑粉而贻其利于人，终不令我所咀嚼者还抗乎我。此非深刻之言也，试征之百年之行事，及近今之政治及外交，……其迹皎然不可以掩。东事亟时，……且曰，宁为怀、愍、徽、钦，决不令汉人得志。固明宣之语言，华人宁不闻而知之耶？乃犹道路以目，相顾而莫敢先发。……故华人慎无言华盛顿、拿破仑矣！志士仁人，求为陈涉、杨玄感，以供圣人之驱除，死无憾焉。若其机无可乘，则莫若为任侠，亦足以伸民气，倡勇敢之风，是亦拨乱之具也。……儒者轻诋游侠，比之匪人，乌知困于君权之世，非此益无以自振拔，民乃益愚弱而窳败，言治者不可不察也。”又说：“中兴诸公，正孟子所谓服上刑者，乃……湘人既挟以自骄，各省遂争慕之，以为可长恃无败。苟非牛庄一溃，中国之昏梦将终天地不稍苏。”

谭嗣同由于变法维新态度的坚决，及其反理教思想的彻底，所以在哲学上便到达于唯物论的宇宙观。他说：“彼动植之异性，为自性尔乎？抑质点之位置与分剂有不同耳？质点不出乎七十三种之原质。某原质与某原质化合，则成一某物之性。析而与他原质化合，或增某原质，减某原质，则又成一某物之性。即同数原质化合，而多寡主佐之少殊，又别成一某物之性。纷纭蕃变，不可纪极。……然而原质则初无增损于故也。”又说：“然原质犹有七十三之异，至于原质之原，则一以太而已矣。一故不生不灭。不生故不得言有，不灭故不得言无。”又说：“不生不灭有征乎？曰，弥望皆是也。如向所言化学诸理，穷其学之所至，不过析数原质而使之分，与并数原质而使之合。用其已然而固然者，时其好恶，剂其盈虚，而以号曰某物某物，如是而已。岂能竟消磨一原质，与别创造一原质哉？”在这里，第一可以看出谭嗣同认为宇宙的本体是作为物质范畴的以太；第二同一的原质因其结合方式及数量的不同，而形成性质相异的事物；第三构成宇宙本体的以太，但有变易而无存亡。这种唯物论的宇宙观，与自然科学固有不可分离的关系；而同时与王船山的哲学思想，也有内在的关联。所以他说：“有无者，聚散也，非生灭也。……王船山之说易，谓一卦有十二爻，半隐半见。故大易不言有无，隐见而已。”谭嗣同这种变易的唯物论的宇宙观，同时又是他的变法维新的哲学基础。所以他说：“反乎逝而观，则名之曰日新。孔子曰：‘革去故，鼎取新。’又曰：‘日新之为盛德。’夫善至于日新而止矣；夫恶亦至于不日新而止矣。……德之宜新也，世容知之。独何以届今之世，有犹守旧之鄙生，断断然曰不当变法，何哉？”

然而，我们必须知道，作为公羊学派的谭嗣同，在哲学上并不是彻底的唯物论者。相反的，在谭嗣同的哲学思想中，尚存留着本质的唯心论要素。例如他说：“遍法界，虚空界，众生界，有至大，至精微，无所不胶粘，不贯洽，不管络，而充满之一物焉。目不得而色，耳不得而声，口鼻不得而臭味，无以名之，名之曰以太。其显于用也，孔谓之仁，谓之元，谓之性。墨谓之兼爱。佛谓之性海，谓之慈悲。耶谓之灵魂，谓之爱人如己，视敌如友。格致家谓之爱力，吸力。咸是物也。法界由是生，虚空由是立，众生由是出。”又说：“以太之用之至灵魂而可征者，于人身为脑。……于虚空则为电，而电不止寄于虚空，盖无物不弥纶贯彻。脑其一端，电之有形质者也。脑为有形质之电，是电必为无形质之脑。人知脑气筋通五官百骸为一身，即当知电气天地万物人我为一身也。”又说：“仁不仁之辨，于其通与塞。通塞之本，惟其仁不仁。通者如电线四达，无远弗届，异域如一身也。故易首言元，即继言亨。元，仁也；亨，通也。苟仁自无不通，亦惟通而仁之量乃可完。由是自利利他，而永以贞固。”这不正是程明道、王阳明所谓仁者以天地万物为一体的天人合一的唯心论命题么？正因如此，所以谭嗣同在哲学的两大阵营的区分上，便完全陷于混乱。请看他说：“凡为仁学者，于佛书当通华严及心宗相宗之书，于西书当通新约及算学格致社会学之书，于中国书当通《易》、《春秋》、《公羊传》、《论语》、《礼记》、《孟子》、《庄子》、《墨子》、《史记》，及陶渊明、周茂叔、张横渠、陆子静、王阳明、王船山、黄梨洲之书。”

谭嗣同也和康有为、梁启超同样，都是考证学上的陆、王，极牵强附会的能事。请看他说：“地球之治也，以有天下而无国也。庄曰：‘闻在宥天下，不闻治天下。’治者，有国之义也。在宥者，无国之义也。曰在宥，盖自由之转音，旨哉言乎！人人能自由，是必为无国之民。无国则畛域化，战争息，猜忌绝，权谋弃，彼我亡，平等出，且虽有天下，若无天下矣。君臣废，则贵贱平；公理明，则贫富均。千里万里，一家一人。视其家，逆旅也。视其人，同胞也。父无所用其慈；子无所用其孝。兄弟忘其友恭；夫妇忘其倡随。若西书中百年一觉者，殆仿佛礼运大同之象焉。”这也是从古书导出大同世界理想的企图。

谭嗣同大同世界的空想性，使他在理论与实践（知与行）的问题上，陷入于唯心论的主知主义，并由此而与宗教的信仰结合起来。他说：“吾贵知不贵行也，知者灵魂之事也，行者体魄之事也。孔子曰：‘知之为知之，不知为不知，是知也。’知亦知，不知亦知，是行有限而知无限，行有穷而知无穷也。……数也者，求知之方也。故凡教主教徒，皆以空言垂世，而不克及身之，且为后世诟骂戮辱而不顾也。耶杀身，其弟子十二人，皆不得其死；孔仅免于一身，其弟子七十人，达者盖寡；佛与弟子，皆困乞食，以苦行终。此其亡躯命，以先知觉后知，以先觉觉后觉，岂暇问其行不行哉？惟摩西穆罕默德以权力行其教，君主而已矣，何足为教主？”据此可知，谭嗣同的大同世界理想，只是一种空言垂世的空想，而在“贵知不贵行”的支柱之上，更加斩断了实现其理想的途径。并且，在谭嗣同看来，空言垂世的贵知不贵行，乃是一般宗教主的共同特征，因此，公羊派的大同世界，本质上就是基督教的天堂，佛教的极乐世界，与其视为政治范畴，不如说是信仰范畴，更为切当。

总上所述，公羊学派的特征，在于利用经学的旧形式而注入以欧式的变法维新的新内容，即在于所谓旧瓶装新酒。虽然他们本身是站在实用主义立场上对于经学的利用，结果导出了投降旧形式的反动泥沼；但是，历史的辩证法，却活现出违反公羊学派主观意识的客观意义。这就是：由于变法维新的新内容的注入，使传统的经学的旧形式趋于没落，在它的废墟上，终于建筑起内容与形式合致的崭新的民主共和思想体系——孙中山的思想体系。这种意德沃罗基领域的变革动力，当然是满清变法所导出的自己发展过程的自我扬弃。这里的真理，就是所谓“内容决定形式”的具体的辩证法。

第三节　中国古典哲学（经学）的终结与变革的经验论者孙中山思想中的唯物论辩证法要素

孙中山（纪元一八六六至一九二五年）哲学的成立，本质上就是作为亚细亚封建专制主义意识形态的中国古典哲学——经学的终结。这一点，只要回溯一下孙中山以四十年精力献身于国民革命的实践，而终于导出了推翻二千年之专制建立共和，并完成了三民主义与三大政策的结合，便可明白。

但是，一方面由于总理遗教的特质，纯为政治范畴的宣传讲演，而没有以哲学的姿态留下著作；一方面由于中国哲学史研究者缺乏科学逻辑的素养，而不知在其政治论的背后剔抉其方法论、认识论的特质；所以直到最近，所谓孙中山哲学是什么乃至孙中山是否哲学者，尚为无共同结论的问题。关于各家的意见，恕不涉及批评，我们在本节中，仅只要确定孙中山是变革的经验论者，并对于其中所包含的唯物论辩证法要素，加以社会的及逻辑的分析，而确定其在中国哲学史上的伟大意义。

经验论的基本特征，在由同一的命题出发而可能到达两个本质相反的方向；这就是说，其共同的出发点，就是反先验论与唯理论认识论的“一切的认识来自经验”的命题；而由这一命题出发，承认世界的客观存在性，便到达于唯物论（例如培根），否认世界的客观存在性，便到达于主观唯心论（巴克莱、马赫及其信徒）。

但是，我们知道，唯物论的经验论，是变革期的布尔乔亚的哲学；而唯心论的经验论，则是反动期的布尔乔亚的哲学。作为国民革命导师之一的孙中山的经验论，自然是前者，而不是后者。然而，由于帝国主义时代次殖民地革命与世界社会主义革命的客观的关联，由于孙中山的革命实践的长期性与坚定性，由于孙中山对于中国革命的远见及其对于世界革命经验的吸收，所以他的变革的经验论，却远非培根、洛克等所可比拟；这就是说，他比培根、洛克的经验论，具有更丰富的唯物论辩证法要素，或者说是更接近于唯物论辩证法的认识论。

我们确定孙中山哲学为变革的经验论的重要基础，就是其“知难行易”学说。所谓“知难行易”，在现象上虽然是孙中山与国民革命阵营内部的失败主义及悲观论作思想斗争的政治著作，而本质上则是中山主义的认识论或论理学，所以在整个的总理遗教中，实占有着特殊重要的地位。

所谓知与行的问题，就是理论与实践的关系问题；这个问题，在一般哲学史上的重要性，已无须赘述；现在，我们要来考察孙中山对于此问题的见解。他说：“古人之得其知也，初或费千百年之时间以行之，而后乃能知之；或费千万人之苦心孤诣，历经试验而后知之。”这里显然具有下列几层重大的意义：第一，确定了行先知后的经验论认识论的基本命题，扬弃了程朱“知先行后”及其肯定“生知”的唯心论；第二，强调了实践为理论的基础这一唯物论的命题；第三，歌德所谓“泰初有行”，一般经验论者所谓“一切的认识来自经验”，以及昂格斯用能力转变法则为例，证明人类从泰初即实行钻木取火，不知多少万年，才发现摩擦生热的定理，又不知多少万年，才知道一切机械力都可以转化成热的法则，又经过了无量次的实践，才知道如像热、运动、摩擦、光、电力等能力，都可以相互转化，凡此一切，均与孙中山这里的意义相合致；第四，公羊学派的谭嗣同曾以“贵知不贵行”的命题，来迟滞大同理想的实现的实践，在孙中山的行先知后的前提之下，当然无存在的根据；所以他又说：“中国之变法，必先求知而后行，而知永不能得，则行永无其期也。”第五，王阳明据其主观唯心论，提出了“知行合一”的命题，他说“知是行之始，行是知之成”，这样以理论为出发点而不以实践为出发点，乃是唯心论的本质，而孙中山在这里确已完成了唯物论的改造。由此可知，孙中山在认识起源论上，完全是经验论的见解。

孙中山虽主张“不知亦能行”，但他却不是抹杀理论积极意义的机械论者，相反的，他已经合理的强调了培根所谓“知识即权力”的命题。所以他说：“不知固行之，而知之更乐行之，此其进行不息，所以得有今日突飞猛进之进步也。”又说，“行其所不知以致其知”，“因已知而更进于行”，“能知必能行”。很明白的这是说，知由行出，而知又反转来作用于行，增加行的力量，确示行的方向，起源于行的知，使人类从必然的盲目世界，飞跃到自由之国。这种见解，和马克思所谓“理论一旦深入于大众，就要转变成物质的力量”，列宁所谓“没有革命的理论，就没有革命的行动”，以及斯大林所谓“正确的理论，会给实行家指示方针，指明前途，使他们在工作中有把握，使他们相信革命事业的胜利”等命题，有本质的一致性。

所谓知难行易，乃是《古文尚书·说命篇》所谓“知之非艰，行之维艰”的反对命题。孙中山关于知易行难的理论，曾作为现象论而加以批判。他说："凡真知特识，必从科学而来也，舍科学而外之所谓知识者，多非真知识也。如中国之天圆地方，天动地静者，此数千年来思想见识，习为自然，无复有知其非者；然若以科学按之，以考其实，则大谬不然矣。"又说："吾国人之所谓知之非艰，其所知者，大都类于天圆地方，天动地静，螟蛉为子之是耳。"这就是说，单纯的现象的观察，虽为易事，而是事物的本质的把握，则是一艰苦的斗争的历史过程。孙中山知难行易认识论本身的把握，乃是在辛亥以后对于党内的失败主义与悲观论以知易行难为支柱的妥协倾向的斗争武器。所以他说："党人当时（辛亥前）有奋厉无前之宏愿魄力，卒能成破坏之功；而建国后则失此能力，遂致建设无成，此行与不行之效果也。"又说："当时同志不明其故，不行予所主张，而只采予约法之名，以定临时宪法，以为共和之治，可不由其道而一跃可几；当时众人之所期者，实为妄想，顾反以予之方略计划为难行，抑何不思之甚也！"又说："呜呼！此说者（即知易行难说），予生平之最大敌也。其威力当万倍于满清；夫满清之威力，不过只能杀吾人之身耳，而不能夺吾人之志也；乃此敌之威力，则不惟能夺吾人之志，且足以迷亿兆人之心也。”正因为他是为革命而进行着理论斗争，所以他“从事于知易行难一问题，以研究其究竟，几费年月”。他更明白的说：“予之所以不惮其烦，连篇累牍，以求发明知难行易之理者，盖以此为救中国必由之道也。”在这里，我们又看见了孙中山强调着真理的客观性与把握的党派性的辩证法。同时，他已经指明了知难行易的认识论，不是脱离实践的教条，而是国民革命的指针。

此外，在知难行易学说中，他又肯定了宇宙本体的无限性与认识能力的无限性（“人类之知识以宇宙为范围”），在这一点上，孙中山也批判了不可知论；他更指明了认识真伪的客观性与价值判断的党派性（“其说与真理背驰”、“究无补于世道人心”），这样他又显示出宇宙观与历史观的内在关联；尤其他将逻辑学或论理学一词，改译为“理则学”，这就意味着论理学，认识论，宇宙观的辩证法的统一或同一，而否定了在宇宙本身的客观法则（理则）以外的论理学与认识论的存在；此点在中国哲学史上，实为划时代的卓见。

最后，在《三民主义》中，说明了思想由事实而生，显然是唯物论中存在决定意识的素朴表现；由完成国民革命以实现大同，而反对放弃具体任务的笔直的空想的世界主义，在《建国大纲》中，由以党治国出发而归结于还政权于民（党的自己否定），凡此政治领域内的路线的确立，都包含着唯物论辩证法的对立物统一法则的要素。而这些哲学上的变革性，当然是其土地问题及革命动力的发现（工农大众），与对于大众的信赖（工农政策），及世界革命的联合等的反映与动因。

总而言之，孙中山哲学，本质上乃是中国哲学遗产中优秀传统的承继、世界哲学成果中积极要素的部分容纳、与国民革命进程中的逻辑的反映。这样的哲学思想，也和其三大原则及三大政策成为抗战建国统一战线的最高准绳一样，在中国的哲学建设上，也是现阶段统一哲学活动的共同基础；同时也好像其三民主义可能由于民主革命的高涨而转化成社会主义革命的史前期一样，其变革的经验论，也有转化成唯物论辩证法前史的可能性。

孙中山以后的中国哲学，正如中国革命为世界革命的一部分同样，也成了世界哲学的一个有机部分。例如胡适之的实验主义，乃是美国杜威哲学的中国版，梁漱溟的孔家哲学中，也包含着柏格森的直觉主义及爱因斯坦的相对论的要素；张东荪的多元认识论，乃是新康德派的变种；张君劢的社会函数说，也是所谓社会有机体派的学舌；陈立夫的唯生论，也是狄尔太的解释学或生之哲学的延长。凡此一切的新兴派别，如果脱离了世界哲学的动向，便无从理解其来源及意义。尤其，在目前成为抗战建国主要障碍的叶青的“新物质论”（？），也只有把它和国际法西斯侵略主义警犬的托洛斯基的唯心论及机械论混合的方法论联系起来，然后才能剔抉其逻辑的谬误及实践的反动性的根源。

在唯物论辩证法方面，更是自孙中山以后才随着中国革命怒浪的高涨（一九二五至一九二七年）而兴起的新的世界性哲学。近十年来在中国的收获，计有郭沫若关于中国古代社会史及先秦天道观念的研究（虽然有传播论的倾向及关于亚细亚生产样式的误解，而却有其独特的贡献）；沈志远关于经济学、经济学史及近代唯物论辩证法的优秀的介绍；侯外庐、陈伯达关于孙中山主义及其哲学的科学的研究；刘梦云（？）关于中国社会性质的研究（见《中国革命的根本问题》）；瞿秋白关于科学与人生观论战的解决（见《必然与自由》）；潘梓年关于辩证法与形式逻辑的关系的研究（虽有讨论的余地，但在中国，对此问题提出较科学而较具体意见的，则以潘氏为第一人）；艾思奇关于唯物论辩证法大众化及中国化的倡导（艾氏的著作，虽不无可议之处，而此大众化及中国化的动向，则系艾氏所发动）；陈伯达关于中国古代哲学史的研究；胡风的文学批评等等的劳作，尤其最近毛泽东关于抗日统一战线及抗日游击战的著作，充分表现出唯物论辩证法的具体形态，而开创了中国唯物论辩证法发展史上的新的阶段。这实在是值得特别纪念的伟大贡献。

在本书结尾时，著者要特别声明：关于孙中山以后的中国哲学，原拟逐一分节评述，兹因种种制限，乃改由极度压缩的形式，略为提出。如果条件可能，最近尚拟另作一部《近三十年来中国哲学史》，以补本书的缺陷。

三联经典文库第二辑简目

《游击战教程》　明凡 / 著

《游击战术纲要》　陶剑青 / 编著

《汪精卫卖国的理论与实践》　钱俊瑞 / 著

《抗战以来》　韬奋 / 著

《陕行纪实》　楚云 / 著

《随军散记》　沙汀 / 著

《被日寇囚系半载记》　王研石 / 著

《倭营历险记》　房沧浪 / 著

《活跃的新西北》　田影 / 编著

《保卫华北的游击战》　刘清扬　陈北鸥等 / 著

《徐州突围》　《徐州突围》编委会 / 编

《沦亡的平津》　长江　小方等 / 著

《淞沪火线上》　胡兰畦等 / 著

《瞻回东战场》　长江　罗平等 / 著

《东线的撤退》　胡兰畦等 / 著

《抗战中的西北》　徐盈 / 著

《鲁闽风云》　徐盈等 / 著

《西线生活》　西北战地服务团集体创作

《中国解放区见闻》 ［美］福尔曼著 / 朱进译

《全面抗战论》 潘汉年 / 著

《日本的间谍》 范士白自述 / 尊闻译

《日本大陆政策的真面目》 国难资料编辑社 / 编

《民众动员论》 李公朴 / 著

《中国外交史》 钱亦石 / 编著

《太平洋军事地理》 蒋震华 / 著

《世界经济地理讲话》 思慕 / 著

《列强军力论》 ［德］马克斯 · 威纳尔著 / 宾符 仲持 梅益等译

《近代国际关系史》 张铁生 / 著

《太平洋现势手册》 沈志远 石啸冲 / 编著

《近代世界政治史》 钱亦石 / 著

《从战争到和平——一九四五年的世界政治》 乔木 / 著

《战后日本问题》 思慕 / 著

《最近一年间的国际动态（1946.7–1947.6)》 《东北日报》社 / 编

《论政党》 翟放 / 著

《法与宪法》 韩幽桐 / 编著

《中华民国宪法刍议》 罗家衡 / 著

《民主 · 宪法 · 人权——作之民》 费孝通 / 著

《宪法论初步》 潘念之 / 著

《对反民主的抗争》 韬奋 / 著

《农村改进的理论与实际》 江恒源 / 著

《上海产业与上海职工》(上下)　　朱邦兴　胡林阁　徐声 / 合编

《陶行知教育论文选辑》　　陶行知著 / 方与严编

《中国通货膨胀论》　　杨培新 / 著

《中国及其未完成的革命》　　H·普拉特著 / 蒋天佐译

《中国的建设问题与人的训练》　　卢作孚 / 著

《论中国特殊性及其他》　　艾思奇 / 著

《中国经济问题讲话》　　钱俊瑞　徐雪寒　王渔邨　姜君辰　骆耕漠 / 合著

《中国经济的道路》　　许涤新 / 著

《中国财政之病态及其批判》　　孙怀仁 / 著

《官僚资本论》　　许涤新 / 著

《五四运动之史的评价》　　陈端志 / 著

《中国通史简编》(上下)　　中国历史研究会　范文澜 / 主编

《论文学的工农兵方向——读〈在延安文艺座谈会上的讲话〉》　雪苇 / 著

《中国近代史(上编　第一分册)》　　武波 / 编著

《文学百题》　　傅东华 / 编

《中国史学之进化》　　周谷城 / 著

《论民族形式问题》　　胡风 / 著

《论批评》　　荃麟等 / 著

《中国史纲》(第一卷上下、第二卷上下)　　翦伯赞 / 著

《近代中国思想学说史》(1–4)　　侯外庐 / 著

《中国政治思想史》（上下）　吕振羽 / 著

《中国哲学史纲要》　向林冰 / 著

《中国政治史讲话》　钱亦石 / 著

《中国社会经济史纲》　王渔邨 / 著

《新财政学大纲》　千家驹 / 著

《太平天国革命运动论文集——金田起义百周年纪念》

华北大学历史研究室 / 编

《理性与自由——文化思想批评论文集》　胡绳 / 著

《战斗者的诗人》　黄药眠 / 著

《国语文法》　曹朴 / 著

《教育哲学》　张栗原 / 著

《妇女问题讲话》　杜君慧 / 著

《婚姻 · 子女 · 继承》　沙千里 / 著

《性教育新论》　布士克　雅各生合著 / 董秋斯译

《狱中杂感》　杜重远 / 著

《七人之狱》　沙千里 / 著

《爱迪生传》　伍况甫 / 译

《歌德自传》（上下）　歌德著 / 思慕译

《尼赫鲁自传》　［印度］尼赫鲁著 / 毕来译

《列宁传》　［苏］凯尔任采夫著 / 企程　朔望译

《罗斯福总统传》　C．Mackenzie 著 / 张尚之译

《托尔斯泰传》（1–3）　［英］阿尔麦 · 莫德著 / 徐迟译

《革命文豪高尔基》　［美］亚历山大·康恩著 / 韬奋编译

《鲁迅纪念特辑》　新中国文艺社 / 编

《回忆鲁迅先生》　萧红 / 著

《人民文豪鲁迅》　平心 / 著

《亡友鲁迅印象记》　许寿裳 / 著

《鲁迅思想研究》　何干之 / 著

《鲁迅研究》　夏征农 / 编

《过来的时代：鲁迅论及其他》　雪峰 / 著

《电影戏剧表演术》　洪深 / 著

《日常心理漫谈》　［美］约瑟夫·查斯特罗著 / 曾宝施译

《心理常识漫话》　朱智贤　杨云美 / 著

《读书的方法与经验》　王任叔 / 著

《美国黑人生活纪实》　［美］加德维尔　斯坦倍克著 / 董秋斯译

《初访美国》　费孝通 / 著

《事业与成功》　［美］马尔腾著 / 汪原放译

《萍踪寄语（初集）》　韬奋 / 著

《一生的幸福前途——〈生活周刊〉信箱选集》　生活书店 / 编选

《深刻的印象》　生活周刊社 / 编

《海外的感受》　生活书店编译所 / 编